KOEN VERMEIREN

De blik

THRILLER

© 2011 Uitgeverij Manteau / WPG Uitgevers België nv,
Mechelsesteenweg 203, B-2018 Antwerpen en Koen Vermeiren
www.manteau.be
info@manteau.be

Vertegenwoordiging in Nederland
WPG Uitgevers België
Herengracht 370/372
NL-1016 CH Amsterdam

Eerste druk februari 2011

Omslagontwerp: Wil Immink
Omslagfoto: © Mohamad Itani / Arcangel Images / HH

ISBN 978 90 223 2569 8
D 2011/0034/306
NUR 330

De typerende blik waarmee de Border collie het vee stuurt, wordt 'eye' genoemd. In wezen is het drijven van de schapen niets anders dan natuurlijk jachtgedrag dat we ook bij wolven zien. Bij de Border collie is het daadwerkelijk doden van de prooi echter geblokkeerd.
– Esther Verhoef, auteur en dierenfotograaf

Madame Bovary, c'est moi!
– Gustave Flaubert

PROLOOG

Precies op het ogenblik dat het Speciaal Interventie Eskadron, de vroegere Brigade Diane, onder leiding van commandant Mark Van Den Eede arriveerde bij het statige herenhuis op de hoek van de Pachécolaan en de Kruidtuinlaan, klonk het eerste schot. Nog voordat Van Den Eede goed en wel van achter het stuur van zijn sneeuwwitte 4x4 Range Rover was gestapt, volgde het tweede. De journalisten en nieuwsgierigen die al urenlang in de vrieskou achter het blauw-witte politielint stonden toe te kijken, vol ongeduld om de afloop te weten, deinsden geschrokken achteruit.

Ook commissaris André Brepoels van de gemeentepolitie leek de schoten niet te hebben verwacht. Hij duwde zijn gsm nog wat harder tegen zijn linkeroor en begon er luid en opgewonden in te roepen, terwijl hij met de wijsvinger van zijn rechterhand zijn andere oor dichtdrukte.

'We weten echt niet waar hij is.' Hij keek zenuwachtig op zijn horloge. 'Ge moet ons meer tijd geven, we doen wat we kunnen... Hallo...? Hállo?' Hij haalde zijn gsm van zijn oor en probeerde vloekend de verbinding te herstellen.

Van Den Eede, gekleed in een antracietgrijze overall van brandvrij materiaal, kroop lenig onder het politielint door en liep in Brepoels' richting. Zijn tactisch team bestond uit vijf identiek geklede commando's. Twee van hen waren scherpschutters met een Sako TRG-21, een geweer van Finse makelij, in hun handen. Allemaal hadden ze een Glock 17 aan hun gordel. Op hun rechterschouder droegen ze een cirkelvormig embleem dat de godin van de jacht, Diana, afbeeldde.

'Wie we daar hebben, de rambo's!'

Van Den Eede negeerde het sarcasme van Brepoels. Hij wist dat de commissaris een paar jaar geleden, toen hij nog hoofdinspecteur was, deel had genomen aan de selectieproeven voor het SIE, die inderdaad heel streng en veeleisend waren, maar was afgekeurd wegens gebrek aan fysieke conditie. Sindsdien had hij blijkbaar helemaal niet meer naar zijn gewicht gekeken.

Van Den Eede vroeg meteen om een briefing.

Brepoels keek zuchtend in de richting van het herenhuis, waar slechts achter één raam, op de eerste verdieping, een flauw lichtschijnsel was te zien. 'Daar woont Pierre Van Opstal, een stinkrijke diamantair. Zijn winkel is hier wat verder in de straat. Twee mannen houden zijn vrouw en zijn twee kinderen gegijzeld.'

'En die schoten?'

'Ze dreigen ermee dat het de volgende keer raak is, als Van Opstal niet rap met losgeld over de brug komt.'

'Waar is hij?'

Brepoels haalde vermoeid zijn schouders op. 'Dat is het 'm juist. We proberen hem al heel de tijd te bereiken, maar zijn gsm staat uit. Ik heb al drie keer een boodschap ingesproken.'

Van Den Eede keek in de richting van het verlichte raam, waarachter even het hoofd van een man opdook. Voor een getraind scherpschutter waren die paar seconden voldoende om iemand uit te schakelen, zelfs op een afstand van enkele honderden meters. In theorie althans, want in de praktijk was het onmogelijk om in zo korte tijd een situatie correct in te schatten. Bovendien waren er twee gijzelnemers.

'Hoeveel willen ze?'

'Twee miljoen... En een helikopter.'

Van Den Eede keek Brepoels fronsend aan. 'Een helikopter? En waar zou die dan moeten landen?'

'Geen idee.'

Het was volop spitsuur. De auto's stonden in beide richtingen bumper tegen bumper aan te schuiven. Doordat nogal wat chauffeurs meer geïnteresseerd waren in wat er naast in plaats van op de weg gebeurde, waren er al een paar kleine aanrijdingen geweest, die de chaos alleen maar erger maakten.

'Waarom hebt ge de boulevard nog niet laten afsluiten?'

Het klonk kwader dan Van Den Eede had bedoeld.

'Omdat de procureur zei dat we op u moesten wachten.'

Hij keek de commandant van het SIE met een scheve glimlach aan. Wat er ook gebeurde, vanaf nu was het zijn verantwoordelijkheid niet meer.

'Laat de straat voor alle verkeer afzetten. Zorg dat die files hier verdwijnen, en stuur die ramptoeristen ginder weg.'

Brepoels wenkte enkele agenten die wat verderop naast hun combi met elkaar stonden te praten.

'Hoe lang is die gijzeling al aan de gang?' vroeg Van Den Eede.

'De oproep kwam binnen om 16.35 uur.'

Dat was bijna anderhalf uur geleden.

'Waarom zijn wij zo laat verwittigd?'

'Ook dat moet ge aan de procureur vragen.'

Van Den Eede vroeg zich af wanneer díé op de hoogte was gebracht, maar zweeg. Een discussie met Brepoels was momenteel het laatste wat hij wilde.

De commissaris gaf de bevelen van Van Den Eede door aan zijn mannen.

'Van wie kwam die oproep?'

9

'Een toevallige voorbijganger die van zijn werk kwam. Hij zag hoe twee kerels madame Van Opstal en haar twee kinderen uit hun auto sleurden.'

'Leeftijd?'

'Een jaar of veertig, schat ik. Hij staat daar.'

'Ik had het over de kinderen...' Er klonk opnieuw wrevel in zijn stem. Hield Brepoels hem voor de gek?

'Een jongen van zeven en een meisje van vijf. Hun moeder was ze gaan afhalen aan de school.'

Van Den Eede knikte kort, liep naar de getuige, een kalende man in een versleten jeansbroek en een zwarte anorak, en stelde zich voor.

'En u bent?'

'Dirk Smeekens.'

Op zijn rechterhand had hij een slecht gemaakte tatoeage van een arend.

'U hebt de twee gijzelnemers gezien?'

'Het is te zeggen, niet hun gezicht.'

'Enig idee hoe oud ze zijn?'

De man trok nadenkend zijn wenkbrauwen op. 'Aan hun kleren te zien, en aan hun manier van doen, zou ik denken eerder jong. Het ging allemaal zo rap.'

'Hebt ge ze onderen horen praten?'

'Daarvoor stond ik er te ver af. De ene sleurde die vrouw van achter haar stuur, terwijl de andere de kinderen mee naar binnen trok. Ze zagen eruit als die moslimterroristen op tv.'

'Hoezo?'

'Welja, met zo van die witte keukenhanddoeken met zwarte strepen voor hun gezicht. De ene had een revolver vast en de andere een soort mitraillette met een heel korte loop.'

Van Den Eede keek naar zijn team, dat geduldig stond te wachten.

'Bedankt.'

Waarna hij zich omkeerde en naar zijn mannen liep.

'Twee gewapende kerels, mogelijk moslims, houden de vrouw van een diamantair en haar twee kinderen gegijzeld. Ze eisen twee miljoen en een helikopter.'

Het was ondertussen zachtjes gaan regenen. Agenten in glimmende oranje jassen maanden de chauffeurs met wiekende armbewegingen aan om door te rijden, terwijl verderop de boulevard werd afgezet met politiewagens en linten.

'Erik, bel de kazerne op en zeg dat ze de McDonnell sturen.'

De gloednieuwe helikopter was uitgerust met het NOTAR-systeem, dat de staartrotor verving en waarmee de piloot ook links en rechts kon manoeuvreren. Het toestel, dat een laadhaak en een winch aan boord had, werd vaak ingezet voor controleopdrachten of voor het zoeken naar vermiste personen. Het had een vliegbereik van bijna 600 kilometer.

'Stef en Rudy, hou de deur in de gaten. Jan en Guy, het raam.'

De scherpschutters namen onmiddellijk hun positie in. Door de dagelijkse trainingen, die altijd zo realistisch mogelijk waren, wisten alle teamleden meteen wat hun te doen stond. Het was tijdens zulke oefeningen, waarbij vaak echte munitie werd gebruikt, dat er bij het SIE ooit twee dodelijke slachtoffers waren gevallen.

'De Mac is onderweg.'

Erik Rens was de jongste van het team. Hij was pas vorige week zevenentwintig geworden. Leslie, zijn vriendin, met wie hij nu ongeveer een jaar samenwoonde, had het niet zo op zijn job begrepen. En dat was er niet beter op geworden sinds Erik uitgerekend op zijn eigen verjaardagsfeestje was opgeroepen voor een interventie. Een dronken man wiens vrouw ervandoor was met haar minnaar, had zich in zijn huis verschanst en had vanuit het raam met een Long Rifle geschoten op alles wat bewoog. Erik had zijn vrienden wijsgemaakt dat er rellen met migrantenjongeren waren bij het Noordstation en dat hij werd opgeroepen. Zelfs zijn ouders wisten niet dat hij lid was van het Speciaal Interventie Eskadron. Er was die avond door het team geen enkel schot gelost. Mark Van Den Eede was er, alweer, in geslaagd de dolgedraaide schutter naar buiten te praten, zonder dat er bloed was gevloeid. Hij was befaamd en werd gerespecteerd vanwege zijn geduld en zijn onderhandelingstechnieken, waarbij hij zelfs in de kritiekste situaties het hoofd koel kon houden. Iedere tussenkomst die uitliep op een vuurgevecht beschouwde hij als een nederlaag, iets wat hij zijn manschappen voortdurend bleef inprenten. Al lachend werd wel eens gezegd dat een crimineel die het met het SIE aan de stok kreeg, de meeste kans had om het er levend van af te brengen.

Van Den Eede ging opnieuw naar Brepoels en vroeg het telefoonnummer waarmee de gijzelnemers contact met hem hadden opgenomen. Het bleek de gsm van mevrouw Van Opstal te zijn. Hij toetste het nummer in op zijn eigen gsm en concentreerde zich op zijn ademhaling, terwijl hij op verbinding wachtte. Uit ervaring wist hij dat het eerste contact met misdadigers die zich in een stresstoestand bevinden, van groot belang is. Het kwam erop aan een rustige maar tegelijk vastberaden toon aan te slaan, die op geen enkel moment bedreigend overkwam. Zelfs in de gevaarlijkste omstandigheden was het vooral een kwestie van vertrouwen winnen. En tijd. Als praten niet hielp, bood verdovend gas soms een oplossing, al was dat minder geschikt voor gijzelingen.

Het gerinkel hield op.

'Wij wachten nog altijd. Maar niet lang meer.'

De man had een hese stem en sprak op een kalme, wat lijzige toon. Geen geroep of stoere taal. Hier was iemand aan het woord die het gevoel had dat hij alles onder controle had. Van Den Eede had liever een boze of nerveuze stem gehoord.

'De helikopter is onderweg. Zoals ge ziet, zijn we volop bezig de boulevard te ontruimen, zodat hij plaats heeft om te...'

'En het geld?'

'Het is ons helaas nog niet gelukt om mijnheer Van Opstal te contacteren. Misschien dat zijn vrouw weet waar hij is. Kan ik haar even spreken?'

Aan de andere kant klonk gegrinnik. Toen Van Den Eede naar het verlichte raam keek, zag hij het silhouet van een man.

'Hoeveel van uw snipers houden mij momenteel onder schot?'

Van Den Eede antwoordde zonder aarzelen. 'Twee.'

Weer was er zacht gelach te horen.

'Mijn naam is Mark Van Den Eede, ik ben commandant van het SIE en ben er zeker van dat we dit kunnen oplossen zonder dat er slachtoffers moeten vallen.'

Op dezelfde rustige toon antwoordde de man dat híj daar niet zo zeker van was. Het klonk bijna laconiek.

'Als het geld en de helikopter er over een halfuur niet zijn, zal het niet bij een paar schoten in de muur blijven.'

'Die helikopter zal er binnen tien minuten zijn, dat garandeer ik. Wat het geld betreft...'

'Een halfuur, Van Den Eede.'

De man achter het raam bleef nog heel even staan nadat hij de verbinding had verbroken, alsof hij de scherpschutters wilde uitdagen. Daarna werd hij opnieuw opgeslokt door de duisternis van de achterliggende kamer. Als het gesprek één ding duidelijk had gemaakt, dan was het wel dat ze niet met amateurs te doén hadden. De man met wie hij had gesproken, wist wat hij wilde, en zou geen moment aarzelen om zijn dreigement uit te voeren.

Commissaris Brepoels was ondertussen dichterbij gekomen. 'En?'

'Over een halfuur valt de eerste dode.'

'Terwijl Van Opstal waarschijnlijk met de een of andere griet in bed ligt.'

'Waarom denkt ge dat?'

'Waarom zet hij anders zijn gsm uit?'

'Hebt ge zijn ouders al gecontacteerd? Broers, zussen? Zakenpartners? Collega's...?'

Brepoels keek hem misprijzend aan en haalde toen een notitieboekje uit zijn binnenzak. 'Komt ge mij mijn job leren?'

Hij nam zijn aantekeningen door.

'Vader en moeder Van Opstal zijn twee jaar geleden alle twee omgekomen tijdens een ongeval met hun sportvliegtuig. Zoon Pierre heeft alles geërfd en is papa opgevolgd als diamantair. Zijn boekhouder beweert dat Van Opstal deze voormiddag naar een klant is vertrokken, een zekere Geens, in Vilvoorde. Die houdt echter vol dat Pierre Van Opstal de afspraak telefonisch naar overmorgen heeft verplaatst.'

Brepoels klapte zijn notitieboekje dicht en keek Van Den Eede met een scheef glimlachje aan. 'Wat denkt een mens dan...?'

'Kan die boekhouder niet aan dat geld geraken?'

Brepoels schudde zijn hoofd. 'Alleen Van Opstal kent de code van de safe. En wie zegt ons dat er zo'n grote som in ligt?'

'Blijf hem opbellen en laat het mij direct weten als het lukt.'

Het was harder gaan regenen. De anders zo drukke Pachécolaan lag er nu verlaten bij. Het constante gezoem van de stad hing als een onzichtbare bijenzwerm in de lucht. Van Den Eede liep naar het midden van de boulevard en drukte op de herhaaltoets van zijn gsm. Terwijl hij wachtte, keek hij naar het verlichte raam. Net toen hij het wilde opgeven, klonk dezelfde hese stem.

'Ja?'

'Er is nog niks onherroepelijks gebeurd. Als ge nu naar buiten komt, dan valt er vast wel iets te regelen.'

Even was weer dat gegrinnik te horen.

'Ge hebt nog welgeteld 21 minuten.'

'Laat dan ten minste de kinderen vrij. Aan één gijzelaar hebt ge toch genoeg?'

'Denkt ge?'

Ook al had het meer spottend dan dreigend geklonken, Van Den Eede was er nu echt van overtuigd dat hij te maken had met iemand die bereid was tot het uiterste te gaan.

'Ik ben er zeker van dat Pierre Van Opstal u dat geld zal geven. Het probleem is dat we hem niet kunnen bereiken. Als ge mij niet gelooft, probeer hem dan zelf maar eens op te bellen.'

'Dat hebben we al gedaan.'

'Dan weet ge dus dat ik niet lieg en dat zijn gsm uit staat?'

'Van Opstal interesseert ons niet. Wel die twee miljoen zwart geld in zijn kluis.'

Van Den Eede dacht razendsnel na. De diamanthandel was een gesloten wereldje. Als het klopte wat de gijzelnemer zei, dan waren ze goed op de hoogte van de manier waarop Van Opstal zaken deed. Waren het bedrogen klanten die wraak wilden nemen? Of zakenpartners die wisten dat de diamantair zich met illegale praktijken bezighield?

'Zonder hem geraken we daar niet in. Hij alleen kent de code.'

'Er zijn nog andere manieren om een kluis open te krijgen. Of zitten er in uw team geen explosievenspecialisten?'

'En wat als de inhoud mee in rook opgaat?'

Weer dat akelige lachje.

'Dat is dan pech. Voor iedereen.'

In de verte klonk het geluid van een naderende helikopter. De gijzelnemer moest het ook hebben gehoord, want achter het raam dook opnieuw zijn silhouet op. Van Den Eede wist dat Jan en Guy hun vizier nu op de kleine donkere vlek van het hoofd richtten, waarbij ze nauwgezet rekening hielden met de schuine opwaartse hoek die hun kogel zou moeten afleggen om het doelwit dodelijk te treffen. Ze hadden zelfs geleerd hun kijker te corrigeren als er te veel wind stond.

'Wat moet er met de helikopter gebeuren?'

'Stand-by houden tot het geld er is.'

Achter zijn rug riep iemand luid zijn naam. Het was Brepoels, die haastig kwam aangelopen met een gsm in zijn hand.

'Van Opstal! We hebben hem eindelijk kunnen bereiken. Hij is onderweg.'

Van Den Eede nam de gsm niet meteen aan, maar gebaarde naar de commissaris dat hij even moest wachten. Waarna hij zich kalm in de richting van het raam keerde.

'Nog een beetje geduld. We hebben Pierre Van Opstal aan de lijn. Hij is op komst.'

'We hebben hem niet nodig. Alleen de cijfercombinatie van zijn kluis.'

'Momentje.'

Van Den Eede liet de ene gsm zakken en bracht die welke Brepoels hem aanreikte, een zwarte Samsung, naar zijn andere oor.

'Mijnheer Van Opstal? Commandant Van Den Eede. U weet wat er hier aan de gang is?'

'Is alles in orde met mijn vrouw en mijn kinderen?'
Zijn stem klonk onduidelijk, er zat veel geruis doorheen.
'Voorlopig wel. Maar we hebben dringend de code van uw geldkluis nodig.'
Aan de andere kant was alleen het zachte geronk van de motor te horen.
'Hallo?'
'Hoeveel willen ze?'
'Twee miljoen.'
Weer bleef het even stil.
'Zo veel heb ik niet.'
'Daar hebben we nu echt geen tijd voor, Van Opstal. We weten dat er een geurtje is aan het geld in uw kluis, maar dat speelt nu geen rol. Het gaat om de veiligheid van uw gezin.'
Van Den Eede kon hem een diepe zucht horen slaken.
'Er zat inderdaad twee miljoen in mijn safe, dat geef ik toe, maar nu niet meer...'
De commandant keek vragend naar Erik Rens, die vlakbij stond en zijn best deed om het gesprek te volgen.
'Hoe bedoelt ge?'
Uit de gsm die Van Den Eede in zijn andere hand hield, klonk de stem van de gijzelnemer.
'Ik wil dat ge nu een van uw mannen om het geld stuurt.'
Van Den Eede drukte de zwarte Samsung opnieuw tegen zijn linkeroor.
'Blijf aan de lijn.'
Waarna hij terug van gsm wisselde.
'Oké, we halen het op. En daarna?'
'Brengt ge het in een koffer aan boord van de helikopter en komt de piloot ons oppikken. Aan de achterkant van het huis is een groot terras.'
De gangsters wilden zich laten ophijsen. Om veilig weg te

komen hadden ze daarvoor minstens één gijzelaar nodig. Hopelijk kozen ze niet voor een van de kinderen.

'Begrepen.'

'Over een kwartier willen we hier weg zijn.'

De verbinding werd verbroken. Van Den Eede schakelde meteen over naar zijn tweede gsm.

'Wat bedoelt ge, dat die twee miljoen niet meer in uw kluis liggen?'

Van Opstal zei iets wat Van Den Eede niet verstond.

'Spreek eens wat luider.'

'Ik heb ze deze namiddag naar een Luxemburgse bank gebracht...'

De commandant kon amper een vloek onderdrukken. Erik Rens vroeg wat er scheelde.

'Het geld is weg. Hij heeft het uitgerekend vandaag naar Luxemburg versluisd.'

'Djezus!'

De donkere schim stond nog altijd onbeweeglijk achter het raam. Van Den Eede besefte dat hij nauwlettend in het oog werd gehouden. Hij wist ook dat dit soort misdadigers over een soort zesde zintuig beschikte, dat vaak voor het kleinste signaal gevoelig was.

'Wie wist daarvan?' vroeg hij aan Van Opstal.

'Niemand natuurlijk.'

'Is er dan helemaal niks meer?'

'Een paar duizend euro.'

Van Den Eede dacht na. 'Dan zullen we het daarmee moeten doen. Zijt ge nog ver van huis?'

'Ik ben nog maar pas de grens gepasseerd.'

'Heeft uw vrouw een sleutel van de winkel?'

'Ze weet waar ik mijn reserve bewaar.'

Van Den Eede vroeg en herhaalde hardop de cijfercombinatie van de kluis en vervolgens de code om het winkelalarm te deactiveren, die Erik Rens noteerde.

'Zeg tegen Mike dat hij op de boulevard landt.'

'Oké.'

Waarna Van Den Eede langzaam in de richting van Van Opstals huis liep, benieuwd hoe ver hij zou komen voordat zijn gsm begon te rinkelen. Dat gebeurde al na een paar meter.

'Wat heeft dat te betekenen?'

Voor het eerst hoorde hij iets van onzekerheid in de hese stem.

'Ik kom de reservesleutel van de winkel halen. Mevrouw Van Opstal weet waar die ligt.'

Hij kon de man die daarboven naar hem stond te kijken, horen nadenken. Opeens was hij uit het zicht verdwenen. Gedempte stemmen. Even meende Van Den Eede die van een vrouw op te vangen. Vervolgens het geluid van een deur die werd geopend. Voetstappen. Gekraak. Opnieuw onverstaanbaar gepraat. Dan een doffe bons, alsof er iets omverviel. Een paar seconden later verscheen de gijzelnemer opnieuw aan het raam.

'Kom naar hier.'

Van Den Eede liep verder, terwijl hij zijn ogen gericht hield op de schimmige figuur. Het leek inderdaad alsof die een arafatsjaal om zijn hoofd droeg. Als hij een moslim was, dan een die hier was geboren, aan zijn accent te horen. Hoewel het vreemd was dat hij Nederlands in plaats van Frans sprak, zoals de meeste allochtonen in Brussel. Natuurlijk kon iedereen zo'n doek rond zijn hoofd draaien.

'Stop! Dat is ver genoeg.'

Van Den Eede bleef meteen staan. Het volgende moment ging het raam half open en stak de gijzelnemer zijn arm naar buiten. In zijn hand kon Van Den Eede de sleutel zien blinken, die vervolgens in een boogje door de lucht vloog en een paar meter voor zijn voeten op de stoep kletterde. Terwijl hij hem opraapte, hoorde hij dat het venster werd gesloten. Hij keerde zich om en liep terug naar de overkant van de boulevard, waar Mike zijn helikopter aan de grond had gezet. Van Den Eede kon de luchtverplaatsing van de stationair draaiende rotoren tot hier voelen. Hij dacht terug aan die keer dat ze met de McDonnell zo dicht boven een vluchtende bankovervaller hadden gehangen dat de man door zijn knieën was gegaan en plat tegen de grond was gedrukt. Mike had hem daar gehouden tot het achtervolgingsteam ter plaatse kwam. Het had dagen geduurd voordat de gangster weer iets kon horen.

Erik Rens kwam hem al tegemoet gelopen. Van Den Eede gaf hem de sleutel van de winkel.

'Pak al het geld dat nog in de kluis ligt, en zorg dat het eruitziet als twee miljoen.'

Rens knikte. 'Ga ik mee aan boord?'

Ze hadden nog maar pas een riskante reddingsoperatie geoefend, waarbij Erik zich tijdens een zeestorm op het achterdek van een groot zeiljacht neer had laten winchen, om een gewapende drugsdealer uit te schakelen. Hij had het er prima van afgebracht.

'Oké. Hou op ieder moment contact.'

Van Den Eede keek op zijn horloge. Ze hadden nog welgeteld zeven minuten. Hij zag Erik het traliehek voor het uitstalraam omhoogschuiven en de winkel binnenlopen. Als het erop aankwam, zou hij voor al zijn mannen door het vuur gaan, maar voor Erik Rens had hij een zwak. Hij deed hem aan zichzelf denken toen hij die leeftijd had. Een zwijgzame, plichtbewuste jongeman. Sommige jongens zaten bij het SIE omdat ze van actie en avontuur hielden, andere werden aangetrokken door het mysterieuze elitekarakter van de eenheid, die tot ver buiten de landsgrenzen als uiterst professioneel en effectief stond aangeschreven. Maar bij Erik

Rens was er nog een andere drijfveer in het spel. Hij was een 'mens van goede wil', iemand wiens hart sneller ging slaan bij het zien van al dat onrecht om hem heen, vooral als hij er zelf machteloos tegenover stond. Uit ervaring wist Van Den Eede dat, met het ouder worden, het gevaar op cynisme almaar groter werd. Of misschien nog erger: onverschilligheid. Van te veel onrechtvaardigheid kon je immers moe en verbitterd worden, of kwam er een laag beschermende eelt op je ziel. Ook Van Den Eede moest zich soms verzetten tegen het gevoel dat slechtheid een aangeboren eigenschap van de mens was, waarop het goede alleen maar een noodzakelijke reactie vormde. Zoiets als een ziekte die, uit zelfbehoud, tot het ontstaan van een medicijn leidde. Maar telkens weer zouden er nieuwe ziektes opduiken, waartegen de mens zich moest verweren, wilde hij als individu én als soort overleven. Van Den Eede was ervan overtuigd dat hij met een andere, passievere job al lang aan die pessimistische levenshouding ten onder zou zijn gegaan. Als commandant van het SIE kon hij echter af en toe het verschil maken, en dat gaf hem het gevoel dat wat hij deed zinvol was. Intuïtief voelde hij aan dat ook Erik Rens er zo over dacht, net als over het geweld dat ze soms verplicht waren te gebruiken, maar alleen als er echt geen andere keuze was. Hopelijk zouden ze die vandaag wel hebben.

Hij zag Erik de winkel verlaten met een zwarte aktetas in zijn linkerhand en naar de helikopter lopen. Naarmate hij dichterbij kwam, moest hij zich steeds meer bukken om de luchtdruk te weerstaan. De copiloot schoof de deur van de passagiersruimte open en Erik stapte in.

'Ringo aan Charlie, alles klaar hier.'

Ondanks de ernst van de toestand moest Van Den Eede even glimlachen. In zijn zeldzame vrije tijd zat Erik graag achter zijn drumstel, mee te spelen met hits uit de sixties.

Hij drukte zijn oortje wat vaster aan en regelde het volume ervan bij.

'Oké, Ringo, maak eerst visueel contact met targets, terwijl wij onze posities innemen.'

'Ringo' antwoordde dat hij het begrepen had, waarna de helikopter langzaam van de grond loskwam. Nog voordat hij goed en wel de lucht in was, stond Van Den Eede al bij zijn mannen.

'Van zo gauw de Mac boven het huis hangt, proberen wij de voorkant.'

De scherpschutters knikten zonder ook maar één moment hun doelwit uit het oog te verliezen. De helikopter maakte een sierlijke bocht naar de woning van Van Opstal, en positioneerde zich boven het terras aan de achterzijde, dat hij in zijn zoeklicht gevangenhield. Achter het straatraam was geen beweging meer te zien. Van Den Eede drukte opnieuw op de herhaaltoets van zijn gsm en wachtte.

Vijf beltonen later klonk de stem van de gijzelnemer. 'Is al het geld aan boord?'

'Tot de laatste cent.'

'Denk eraan dat Van Opstal zijn madame mee op reis mag.'

De gijzelnemer had zijn zelfverzekerdheid terug.

'En de kinderen, wat gebeurt daarmee?'

De verbinding werd verbroken. Aan het raam was nog altijd niemand te zien.

'Ringo aan Charlie. Targets bevinden zich met de vrouw op het terras. Van hieruit geen kinderen te zien.'

Van Den Eede gebaarde naar zijn mannen dat ze konden vertrekken. Stef liep voorop, de anderen volgden op één lijn met telkens ongeveer anderhalve meter tussenruimte, hun commandant als laatste. Ze staken de boulevard over en slopen tot vlak bij de voorgevel van het huis, terwijl Van Den

Eede postvatte aan de zijkant van de woning, vanwaar hij zowel de helikopter als zijn team kon zien. Vreemd genoeg waren de zwarte overalls die ze vroeger droegen 's nachts veel beter zichtbaar dan de nieuwe antracietkleurige uniformen. Van Den Eede keek toe terwijl Guy met een Highway Hooligan Tool de voordeur forceerde, waarbij het geluid van de McDonnell alles overstemde. In zijn oortje klonk opnieuw de stem van Ringo.

'We halen *target one* binnen.'

Van Den Eede deed nog een paar stappen opzij en zag hoe de gijzelnemer in een verblindende lichtschacht omhoog werd gehesen. Het was een kleine, zelfs wat tengere man wiens gezicht inderdaad werd bedekt door een arafatsjaal. Hij droeg een legerjack en kaki broek, met daaronder witte sportschoenen. In zijn rechterhand hield hij een pistool vast, dat hij op Erik Rens richtte. Die zat in de deuropening van de helikopter met één voet op het landingsgestel. Van Den Eede besefte dat hij vanaf nu geen contact meer met hem zou kunnen hebben. Hij keek naar Guy, die zijn duim in de hoogte stak, waarna zijn mannen één voor één in het huis verdwenen. De gijzelnemer bevond zich nu op de hoogte van de Mac en werd door Erik naar binnen geholpen. De volgende zou ongetwijfeld de vrouw van Van Opstal zijn. Maar tegen het moment dat het hijstoestel weer tot op het terras was gezakt, zou zijn team al lang de trap op zijn gestormd, wachtend op zijn bevel om de kamer binnen te vallen. Hoe vaak dit soort situaties ook werd getraind, er kwamen altijd enkele factoren bij kijken die je niet helemaal kon voorzien of controleren. Maar dat gold natuurlijk ook voor de gijzelnemers zelf. Wist hij maar waar de twee kinderen zich momenteel bevonden. Hadden ze die opgesloten? Vastgebonden? Hield de tweede gangster de wacht bij hen?

23

'Bruce aan Charlie. Gelijkvloers *cleared*. We zijn boven.'

Van Den Eede vroeg Guy om stand-by te blijven. Het hijstoestel was ondertussen opnieuw tot op het terras gezakt, dat van hieruit niet te zien was. De helikopter, die als een reusachtige horzel boven het huis hing, maakte even een schommelende beweging. Erik steunde nu met beide voeten op het landingsgestel, terwijl hij met één hand probeerde de kabel zo stil mogelijk te houden. Van de gangster, die hem onder schot hield vanuit de helikopter, leek hij zich niets aan te trekken. Hij ging even kalm en geroutineerd te werk als tijdens een doordeweekse training. Zoals verwacht was mevrouw Van Opstal de volgende die omhoog werd getrokken. Ze klampte zich krampachtig vast aan de twee handbeugels en keek paniekerig naar boven en vervolgens naar het terras onder zich. Stonden haar kinderen daar? Toen ze naast de helikopter bengelde, werd ze door Erik voorzichtig naar binnen geholpen. Net op het ogenblik dat Van Den Eede zich afvroeg of hij zijn wachtende team de deur kon laten inbeuken met de *bélier*,[1] begon zijn gsm te rinkelen.

'Twee miljoen, had ik gezegd. Waar is de rest van het geld?'

Hoewel de hese stem van de gijzelnemer niet luider klonk dan daarstraks, kon Van Den Eede er nu ingehouden woede in horen trillen. Hij had gehoopt dat het langer zou hebben geduurd voordat de list werd ontdekt.

'Er lag zo veel niet meer in de safe.'

'Dat kan niet!'

Het klonk alsof hij het er met eigen ogen in had zien liggen.

'Van Opstal was met het meeste onderweg naar een Luxemburgse bank.'

---

1 Een zware metalen staaf voorzien van handvatten.

De gangster keek vanuit de helikopter speurend rond. Van Den Eede begreep dat de man naar hem zocht. Hij deed enkele stappen naar voren tot in het licht, waar hij gezien kon worden.

'We hebben hem nog tijdig kunnen bereiken. Hij is met de rest van het geld onderweg en kan ieder moment hier zijn.'

'Ik geloof u niet.'

Het antwoord kwam als een kaatsende bal terug. Dit ging compleet de verkeerde kant uit. Van Den Eede besefte dat er eigenlijk maar twee keuzemogelijkheden overbleven en dat hij snel moest beslissen. Of hij stuurde zijn team nu naar binnen, met de kans dat er slachtoffers vielen, of hij probeerde tijd te winnen. Normaal zou hij voor het laatste hebben gekozen, maar aangezien de tweede gangster zich nog altijd met de kinderen in de woning bevond, vroeg hij zich af of dit wel de beste tactiek was. Als de kinderen inderdaad in een aparte kamer waren opgesloten, mocht hij hem niet de kans geven ze daar weer uit te halen. Het was een berekende gok, maar het alternatief – afwachten – leek hem nóg gevaarlijker.

'Ik bel Van Opstal nu op en vraag wanneer hij hier is. Oké?'

Het duurde even voordat het antwoord kwam.

'Laat maar. Dat doe ik zelf wel.'

Van Den Eede wist meteen wat hem te doen stond.

'Charlie aan Bruce. Go!'

In gedachten zag hij zijn mannen de deur inbeuken, een Sound & Flash-granaat naar binnen gooien, die niet alleen met een harde knal ontplofte, maar daarna nog een aantal sterke lichtflitsen veroorzaakte, en één voor één, vlak na elkaar, naar binnen stormen. Van wat daarna zou volgen, was hij minder zeker. Eerst kwam de explosie van de granaat, vlak daarna leek het of er achter het raam vuurwerk werd afgestoken. Toen klonken kort na elkaar twee schoten, zo te horen afkomstig uit hetzelfde wapen. Vervolgens een derde. Bijna tegelijkertijd meldde Guy dat het target was ontwapend en 'partieel geneutraliseerd' door een schot in de rechterhand. Van Den Eede gebaarde naar het ambulancepersoneel dat wat verderop afwachtend toe stond te kijken. Twee verplegers en een dokter spoedden zich meteen naar de woning.

'En de kinderen?'

Op dat moment veranderde het motorgeluid van de helikopter opeens. Hij hing niet langer onbeweeglijk boven het terras, maar steeg een paar meter en maakte toen een zwenking naar rechts. In de laadruimte was iets aan de gang. Het leek wel of er werd gevochten. De Mac hing nu vlak boven Van Den Eedes hoofd en draaide vervolgens bruusk naar rechts. 'Charlie aan Ringo. Wat gebeurt er?'

Maar het was Guy die antwoordde.

'De kinderen lagen in de slaapkamer van hun ouders. Vastgebonden en met een prop in hun mond.'

Van Den Eede vroeg of ze oké waren, terwijl hij de vreemde capriolen van de helikopter bleef volgen. De McDonnell daalde plotseling en trok vervolgens weer met een ruk op. Wat was er daarboven, in hemelsnaam, gaande? Mike stond bekend als een prima piloot met een jarenlange staat van dienst. Ze oefenden vaak samen.

'Het meisje wel...'

De commandant voelde zijn hart samenkrimpen. 'En de jongen?' Zijn stem had schor geklonken.

'Daarvoor zijn we, spijtig genoeg, te laat... Hij is gestikt in zijn eigen braaksel. Volgens zijn zus kreeg hij een epilepsieaanval.'

Van Den Eede hapte naar adem. In gedachten zag hij zijn eigen zoon, met draaiende ogen en spastische bewegingen makend, op de grond liggen schuimbekken, terwijl Linda een kussen onder zijn hoofd probeerde te schuiven om te verhinderen dat hij zich verwondde.

'Verdomme...'

Meer tijd om te reageren kreeg hij niet. Hij zag de helikopter opnieuw een scherpe bocht maken, zodat hij nu bijna evenwijdig aan de boulevard vloog, als een oorlogsvliegtuig dat zich klaarmaakte om zijn doel aan te vallen. Tot zijn ontzetting werd er een lichaam naar buiten geduwd, dat twee keer om zijn as draaide alvorens het met een doffe klap op het blinkende asfalt terechtkwam. De helikopter scheerde in volle snelheid boven Van Den Eede, schoot opnieuw de hoogte in en vloog vervolgens rechtdoor. De commandant rende hijgend naar de plaats waar het lichaam was gevallen. Dat was nu aan het zicht onttrokken door Brepoels en enkelen van zijn agenten, die er in een halve cirkel omheen stonden. Van Den Eede duwde de toegesnelde politiemannen hardhandig opzij, en bleef toen als aan de grond genageld staan. Hij hoorde de stem van Guy die in zijn hoofd echode, zonder dat er ook maar één woord van wat hij zei tot hem doordrong. Met onbegrip en afschuw keek hij naar het onbeweeglijke lichaam dat op een paar meter bij hem vandaan in een vreemd verwrongen houding op de rijbaan lag.

Het was Erik Rens die hem met een glazige blik aanstaarde.

1

Stijn deed een laatste poging om de berg zand waarop hij stond te verstevigen tegen het geweld van de opkomende zee, maar kon niet verhinderen dat een aanstormende golf een flinke bres sloeg in zijn vesting. Het volgende moment stond hij tot bijna aan zijn knieën in het water, terwijl hij ijverig met zijn plastic schop de schade aan zijn bouwsel trachtte te herstellen. Zoals gewoonlijk wanneer ze op het strand waren, ging hij helemaal op in zijn spel. In zijn enthousiasme stootte hij af en toe een luide kreet uit die het midden hield tussen 'Oh!' en 'Ah!' Mark Van Den Eede, in zwembroek en met een blauw Stetson-petje, sloeg van achter zijn zonnebril zijn zoon zwijgend gade. Hij zag hoe enkele kinderen hun spel onderbraken en geamuseerd in de richting van Stijn keken. Het verschil tussen lachen en uitlachen was ook voor hem niet altijd even duidelijk. En ook al begreep hij dat het een vreemd gezicht moest zijn om een jongen van vijftien, die dan nog abnormaal groot was voor zijn leeftijd, zo kinderlijk bezig te zien, toch gaf het hem iedere keer weer een onbehaaglijk gevoel. Als het volwassenen waren die zo reageerden, maakte het hem vooral boos. Linda, die in monokini naast hem op haar rug op een grote strandhanddoek lag en zichtbaar van de zon genoot, trok zich daar veel minder van aan.

Van Den Eede, die tijdens zijn vakantie een kort, grijs

baardje had laten groeien, waardoor hij, volgens Linda, wat op Sean Connery leek, greep naar de krant die hij daarstraks had gekocht. '22 gevangenen ontsnapt uit Leuven Centraal', stond in koeien van letters op het eerste blad. Twee gedetineerden hadden een cipier gegijzeld en een andere gedwongen om twintig cellen te openen. Daarna waren ze over de muur van de binnenplaats geklommen, hun vrijheid tegemoet. Er waren een paar zware jongens bij, veroordeeld voor gewapende overvallen, verkrachting en afpersing. Van Den Eede schudde zijn hoofd. Was dit een grap of om te huilen? Hij dacht aan Erik Rens, die vond dat het tegenwoordig veel makkelijker was om úít de gevangenis te komen dan erin. Geërgerd sloeg Van Den Eede de pagina om.

Meteen werd hij getroffen door een bekend gezicht: dat van Januž Agani, lid van de Albanese maffia en mensensmokkelaar, die ze vorig jaar met veel moeite hadden kunnen arresteren, nadat federale speurders hem hadden gelokaliseerd. Het was tot een wilde achtervolging gekomen, waarbij ook was geschoten en een vrouw van het zebrapad was weggemaaid toen de vluchtende gangster een rood licht had genegeerd. Agani was gefotografeerd terwijl hij lachend met een bundeltje kleren onder zijn arm de gevangenis van Lantin verliet, waar hij in voorarrest zat. 'Vrij wegens zware procedurefout', luidde de titel boven het artikel. Tijdens een van de huiszoekingen bij Agani had de onderzoeksrechter nagelaten de reden ervan duidelijk te motiveren. Een belachelijk detail dat door de beruchte procedureadvocaat Marijn Verbruggen nu was opgeblazen tot een schending van de mensenrechten en van de privacy, waarop het Brusselse hof van beroep de onmiddellijke vrijspraak van 'de heer Agani' had bevolen. Sommige advocaten waren erger dan huurlingen, die alles deden voor geld.

Van Den Eede vouwde zuchtend de krant dicht. Hij vroeg

zich af aan wiens kant magistraten eigenlijk stonden. Een zware crimineel die het leven van tientallen onschuldige mensen tot een hel had gemaakt, werd doodleuk weggestuurd omdat een bureaucratische rechter oppermachtig had geoordeeld dat diens rechten waren geschonden. Hoe wereldvreemd en arrogant kon je zijn? Als politiemannen een fout maakten, werden ze op het matje geroepen of geschorst; als een procureur of een magistraat dat deed, kraaide er geen haan naar en wandelde de beklaagde triomferend door de grote gevangenispoort naar buiten. Rechtspraak en gerechtigheid hadden almaar minder met elkaar te maken. Niet verwonderlijk dat veel burgers dan maar op extreemrechtse partijen gingen stemmen, die hardop verkondigden dat zij eindelijk de stinkende augiusstal van Vrouwe Justitia zouden uitmesten.

Een nieuwe golf deed de ingekalfde berg zand nu helemaal onder het water verdwijnen. Stijn liep huppelend een paar meter achteruit en begon verwoed een ondiepe geul te graven om het opkomende water te kanaliseren. Van Den Eede opende de koelbox die in de schaduw van zijn strandstoel stond, en haalde er een pilsje uit. Het blikje voelde heerlijk koel aan in zijn warme handen. Dit was de laatste dag van zijn vakantie.

'Is er nog cola?' vroeg Linda zonder haar ogen te openen. Van Den Eede deed opnieuw een greep in de koelbox. Even overwoog hij om het parelende blikje tegen haar gebruinde, glimmende buik te duwen, maar hij deed het toch maar niet. Hij keek naar haar stevige borsten, die langzaam op en neer gingen, en bedacht dat hij eigenlijk een gelukkig man was. Na bijna twintig jaar huwelijk kon hij nog altijd met begeerte naar zijn eigen vrouw kijken. Linda kwam, steunend op haar elleboog, overeind zitten, nam de cola aan en keek met dichtgeknepen ogen zoekend in de richting van de zee, die nu snel oprukte, tot ze Stijn had gevonden. Van Den Eede trok zijn bierblikje open, dat meteen begon te schuimen. Hij zette het haastig aan zijn lippen en dronk het in één keer half leeg. Hij kon de koude drank tot in zijn maag voelen lopen, die met een luide oprisping protesteerde.

'Pardon.'

'Het zal wennen zijn, terug thuis', zei Linda met een knikje in de richting van Stijn, die verdergroef alsof zijn leven ervan afhing.

'Voor hem niet alleen', verzuchtte Van Den Eede.

Het vooruitzicht dat hij morgen weer achter zijn bureau zou zitten om pv's, verslagen, rapporten en statistieken na te kijken, waaronder hij vervolgens zijn handtekening moest zetten, maakte hem opeens treurig. Linda keek hem even aan, maar zweeg. Hij wist hoe blij ze was met zijn nieuwe functie. Hoe vaak had ze zich vroeger geen zorgen gemaakt wanneer hij weer eens werd weggeroepen voor een dringende interventie? Een tijdlang had ze zelfs geprobeerd hem een schuldgevoel aan te praten. Dacht hij dan nooit aan wat er met haar en met Stijn moest gebeuren als hem iets overkwam? Van Den Eede wist dat ze het goed bedoelde en dat ze misschien wel gelijk had, maar had altijd geweigerd om haar vraag te beantwoorden. Een commandant van het SIE kon zich zulke gedachten niet veroorloven. Het zou hem onzeker hebben gemaakt.

Hij leunde achterover en keek naar de diepblauwe lucht. Geen dag ging er voorbij zonder dat hij terugdacht aan wat er, nu al bijna acht maanden geleden, was gebeurd. Hoe zinloos het ook was, toch kon hij het niet laten om die fatale avond telkens weer te reconstrueren en zich af te vragen waar hij de eerste fout had gemaakt, die vervolgens een dodelijke lawine in gang had gezet. Nu eens was hij ervan overtuigd dat het heel anders zou zijn gelopen als hij Erik niet met dat koffertje vol oude kranten en een paar duizend euro aan boord van de helikopter had laten gaan, dan weer vervloekte hij zichzelf omdat hij Kurt Van Sande niet door een van zijn mannen had laten neerschieten terwijl hij achter het verlichte raam zijn eisen stond te stellen. Nadat hij Mike had gedwongen om te landen in een weide, in de buurt van Libramont, waarna hij hem en de copiloot aan het landingsgestel van de helikopter had vastgeketend, was hij samen met mevrouw Van Opstal spoorloos verdwenen. Drie volle dagen had dat geduurd. De verdwijning was officieel geen zaak meer voor het SIE en werd overgenomen door de Federale. Maar Van Den Eede had zich uiteraard wel op de hoogte laten houden.

De derde nacht na haar gijzeling was Thérèse Van Opstal eindelijk weer opgedoken. Een late fietser had haar langs een verlaten weg in de buurt van Corbion, vlak bij de Belgisch-Franse grens, gevonden. Ze had zich zo vreemd en versuft gedragen dat hij eerst had gedacht dat ze dronken of gedrogeerd was. Later bleek dat ze een gevaarlijke hoeveelheid barbituraten in haar bloed had. Van Sande had de voorbije dagen contact met haar man opgenomen en had ermee gedreigd Thérèse van kant te maken als hij niet vlug met de gevraagde twee miljoen op de proppen kwam. Van Opstal was opnieuw naar zijn Luxemburgse bank gereden, had al zijn zwarte geld van zijn rekening gehaald en had vervolgens op instructies gewacht. Die kwamen de derde dag na de verdwijning van zijn vrouw. Hij moest het losgeld ergens op een verlaten industrieterrein aan de rand van Luik achterlaten. Wat hij ook had gedaan. Van Sande had het lef gehad om het te komen ophalen onder het oog van de politie. Volgens hem lag Thérèse Van Opstal aan een infuus en kreeg ze, via een sonde in haar arm, druppel voor druppel, een sterk verdovingsmiddel toegediend, dat haar fataal zou worden als het niet tijdig werd stopgezet.

Van Den Eede had haar enkele dagen na haar bevrijding in het ziekenhuis bezocht. Ze had hem, met een stem waaruit iedere levenslust leek te zijn verdwenen, verteld wat er die avond in de helikopter was gebeurd. Toen Van Sande de list met het losgeld had ontdekt, was hij razend geworden en had hij haar geslagen en ermee gedreigd haar uit het toestel te gooien. Dankzij Erik Rens, die tussenbeide was gekomen, leefde ze nog. In zijn blinde woede had Van Sande hem neergeschoten en vervolgens naar buiten getrapt. Het gesprek met Thérèse Van Opstal had Van Den Eede geen goed gedaan. Hij voelde zich schuldiger dan ooit, ook aan de dood van haar zoontje, voor wie alle hulp te laat was gekomen.

Sinds Van Sande bij verstek was veroordeeld en internationaal geseind stond, was hij driemaal gesignaleerd. De eerste keer in een godvergeten dorpje in de Dordogne, daarna in Brest en nog wat later in het Franse Lille. Telkens was hij de politie te vlug af geweest. Zijn kompaan, Saïd Benachir, die zeven jaar cel had gekregen wegens zijn aandeel in de gijzeling, was misschien wel voor rede vatbaar geweest en had zich mogelijk overgegeven zonder dat er geweld aan te pas was gekomen. Erik zou nog hebben geleefd en, wie weet, waren ze ook op tijd gekomen om de jongen te bevrijden voordat hij, in paniek, zijn fatale epilepsieaanval had gekregen.

Zinloos.

Maar ook al zou hij erin slagen om zijn kwellende herinneringen aan die avond onder controle te krijgen, dan was er nog altijd die terugkerende nachtmerrie waaruit hij telkens weer, badend in het zweet, wakker schrok. Het ergste was dat hij, zelfs in zijn slaap, wíst wat er ging gebeuren, zonder dat hij het noodlot kon afwenden. Hij zag Erik Rens, traag als een vallend blad, naar de grond dwarrelen. Hoe Van Den Eede ook rende om hem op te vangen in zijn armen, toch raakte hij amper vooruit. Het leek wel of hij door water moest waden. Naarmate hij naderde, viel Erik vlugger en vlugger, tot hij met een doffe klap op het asfalt terechtkwam, waar hij onbeweeglijk bleef liggen en Van Den Eede met starende ogen aankeek.

Een half jaar lang was hij ervoor in behandeling geweest, eerst bij een pas afgestudeerde psychologe die jong genoeg was om zijn dochter te zijn, daarna bij een psychiater die hem door de kolonel van het SIE was toegewezen. Al was 'opgedrongen' een beter woord. Want een keuze had hij eigenlijk niet gehad. Of hij liet zich professioneel begeleiden, zoals dat heette, of hij werd op non-actief gezet. De beslissing om zijn baan als commandant van het Speciaal Interventie Eskadron op te geven had hij wél zelf in alle eer en geweten genomen. Ook al had Interne Zaken hem, na zorgvuldig onderzoek, volledig vrijgepleit van alle schuld aan de dood van Erik Rens en Hannes Van Opstal, toch bleef hij zich schuldig voelen. Hoe zou hij nog ooit in staat zijn om leiding te geven aan mannen die blindelings op hem moesten kunnen vertrouwen en die een verkeerde beslissing met hun leven konden bekopen? Iemand die aan het hoofd staat van zo'n team, mag doodeenvoudig niet twijfelen. Geen seconde. Een bevel dat te vroeg of te laat komt, kan het verschil tussen leven en dood betekenen.

Toch kon Van Den Eede, als hij eerlijk was, niet ontkennen dat hij de actie en de adrenaline ongelooflijk miste. Sinds hij achter een bureau zat als hoofd van de lokale recherche-eenheid in Meise voelde hij zich oud en nutteloos. Onlangs had hij een aanbod van een privébewakingsfirma om daar te komen werken afgeslagen, ook al boden ze hem bijna het dubbele van wat hij nu verdiende. Linda en hij hadden er bijna ruzie over gehad. Hij had nu eindelijk regelmatige uren en bovendien hoefde ze niet meer voortdurend angst te hebben dat hij tijdens een of andere actie gewond raakte, of erger nog. Jarenlang had hun sociale leven moeten lijden onder zijn werk bij het SIE. Nooit konden zij eens onbekommerd vrienden of familie uitnodigen of bij iemand op bezoek gaan, want altijd kon die verdomde gsm beginnen te rinkelen. Eigenlijk kon niemand op hem rekenen, behalve zijn team. Zelfs Stijn niet! En waarom moest zíj altijd opdraaien voor de zorg voor hun zwaar autistische zoon? Begreep hij dan niet dat het voor haar ook wel eens te veel kon worden? Enzovoort, enzovoort. Van Den Eede kon haar geen ongelijk geven en had zich uiteindelijk bij haar argumenten neergelegd. Hij was dus maar op post gebleven achter zijn veilige bureau.

De jongens van zijn vroegere team zag hij bijna nooit meer. Eén keer was hij met hen iets gaan drinken, maar daar was niemand vrolijker van geworden. Iedereen had veel te hard zijn best gedaan om het niet over die noodlottige avond te hebben. Terwijl ze dat misschien juist wél hadden moeten doen. Af en toe had hij telefonisch contact met Guy, die hem als commandant was opgevolgd, maar daar bleef het bij. Toch deed het hem nog altijd iets wanneer hij op het journaal hoorde over een geslaagde interventie van het SIE. Nog maar enkele weken geleden hadden ze met succes een terroristische cel in Sint-Jans-Molenbeek opgerold, waarvan de schuilplaats vol explosieven had gezeten. Als er die avond iets had geknald, dan zou het de kurk van een champagnefles zijn geweest.

Van Den Eede schrok op uit zijn gedachten toen hij merkte dat Stijn hijgend naast hem stond.

'Ik heb honger. Mijn buik grolt *porcies* alsof een kwade hond!'

35

Hij schoof zijn zonnebril naar het puntje van zijn neus, keek zijn zoon glimlachend aan en vroeg zich af waar hij die vergelijkingen vandaan bleef halen.

Linda tastte lui in de strandzak naast haar en haalde haar horloge eruit. 'Bijna zes uur. Zullen we op de dijk iets gaan eten? Ik heb geen goesting om te koken vandaag.'

'Mij goed.'

Terwijl Linda zich met ingehouden adem in haar strakke witte shortje hees, trok Van Den Eede zijn verkleurde jeans en een dun polootje aan. Toen hij de gesp van zijn broekriem aantrok, constateerde hij weer dat hij was aangekomen. Vanaf volgende week, nam hij zich voor, zou hij opnieuw iedere dag gaan joggen, al moest hij er een uur vroeger voor opstaan.

'Goed geamuseerd?'

Stijn knikte stug. 'Redelijk tot goed. Alleen die zee komt veels te rap. *Porcies* alsof een *sanumi!*'

'Tsunami', verbeterde Linda, terwijl ze een mouwloos, diep uitgesneden T-shirt over haar hoofd trok, waar haar tepels jongemeisjesachtig doorheen schemerden. Ze was ook vijf jaar jonger dan hij.

'Zeker omdat wind weer uit noordoosten blaast!'

Zoals altijd sprak Stijn veel te hard, zonder zich iets aan te trekken van de mensen rondom hem. Van Den Eede zag hoe een jong stel nieuwsgierig in hun richting loerde.

'Zijn we weg? Ik trakteer.'

'Beter nooit dan laat!' riep Stijn, waarna hij zich nog even omkeerde naar de zee en toen met grote passen naar de dijk liep.

Linda nam haar handdoek bij twee hoeken vast en schudde met afgewend hoofd het zand eraf. Van Den Eede vouwde zijn strandstoel op. Zwijgend liepen ze hun zoon achterna.

'Hoe ge 't binnenkrijgt, dat snap ik niet.'

'Wat?'

Linda keek met een afkeurend gezicht naar het schoteltje gemarineerde sardientjes dat Van Den Eede bij zijn hoofdgerecht, een vegetarische lasagne, had gevraagd. 'Die vettige brol. Uw cholesterol is nu al te hoog.'

'Zoals bij alle Belgen', zei Van Den Eede, terwijl hij met een prikkertje het volgende sardientje naar zijn mond bracht.

'Ik lust geen van die vieze dinges!' riep Stijn. Zijn kin zat onder de spaghettisaus. 'Die stink alsof naar vis!'

'Veeg liever uw mond af', zei Linda.

Hij deed het met zijn linkerhand.

'Met uw servet!'

Hij keek zoekend de tafel rond. 'Servet, retteketet!'

'Daar, onder uw bord.'

Bruusk schoof hij het grote spaghettibord opzij, waarbij hij het schoteltje sardientjes van tafel stootte. Van Den Eede kon het nog net op tijd vastgrijpen. Een deel van de saus belandde echter op zijn broek.

'Godverdomme!'

'Vloeken is slecht voor de gezondheid', zei Stijn onbewogen, terwijl hij met het servet over zijn kin wreef alsof hij die wilde oppoetsen.

'Dat zijn vlekken die er niet meer uit gaan', verzuchtte Linda. 'Nog een geluk dat het maar een jeansbroek is.'

Van Den Eede probeerde de saus met zijn servet weg te vegen, maar maakte het alleen nog erger.

'Ik ben direct terug.'

Hij stak de dijk over en liep het restaurant binnen. Linda zag hem iets vragen aan een kelner, die naar achteren wees. Stijn at verder alsof er niets was gebeurd. Maar toen hij naar zijn glas cola greep, stokte hij opeens in zijn beweging en slaakte een luide kreet.

Ook nadat Van Den Eede de vetplekken op zijn broek met water en handzeep had geschrobd totdat zijn huid er pijn van deed, bleven ze glinsterend door de vochtige jeansstof schemeren. Hij frommelde het papieren handdoekje bijeen, trapte de pedaalemmer naast de wastafel open en smeet het erin. Toen hij buitenkwam, zag hij meteen dat er iets gaande was op het terras van het restaurant. Een groepje nieuwsgierigen stond, met hun rug naar hem toe, naar iets te kijken. Ook de mensen die zaten te eten, waren daarmee gestopt en staarden allemaal in dezelfde richting, naar het tafeltje waaraan Linda en Stijn waren achtergebleven. Van Den Eede stak al lopend de dijk over en duwde enkele omstanders opzij. Op de grond lag Stijn, stuiptrekkend met armen en benen, terwijl Linda voorzichtig haar strandhanddoek onder zijn hoofd probeerde te duwen. Zijn ogen waren zo erg naar boven gedraaid dat nog alleen het wit ervan te zien was.

'Uit de weg, laat mij door!'

Hij knielde neer naast Linda en hielp haar om de gevouwen handdoek onder het hoofd van hun zoon te schuiven. 'Ik heb niks zien aankomen, hij kreeg het zomaar ineens!'

Van Den Eede suste dat het wel in orde zou komen en dat ze vooral kalm moest blijven. Ondertussen bleef Stijn wild om zich heen schoppen, terwijl zijn verwrongen mond krampachtig open en dicht ging. Van Den Eede greep de kin van zijn zoon vast en trok die uit alle kracht naar beneden, om te vermijden dat Stijn op zijn tong zou bijten. Achter hem hoorde hij mensen door elkaar heen praten. Iemand vroeg of er al een ambulance was gebeld. Een man meende dat het zeker iets met een overdosis drugs te maken had.

'Kijk maar. Het schuim staat op zijn lippen!'

Nog iemand anders vond dat die jongen zich al de hele tijd vreemd had gedragen. Van Den Eede keerde zich om en keek het groepje nieuwsgierigen, dat inmiddels nog was aangegroeid en zich rond de tafel verdrong om toch maar niets te missen van het spektakel, misprijzend aan.

'Nog nooit van epilepsie gehoord? Maak liever wat plaats, zodat die jongen een beetje lucht krijgt.'

De manier waarop hij het had gezegd, beheerst maar met een kordate ondertoon, maakte blijkbaar indruk. Het commentaar viel meteen stil en de mensen op de eerste rij deden aarzelend enkele stapjes opzij. Een kelner vroeg of hij een dokter moest waarschuwen. Van Den Eede, die voelde dat de kramp in Stijns kaken begon te verzwakken, schudde van nee.

'Bedankt. Het gaat vanzelf wel over. Dat doet het altijd.'

Behalve bij Hannes Van Opstal. Die had zijn aanval niet overleefd omdat zijn mond dicht was geplakt door twee gangsters, van wie er nog altijd een op vrije voeten liep. De moordenaar van Erik Rens.

De stuiptrekkingen verminderden en Stijn begon verdwaasd met zijn ogen te knipperen. Linda streelde haar zoon, die er uitgeput uitzag, zachtjes over zijn bezwete hoofd.

'Dat was lang geleden, dat het nog zo erg was.'

Op de terugweg naar huis – het was al donker en Stijn lag languit op de achterbank van de Range Rover te slapen – zat Van Den Eede achter het stuur zwijgend voor zich uit te staren. Het was kalm op de weg en hij had de cruisecontrol ingesteld op 120. De motor maakte een monotoon, rustgevend geluid. Uit de radio klonk, amper hoorbaar, de trompet van Miles Davis. 'Someday my Prince will come'. Het verlichte dashboard legde een blauwige schijn over het gezicht van Van Den Eede, die een gespannen indruk maakte.

Linda liet haar hand op zijn knie rusten en vroeg of alles oké was.

Van Den Eede knikte verstrooid. 'Een beetje moe, dat is al.'

Hij zat met zijn gedachten bij de volgende dag. Voor het eerst in zijn leven zag hij ertegen op om opnieuw aan het werk te gaan.

2

Toen hij het deurtje van zijn postvakje opentrok, vielen de dienstmededelingen, foldertjes en brieven op de grond. Van Den Eede bukte zich en raapte ze één voor één op, terwijl hij ze vluchtig bekeek. Het meeste ervan kon hij meteen in de prullenmand gooien. Een notitieblaadje trok wel zijn aandacht. 'Kun je vandaag even langskomen?' stond er in haastige letters op gekrabbeld. Het was van Roger Baudeweyns, zijn hoofdcommissaris.

'Binnen!'

Van Den Eede stapte het kantoor binnen waarin het heel wat frisser was dan op de gang. In de hoek stond een luchtventilator te zoemen. Ondanks het warme weer zat Baudeweyns met zijn uniformjas aan achter zijn bureau in een dossier te lezen. Hij ondersteunde zijn hoofd met zijn linkerhand, terwijl hij met de punt van zijn vulpen woord voor woord volgde wat er stond. Van Den Eede wist dat de hoofdcommissaris graag gewichtig deed, en bleef zwijgend staan wachten.

Zonder van zijn blad op te kijken wees Baudeweyns naar een bureaustoel. Van Den Eede ging zitten.

'Momentje. Ik ben zo klaar.'

Baudeweyns was niet ver meer van zijn pensioen af. Hij

had destijds carrière gemaakt bij de Rijkswacht, iets waarvan zijn grijze snor en zijn voorkeur voor de oude titels en rangen nog getuigden, en had nooit onder stoelen of banken gestoken dat hij het hele idee van de politiehervorming maar niks vond. Hij was een groot voorstander van vormelijkheid en militaire omgangsvormen, een overtuigd royalist, en hield van defilés en marsmuziek. Allemaal zaken waar Van Den Eede een hartsgrondige afkeer van had. Baudeweyns' zoon was CD&V-volksvertegenwoordiger en zijn dochter was getrouwd met een bedrijfsjurist. Zijn vrouw was verre familie van Charles-Ferdinand Nothomb.

De hoofdcommissaris had inmiddels de laatste regel van de tekst bereikt, waaronder hij met veel zwier een barokke handtekening plaatste. Vervolgens klapte hij het dossier dicht, draaide zorgvuldig het dopje op zijn vulpen en keek Van Den Eede breed glimlachend aan.

'En hoe was de vakantie?'

'Goed, dank u. We hebben geluk gehad met het weer.'

'A la bonheur!' Baudeweyns liet graag horen dat hij van Franstalige afkomst was. 'Voor mij mag het gerust tien graden frisser zijn, maar ja, daar hebben we weinig aan te zeggen, nietwaar. Koffie?'

'Nee, dank u.'

'Liever iets fris?'

Van Den Eede bedankte opnieuw en hoopte dat de ander nu vlug ter zake zou komen. Daar zag het inderdaad wel naar uit. Baudeweyns drukte zijn vingertoppen tegen elkaar, sloeg zijn hoofd achterover en tuitte zijn lippen, alsof hij een ernstig onderwerp moest aansnijden maar niet goed wist hoe. Aan de muur hing een ingelijste foto waarop een veel jongere Baudeweyns met een zwaar kaliber Anschütz-jachtgeweer triomfantelijk naast een reusachtig damhert stond te poseren. Van Den Eede was er zo goed als zeker van dat het prachtige gewei van het dier aan een of andere wand in het huis van Baudeweyns hing. De hoofdcommissaris volgde de blik van Van Den Eede. 'Als ex-commandant van het Speciaal Interventie Eskadron doet u dat zeker wel iets?'

Van Den Eede glimlachte. 'Geen enkele van mijn mannen was jager. Wij trainden erop om alleen te schieten als het echt niet anders kon.'

Heel even liep er een lichte trilling over Baudeweyns' linkerwang, die hij echter snel weer onder controle kreeg. Hij legde zijn twee handen nu plat op zijn bureau en sloeg met zijn vingertoppen een korte roffel op het donkerbruine hout. 'Toch heb ik u naar hier laten komen om te praten over de jacht op groot wild...'

Van Den Eede keek hem niet-begrijpend aan en vreesde al dat Baudeweyns hem wilde uitnodigen voor een of andere jachtpartij in de Ardennen, waar hij, in de buurt van Durbuy, een buitenverblijf had.

De hoofdcommissaris merkte zijn verwarring op en leek ervan te genieten. 'Menselijk wild', voegde hij er met een scheef glimlachje aan toe.

'U weet dat ik ontslag heb genomen bij het SIE? Het is niet mijn bedoeling om op die beslissing terug te...'

'Natuurlijk niet', zei Baudeweyns, terwijl hij zijn handpalmen omhooghield alsof hij een naderende bal wilde stoppen. 'Dat vraagt ook niemand. Het gaat trouwens niet over uw vroegere eenheid, maar over een die eigenlijk nog niet bestaat.'

Van Den Eede knikte afwachtend. Dit gesprek begon hem een ongemakkelijk gevoel te geven.

'Hebt ge ooit *The Fugitive* gezien?'

'Die film met Harrison Ford?'

Baudeweyns knikte geamuseerd. 'En met, hoe-heet-hij-weer, als Chief van de US Marshals.'

'Tommy Lee Jones, als ik mij goed herinner.' Waar ging dit, in godsnaam, over?

'Dat is natuurlijk Hollywood, maar bon, onze eerste advocaat-generaal, mijnheer Deprez, is vorige week naar een congres van Interpol geweest, in Lyon, en is daarvan teruggekomen met een euh... een idee.'

Er klonk een ondertoon van spot in Baudeweyns' stem. Van Den Eede leunde achterover in zijn bureaustoel en liet zijn ellebogen ontspannen op de armleuningen rusten. Aangezien hij bleef zwijgen, ging Baudeweyns zelf maar verder.

'Hij heeft een dossier ingediend bij het college van procureurs-generaal voor de opstart van een nieuwe dienst, en dat voorstel is blijkbaar gunstig onthaald.'

Van Den Eede begon zich te ergeren aan het getalm van zijn overste. 'Wat voor dienst?'

'Een soort recherche-eenheid om ontsnapte gevangenen die zijn veroordeeld tot een celstraf van minstens drie jaar of die internationaal geseind staan op te sporen.'

De ex-bevelhebber van het SIE spitste zijn oren. 'En wat heb ik daarmee te maken?'

Op het gezicht van Baudeweyns verscheen een mysterieus glimlachje. 'Ze zoeken nog iemand om dat team te leiden, en daarbij is uw naam gevallen...' Hij boog voorover en vouwde zijn handen samen op zijn bureau. 'Al zou ik het u persoonlijk niet aanraden.'

'Hoezo?'

'Dat voorstel is er ongetwijfeld gekomen onder politieke druk. Waarschijnlijk hebben ze schrik gekregen voor de publieke opinie en voor de pers. Het zijn binnenkort verkiezingen, hé.'

Hij haalde enkele krantenknipsels uit een bureaula en vouwde ze omgekeerd open, zodat Van Den Eede meteen

zag waarover het ging. De koppen van de artikels schreeuw-
den allemaal hun verontwaardiging uit over de recente ont-
snappingen uit diverse gevangenissen in het hele land.
'Zoiets komt natuurlijk niet goed over, dat begrijpt ge
wel. Niet voor de politiekers, noch voor de parketten. Soit,
eigenlijk voor geen enkele officiële instantie. Ze moesten dus
wel iets doen.'
'Bedoelt u dat die nieuwe dienst alleen een soort symbo-
lische functie krijgt?'
'Dat zeg ik niet. Maar het gaat om een pilootproject voor
een jaar, dat het met weinig of geen middelen zal moeten
stellen. Er is geen geld voor. Die hele politiehervorming
heeft veel te veel gekost.' Hij tikte met zijn wijsvinger op
de krantenartikels. 'Over een paar maanden ligt geen mens
hier nog van wakker. En wat gebeurt er dan met die nieuwe
dienst, denkt ge?'
Van Den Eede vroeg zich af of het waar was dat iemand
zijn naam had genoemd. Het zou hem niet verbazen dat
het Baudeweyns zelf was geweest die hem naar voren had
geschoven. Tussen hem en de hoofdcommissaris had het
vanaf het begin niet goed geklikt. Het was een publiek geheim dat Baudeweyns indertijd zijn eigen mannetje klaar
had zitten voor de functie van commissaris, een vroegere
collega bij de Rijkswacht. Maar waarom probeerde Baudeweyns hem de baan dan af te raden? Van Den Eede kon maar
één mogelijkheid bedenken: omdat hij erop gokte dat hij
iedere kans om hier weg te komen met twee handen zou
aannemen.
'Tegen wanneer moet die dienst operationeel zijn?'
'Zo vlug mogelijk, heb ik mij laten vertellen.'
'En bij wie of wat wordt hij ondergebracht?'
Weer kon Baudeweyns een spotlachje niet onderdrukken.
'Hij valt blijkbaar onder de directie van de bestrijding van

de criminaliteit tegen goederen... Ik heb mij laten vertellen dat er nog een paar bureaus leegstaan in de Géruzet.'

Van Den Eede dacht na. De mogelijkheid dat hij met open ogen in een val liep, kon hij niet uitsluiten. Maar zou hij ooit nog een betere gelegenheid krijgen om achter Kurt Van Sande aan te gaan, die bij verstek tot vijftien jaar gevangenisstraf was veroordeeld?

'Heeft die dienst al een naam?'

Baudeweyns zag er opeens heel tevreden uit. Hij knikte. 'FAST. Het Fugitive Active Search Team.'

Hij kwam overeind van achter zijn bureau en stak zijn arm uit. 'Bon. Dat is dan geregeld. Ik wens u veel succes.'

Van Den Eede stond ook op en drukte hem de hand.

'Maar achteraf niet komen klagen, dat ik u niet verwittigd heb, hé.'

3

De deur van het tabakswinkeltje Chez Janeau, tegenover de Saint-Firminkerk, ging open met ouderwets belgerinkel. De oude Janeau, in een grijze stofjas en met zijn eeuwige pijp tussen zijn lippen, stond op een laddertje en was bezig een rek met pakjes Semois-tabak van 250 gram aan te vullen. Alles in deze ruimte leek doordrongen van de zoete geur. Aan het plafond hing een bundeltje donkerbruine gedroogde tabaksbladeren, afkomstig uit een van de tabaksschuren in Laviot, die nog eigendom van Janeaus grootouders waren geweest. In een glazen kast waren tientallen pijpen in allerlei kleuren en vormen uitgestald, waaronder enkele grote meerschuimen exemplaren. Op en achter de brede houten toog waren de doosjes met sigaren hoog opgestapeld. Al generaties lang werd hier hetzelfde huismerk verkocht, vervaardigd van eigen teelt. Op een tafeltje naast de toog stonden potjes kersen- en pruimenconfituur, die door de vrouw van Janeau waren gemaakt, en bokaaltjes met vloeibare honing. Het achterste deel van het winkeltje puilde uit van koperen en tinnen potten, souvenirs, porseleinen beeldjes, gevlochten manden en aardewerk.

Janeau legde het laatste pakje Semois weg en kwam toen voorzichtig van zijn laddertje. Toen hij de man in een knalrood mouwloos T-shirt en een driekwart short met daaronder witte sportschoenen en een basketbalpetje met de initialen van New York zag, verscheen een vriendelijke glimlach op zijn gezicht.

'Ah, bonjour monsieur Libert! Vous êtes à pied aujourd'hui?'

'Oui, il fait beau pour se promener.'

Over zijn linkerschouder hing een leren tas waarin twee stokbroden, een Ardense worst en een halve bol trappistenkaas van Orval staken.

'Vous avez raison. Et en plus, 't is goed voor de fysique, n'est-ce pas!'

Zoals alle handelaars, winkeliers en restauranthouders in de Ardennen sprak Janeau een behoorlijk mondje Nederlands. Hij slofte naar zijn toog, terwijl hij een lucifer afstreek en de brand in zijn uitgedoofde pijp zoog.

'Et alors, mon ami, wat mag het zijn?'

Antoine Libert wees naar een rechthoekig doosje waarin vijftig sigaartjes waren verpakt.

'Geef er zo maar twee.'

Janeau nam de doosjes en stapelde ze netjes op elkaar. 'Deux Petit Desserts... pour monsieur Libert', zei hij grappend, waarna hij een stevig stuk papier van een rol scheurde en ze zorgvuldig begon in te pakken.

'Onze streek bevalt u blijkbaar?'

'Très bien.' Libert knikte. 'Het is hier rustig, en prachtig om te wandelen. Vooral Les Crêtes zijn magnifique.'

'Mais fatigant!' verzuchtte Janeau. 'Vroeger ging ik daar ook graag wandelen, maar tegenwoordig... We worden er niet jonger op, hé.' Hij vouwde het inpakpapier langs beide zijden samen tot perfecte driehoekjes, plooide die naar binnen en stelde tevreden vast dat de twee uiteinden elkaar precies in het midden raakten. Waarna hij er een plakkertje met de naam en het adres van de winkel op deed.

'Wie weet wordt u binnenkort onze driehonderdvijftigste inwoner?'

Hij had het terloops en zo neutraal mogelijk gezegd, zonder Libert aan te kijken.

'On ne sait jamais', antwoordde Libert ontwijkend, terwijl hij naar zijn portefeuille greep.

Janeau begreep dat hij niet verder moest aandringen. Eerder had hij al eens naar het beroep van Antoine Libert gehengeld, maar ook dat was op een vaag antwoord uitgedraaid: 'Des affaires...'

'Geef ook maar twee van die potjes confituur, een met pruimen en eentje met kersen.'

Janeau stopte alles in een bruine papieren zak, die hij vervolgens stevig dichtvouwde. Libert betaalde met een briefje van vijftig en kreeg 15 euro terug.

'Merci. En doe de groeten aan uw vrouw!'

'Zal niet mankeren', zei Janeau, terwijl hij Libert uitgeleide deed tot aan de deur, die rinkelend openging. Hij wuifde naar madame Monfort, die, helemaal in het zwart gekleed, uit de bakkerszaak kwam en met gebogen rug, steunend op haar wandelstok, traag het pleintje overstak. Net toen zijn klant de winkel wilde verlaten, schoot hem iets te binnen.

'A propos, dat is waar ook! Il y a quelque jours, er was iemand hier dans le magasin die achter u vroeg.'

Libert keerde zich bruusk om. 'Achter mij?'

'Enfin, niet met naam en toenaam, maar de descriptie die hij gaf, leek veel op u.'

'Heeft hij gezegd wie hij was?'

Janeau schudde van nee.

'Of waarom hij mij zocht?'

'Non.'

'Ge weet toch wel hoe hij eruitzag?' vroeg Libert, op een bitse toon die Janeau deed schrikken.

Hij herpakte zich meteen en schakelde over op een glimlach die, hoewel innemend, iets dreigends bleef hebben.

Janeau kneep zijn ogen tot spleetjes, terwijl hij nadacht. 'Jeune, dans ces vingt ans, je crois. Très soigné, cravatte, costume, chaussures, enfin tout... Ah, et des cheveux beiges.' Libert knikte. 'En wat hebt ge hem verteld over mij?' 'Rien.'

Hij zwaaide zijn handen kruiselings over elkaar als een goochelaar. Niets in de mouwen, niets in de zakken! Antoine Libert keek hem, nog altijd glimlachend, aan. 'Rien du tout, monsieur Janeau?'

'Enfin, c'est-à-dire, ik heb natuurlijk wel gezegd dat u hier soms inkopen komt doen, maar verder...'

'Niet waar ik woon?'

Janeau begon nerveus, een beetje hinnikend te lachen. 'Hoe zou ik kunnen, monsieur Libert? Je ne le sais pas moi-même!'

Antoine Libert gaf hem met een knipoog een schouderklopje, en stak toen de straat over.

Janeau zag hem vervolgens iets doen wat hij al vaker had gezien en wat hem telkens een beetje verbaasde. Hij ging de telefooncel naast de kerk binnen, stak enkele muntstukken in de gleuf en toetste een nummer in. De openbare cel werd, behalve door enkelen van de oudste bewoners van het dorp, nog amper gebruikt. Vreemd dat een zakenman als Libert geen gsm had of hem althans niet gebruikte. De ontvangst was hier in de omgeving niet overal even goed, maar in het dorp zelf waren er zelden of nooit problemen mee.

Libert voerde het gesprek met zijn rug naar Janeau. Het duurde ongeveer anderhalve minuut, en toen hij weer buitenkwam, zag hij er somber uit en maakte een afwezige indruk. Op de opgestoken hand van Janeau reageerde hij met een zwak hoofdknikje. Daarna verdween hij in de richting van 'le Point de Vue', vanwaar je een panoramisch uitzicht had over de vallei met Frahan als een eilandje in het midden van de Semois, die er als een reusachtige strop omheen lag.

Antoine Libert had geen oog voor het indrukwekkende uitzicht. Hij verliet de asfaltweg naar Alle, een beetje voorbij het hotel Balcon en Forêt. Het gebouw stond al enkele jaren jammerlijk te verkommeren. Langs een steil weggetje dat al vlug in het bos verdween, daalde hij af naar de oude leigroeve Les Corbeaux, waarachter wat verderop een voetbrug over de Semois lag. Nadat hij die was overgestoken, liep hij door de smalle straatjes van het gehucht Frahan, waar de tijd stil was blijven staan, naar een zandweg die via een stevige klim naar het rotsachtige gebied Les Crêtes voerde.

Af en toe keek hij achterom. Hij had al een paar dagen de indruk dat hij soms werd gevolgd of in elk geval in het oog werd gehouden. Een gevoel dat er niet op was verminderd na wat hij zojuist van Janeau had gehoord. Ook al was het nog vroeg, toch gaf de zon al zo veel warmte dat Libert even moest stoppen om het zweet van zijn voorhoofd te vegen. Het zonlicht dat door de dichte bladeren werd gefilterd, gaf het bos iets sprookjesachtigs. In de verte klonk het geblaf van een naderende hond. Libert kwam opnieuw in beweging en liep in één keer door naar de ruïnes van een oud kasteel. Hij keek uit waar hij zijn voeten zette, want een paar dagen geleden had hij hier bijna op een slapende adder getrapt. Van hieruit was het nog een kwartiertje naar de kleine, houten chalet waar hij sinds enkele maanden onderdak had gevonden. Behalve af en toe een verdwaalde wandelaar of een stroper kwam er niemand. Althans niet voor zover hij wist.

Maar toen hij de deur van het afgelegen landhuisje opende, dat op een open plek tussen de bomen lag, overviel hem een onbehaaglijk gevoel. Hoewel het interieur er niet anders uitzag dan bij zijn vertrek vanochtend, had hij toch de indruk dat hier iemand was geweest en had zitten rondneuzen. Hij merkte het aan voorwerpen die niet meer op exact dezelfde plaats leken te staan, of aan een vloertapijtje of een gordijn die een beetje waren verschoven. Er hing ook een vage geur van aftershave, iets wat hijzelf nooit gebruikte. Hij liep terug naar de deur en bekeek het slot. Dat was niet beschadigd. Beeldde hij het zich in dat hier iemand binnen was geweest? De ramen zaten nog altijd potdicht en het deurslot, hoewel van niet al te beste kwaliteit, was niet geforceerd. Maar toen hij wat aandachtiger keek, zag hij opzij van het slot een paar ondiepe krassen in het hout die hij eerder niet had opgemerkt. Had iemand de deur geopend met een klophamer en daarbij een paar keer misgeslagen? Na wat Janeau hem had verteld, had Libert een vermoeden van wie hier binnen was gedrongen, en vooral: naar wat hij had gezocht.

Antoine Libert spoedde zich naar de oude secretaire die in het kamertje ernaast stond. Hij schoof het schrijfmeubel opzij, tot hij ruimte genoeg had om de plank die vlak tegen de muur lag, los te wrikken. Hij ging op zijn knieën zitten, boog voorover tot hij met zijn hoofd de vloer raakte, en stak zijn rechterarm tot aan zijn schouder in de smalle, vrijgekomen opening. Hij voelde het handvat van het zwarte koffertje, dat hij met een zucht van opluchting naar zich toe trok.

4

De vroegere ruiterkazerne met haar rechthoekige binnen-
plein was genoemd naar majoor Géruzet, die de eerste gas-
aanval van de Duitsers aan het IJzerfront niet had overleefd.
Ooit had het tweede regiment van de gidsen er onderdak
gevonden, tot het in 1925 werd afgeschaft. Daarna hadden
de lansiers en het zesde en twaalfde artillerieregiment er
hun intrek genomen. Na de Tweede Wereldoorlog deed de
kazerne dienst als hoofdkwartier van de luchtmacht. In
1976 werd de eerste Koninklijke Rijkswachtschool er gevestigd. Ondertussen was het hele complex zo verouderd en
vervallen dat het dringend een opknapbeurt nodig had. Bij
gebrek aan geld werden alleen de gebouwen gerenoveerd
die door de Rijkswacht werden gebruikt. Mensen als Roger
Baudeweyns hadden hier hun opleiding gekregen.

De 4x4 Range Rover met Van Den Eede achter het stuur
draaide de inrit van de kazerne op en stopte bij de slagboom.
De dienstdoende bewaker gebaarde vanuit zijn bureautje
dat hij zijn raampje naar beneden moest doen. Van Den Eede,
in burgerkleding, liet zijn gloednieuwe legitimatiekaart
zien, met daarop zijn naam en foto. De bewaker, een agent
met een kaalgeschoren hoofd en een klein, smal snorretje,
knikte vormelijk en begon vervolgens met twee vingers iets
in te tikken op zijn toetsenbord. Hij keek naar het computerscherm, waarop een foto van Van Den Eede verscheen,

greep vervolgens een voorgedrukte plattegrond van het gebouwencomplex en zette er ergens aan de linkerkant een kruisje op.

'U wordt verwacht op de eerste verdieping van gebouw A.'

Van Den Eede nam het vel papier aan, wierp er een vluchtige blik op en wachtte tot de slagboom omhoogging. De bewaker salueerde toen hij doorreed.

Op het grote rechthoekige oefenplein waren aspirant-politieagenten in T-shirt en short onder het oog van een instructeur rondjes aan het lopen op een sintelbaan. Er waren ook enkele meisjes bij. Van Den Eede dacht met een glimlach aan Roger Baudeweyns, die zijn verontwaardiging over de aanwezigheid van 'al die feministen' bij de politie en in het leger nooit onder stoelen of banken had gestoken. Volgens hem was er maar één categorie van mensen die daarvan zou profiteren, en dat waren de criminelen zelf. 'Kunt ge 't u al voorstellen, zo'n barbiepop die een zware jongen moet gaan arresteren? Die kerel zal nogal in zijn broek doen. Maar dan van 't lachen!' Waarna hij altijd zorgwekkend zijn hoofd schudde.

Voorbij het plein sloeg Van Den Eede links af, waar een vijftal leden van de bereden politie hun paarden stond te roskammen. Waarschijnlijk hadden ze net een training achter de rug, want de dieren glommen van het zweet. Vroeger had Van Den Eede een tijdlang aan paardrijden gedaan. Hij had het altijd heerlijk gevonden om met Donna, want zo heette zijn merrie, door de bossen te rijden. Het gaf hem een gevoel van vrijheid en primitief geluk, dat hij nergens anders vond. Maar toen de problemen met Stijn almaar erger werden, had hij steeds minder tijd gehad om zich met Donna bezig te houden. Uiteindelijk had hij van zijn hart een steen gemaakt en het paard verkocht aan een collega bij de politie die een uitstekend ruiter was, en van wie hij wist dat hij er goed voor zou zorgen. Van Den Eede, die al van zijn achttiende vegetariër was, had altijd een zwak voor dieren gehad. Zij waren voor hem de schakel tussen de natuur en de mens. Bij dieren voelde hij zich op zijn gemak, en hij had de indruk dat dat ook omgekeerd het geval was. Wie niet van dieren hield, wantrouwde hij meteen. Dat waren mensen die iets heel essentieels van het leven niet begrepen. Ooit had hij een boek gelezen van Jan Wolkers waarin de hoofdfiguur iedere vrouw die zijn katten niet kon verdragen direct uit zijn bed schopte en buiten de deur zette. Van Den Eede had meteen sympathie voor dat personage opgevat. Nadat hij was gestopt met paardrijden, had hij overwogen om een hond te nemen, maar het was er uiteindelijk niet van gekomen. Dat was ondertussen jaren geleden. Misschien moest hij het thuis eens opnieuw ter sprake brengen? Als het aan hem lag, dan werd het een Border collie, liefst een tricolore. Onlangs had hij een BBC-reportage over schapendrijven gezien. Onvoorstelbaar wat die honden deden. Samen met hun baasje hielden ze honderden schapen in bedwang met hun lichaamshouding en hun fixerende blik. 'Eye', zo noemden de herders die dwingende ogen. Wanneer er toch een schaap afdwaalde, dan gingen ze erachteraan, kop en schouders naar beneden gedrukt als een sluipend roofdier, en brachten de vluchteling weer netjes naar de kudde. Echt indrukwekkend was het 'shedden' van zo'n groep, waarbij de hond zonder enige aarzeling tussen de schapenkudde vloog, die vervolgens openspleet als de Rode Zee. Soms wilde hij dat hij met de ogen van een dier naar de wereld kon kijken, om de realiteit *zuiver* te kunnen zien, zonder woorden. Dat konden alleen dieren. Kinderen kwamen er waarschijnlijk nog het dichtst bij. En wie weet, misschien ook Stijn?

Van Den Eede nam een scherpe bocht naar links en zag alweer een nieuwe vleugel van de negentiende-eeuwse kazerne opdoemen. De hoge bakstenen muren en de strenge rechtlijnige architectuur deden hem terugdenken aan zijn tijd bij de para's. Hij had er veel geleerd, maar toen hij voor de keuze stond – beroepsmilitair worden of niet – had hij toch geen moment geaarzeld. Het tweede bataljon commando's, in Flawinne, waarbij hij had gediend, was een gevechtseenheid. Van Den Eede had ondervonden dat hij eigenlijk een hekel had aan geweld, zoals trouwens de meeste politiemannen, juist omdat ze er zo vaak mee worden geconfronteerd.

Hij reed tot vlak bij de toegangsdeur van gebouw A en parkeerde zijn auto netjes in het vrije vak tussen een donkergrijze Mercedes en een metaalblauwe Lexus. Op een gereserveerde parkeerplek stond de zwarte Saab 9-3-cabriolet van Cogghe. Hij stapte uit, ging naar binnen en liep lenig de trap op. Alles was hier kraakschoon en het rook er naar verf. Zijn voetstappen maakten een galmend geluid op de stenen treden. Voor een deur met daarop een gegraveerd koperen naambordje bleef hij staan. Dit was dus het bureau van zijn nieuwe baas. Aan de andere kant van de deur hoorde hij stemmen en vervolgens luid gelach alsof iemand net een grap had verteld. Van Den Eede rechtte zijn rug en klopte aan. Het gelach verstomde meteen.

In het kantoor, dat er al even militaristisch uitzag als de buitenkant van de kazerne, zaten drie mannen op hem te wachten: hoofdcommissaris Wilfried Cogghe, een grijzende heer in een duur maatpak, die door Cogghe werd voorgesteld als Hubert Cauwenberghs, directeur-generaal, en procureur Thierry Bylemans, die Van Den Eede nog kende van zijn tijd bij het SIE. Hun relatie was destijds vooral professioneel geweest. Toch begroette Bylemans hem alsof hij een oude bekende terugzag.

'Dag Mark, dat is, verdorie, lang geleden! Hoe gaat het ermee?'

'Goed, dank u. En met u?'

'Zoals ge ziet, hé', zei Bylemans, terwijl hij lachend op zijn uitpuilende buik klopte. 'Nog altijd *en bon point!*'

Van Den Eede schatte dat de man nog enkele kilo's aan was gekomen sinds hij hem voor het laatst had gezien. Cauwenberghs gaf hem, met een gereserveerd hoofdknikje, een korte, maar stevige handdruk. Cogghe wees uitnodigend naar de enige nog vrije stoel in de kamer.

'U gaat dus onze nieuwe politiedienst leiden?'

'Daarvoor ben ik hier', antwoordde Van Den Eede, al even overbodig.

'Wij zijn heel blij dat gij dat wilt doen, Mark', zei Bylemans. 'Voor zoiets hebt ge de juiste man op de juiste plaats nodig!'

De deur ging open en een secretaresse kwam binnen met koffie en koekjes. Cogghe wachtte tot ze iedereen had bediend. Daarna deed hij twee klontjes en een scheutje melk in zijn koffie en begon te roeren.

'Ge weet dat het om een proefproject met beperkte middelen gaat, dat na een jaar zal worden geëvalueerd?'

Van Den Eede knikte.

Cogghe tikte met zijn lepeltje op de rand van zijn koffiekopje. 'Voorlopig zullen de correctionele rechtbanken uw belangrijkste werkgevers zijn,' ging de directeur verder, 'maar op termijn kunnen daar ook nog de hoven van beroep, de assisenhoven en het federaal parket bij komen.'

'Ik schat dat we dan algauw over twee- à driehonderd dossiers op jaarbasis spreken', vulde Bylemans aan, rustig achteroverleunend in zijn stoel, met zijn handen samengevouwen op zijn buik. 'Ge zult dus weten wat doen!'

'Het gaat vooral om personen die bij verstek werden veroordeeld, voortvluchtigen met een celstraf van meer dan drie jaar, geïnterneerden die niet terug zijn gekeerd uit penitentiair verlof of de voorwaarden van hun voorlopige vrijlating niet naleven, en ontsnapte gevangenen.'

Van Den Eede had altijd geweten dat er nogal wat veroordeelde zware misdadigers op vrije voeten rondliepen, die zich op een of andere manier aan hun straf hadden weten te onttrekken, maar dat het er zo veel waren, had hij nooit kunnen denken.

'En niet te vergeten: de buitenlandse opdrachten', zei Hubert Cauwenberghs, terwijl hij zijn attachékoffertje op zijn knieën legde en openklapte. 'Zoals dit dossier bijvoorbeeld.' Hij haalde een kartonnen DIN-A4-kaft tevoorschijn, waarop met een viltstift in grote letters de naam 'Eddy Donckers' was geschreven. De voorgedrukte keuzevakjes 'Gevaarlijk individu' en 'Internationale misdadiger' waren rood aangekruist. 'Zegt die naam u iets?'

Van Den Eede meende vaag dat hij er ooit wel iets over had gehoord of gelezen, maar kon zich verder niets herinneren.

'Julien Lagasse?' drong Cauwenberghs aan.

Die naam deed wel een belletje rinkelen.

'De schatrijke Parijse vastgoedmakelaar die een paar jaar geleden in het nieuws kwam toen zijn zoontje was ontvoerd?'

De directeur-generaal knikte.

'Zeg maar, de Franse Jan De Clerck', zei Cogghe. 'Zijn zoon was trouwens niet veel ouder dan Anthony'ke toen hij werd gekidnapt.'

Van Den Eede herinnerde zich de emotionele oproep van moeder De Clerck aan de ontvoerders.

'Met dit verschil', verduidelijkte Bylemans, 'dat er bij ons een hoop losgeld werd betaald, terwijl ze in Frankrijk de ontvoerder al na amper een week vasthadden.'

'Maar nu dus niet meer', gokte Van Den Eede. Cauwenberghs' lippen plooiden zich even op een manier die het midden hield tussen een glimlach en een grimas. Hij sloeg het dossier open. Bovenop lag een foto van Eddy Donckers. De crimineel had een smal, langwerpig gelaat met vooruitstekende jukbeenderen, dunne lippen en opstaand zwart haar. Het opvallendst waren echter zijn donkere wenkbrauwen met daaronder de tot spleetjes samengeknepen ogen, die hem iets sinisters gaven. Volgens de dubieuze classificatie van de negentiende-eeuwse psychiater Cesare Lombroso zou het uiterlijk van Donckers ongetwijfeld hoog scoren op de schaal van aangeboren misdadigheid.

'Ongeveer twee jaar geleden veroordeeld tot tien jaar cel en vorige maand ontsnapt tijdens zijn overbrenging naar een ziekenhuis, waar hij een onderzoek moest ondergaan. Volgens zijn medisch dossier lijdt hij aan een ernstige vorm van diabetes type 1, waarvoor hij dagelijks hoge doses insuline moet nemen. De Franse politie heeft serieuze aanwijzingen dat hij naar België is gevlucht, waar hij trouwens vandaan komt. Hij is een tijdlang met een vrouw uit Lyon getrouwd geweest, maar na zijn veroordeling heeft ze zich van hem laten scheiden. Kinderen zijn er niet. De Fransen hebben een internationaal aanhoudingsbevel uitgevaardigd en de Procureur de la République en het OCPRF hebben ons nu gevraagd om hem te lokaliseren, aan te houden en aan hen uit te leveren.'

'Het OCPRF?'

'L'Office Central Chargé des Personnes Recherchées ou en Fuite', verduidelijkte Cogghe op een beterig toontje.

'Het Franse FAST', zei Bylemans glimlachend.

Van Den Eede richtte zich rechtstreeks tot de directeur-generaal. 'U wilt dus dat we met hem beginnen?'

Terwijl hij het zei, vroeg hij zich af wie die 'we' eigenlijk waren.

Cauwenberghs wisselde een vluchtige blik met Cogghe voordat hij antwoordde.

'Dat is uiteraard aan u om dat te bepalen', zei hij diplomatiek. 'Als commissaris beslist u eigenmachtig welke dossiers u al dan niet behandelt, dat spreekt vanzelf. Maar als we deze internationaal gezochte topgangster zouden kunnen traceren en uitleveren aan het Franse gerecht, dan zou dat niet misstaan op uw beginnend palmares. Daar hoef ik zeker geen tekening bij te maken?'

Het laatste zei hij met een glimlach die zo bestudeerd leek dat Van Den Eede hoe langer hoe meer een afkeer van de man begon te krijgen. Hij vroeg zich af of dit iemand was die zo'n stereotiepe mediatraining had gevolgd, waarbij je lichaamstaal als het ware opnieuw werd geprogrammeerd. Politici waren er zo vakkundig in dat hun reacties bijna voorspelbaar werden. 'Wat voor nieuws je ook brengt, blijven glimlachen tot je er kramp van krijgt', was blijkbaar de boodschap.

'Julien Lagasse, de vader van die ontvoerde jongen, is trouwens niet de eerste de beste', zei Cogghe. 'Hij behoort tot de intieme vriendenkring van Jacques Chirac.' Hij wachtte even, alsof hij die mededeling goed tot Van Den Eede wilde laten doordringen. 'Met andere woorden: publiciteit verzekerd!'

Cauwenberghs kuchte zuinigjes, terwijl hij met zijn duim en wijsvinger de knoop van zijn das betastte. Waarschijnlijk had hij dat liever zelf verteld. Cogghe leek het gebaar van de directeur-generaal als een verborgen terechtwijzing te beschouwen. Hij verschoof wat ongemakkelijk op zijn bureaustoel en gaf vervolgens zijn vulpen een duwtje, zodat ze perfect evenwijdig lag met de rand van zijn lederen bureauonderlegger.

'Ge moet maar denken: goed begonnen, is half gewonnen!' Bylemans grinnikte.

Van Den Eede reageerde daar niet op. Hij begon zich stilaan te ergeren aan de flauwe tussenkomsten en opmerkingen van de procureur. Cauwenberghs sloeg het dossier van Eddy Donckers dicht en gaf het aan Van Den Eede. 'Bekijk het maar eens rustig', zei hij. 'En wees ervan overtuigd dat ik u en uw team in deze zal bijstaan waar mogelijk.' Het klonk alsof hij iets voorlas uit een of ander wetboek. 'Uiteraard binnen de grenzen van de toegelaten opsporingsmethoden', voegde hij eraan toe. 'En dan met name de artikelen 46 bis, 46 quater, 88 bis en 90 ter van de Strafvordering.'

Van Den Eede kon zijn oren niet geloven. 'Bedoelt u dat we geen beroep kunnen doen op lokalisatie van telecommunicatiegegevens en op telefoontaps?'

Cauwenberghs knikte. 'Dat klopt. Geen tracering of gsm-identificatie en evenmin camerabewaking of gebruik van POSA-teams.'[2]

De verbazing van Van Den Eede werd almaar groter. 'Maar dat is toch belachelijk!' liet hij zich ontvallen. 'Die middelen zijn wel toegelaten tijdens een opsporings- of een gerechtelijk onderzoek waarbij iemand onschuldig is tot het tegendeel wordt bewezen, maar niét bij de strafuitvoering, waarin de dader is veroordeeld?'

'U mag dat gerust belachelijk vinden', zei Cauwenberghs glimlachend, maar op de toon van iemand die weet dat hij de baas is. 'Er moeten nu eenmaal bepaalde spelregels worden gevolgd.'

Van Den Eede kon een misprijzend lachje niet onderdrukken. Spelregels? Hij wilde vragen of de voortvluchtige

---

2 POSA: Protectie, Observatie, Steun en Arrestatie.

criminelen die ook kenden en zich eraan zouden houden, maar besloot wijselijk van onderwerp te veranderen.

'Wat mijn team betreft,' zei hij, terwijl hij het dossier op zijn knie legde, 'is er al bekend over wie of over hoeveel mensen ik kan beschikken?'

Cauwenberghs en Cogghe keken elkaar opnieuw even aan. Aangezien de eerste bleef zwijgen, nam de tweede dan maar het woord.

'Voorlopig hebben we alleen u officieel aangesteld, plus een hoofdinspecteur, Wim Elias. Al van gehoord?'

Van Den Eede schudde van nee.

'Een prima kracht! Voordat hij werd gedetacheerd, heeft hij ruimschoots zijn sporen verdiend bij de lokale Antwerpse politie van Zone Noord.'

Als dat zo was, dacht Van Den Eede, waarom werd hij dan overgeplaatst? Wilden ze van hem af?

Bylemans leek zijn gedachte te raden. 'Ik ken Elias al lang. Hij is iemand die van uitdagingen houdt, en aangezien er bij de lokale niet direct promotiekansen waren, hebben we het hem maar één keer moeten vragen.'

Van Den Eede wreef nadenkend over zijn kin en wendde zich opnieuw tot Cauwenberghs. 'U bedoelt toch niet dat we met ons tweeën al die dossiers moeten oplossen?'

'Zoals ik al zei, is het volledig uw eigen verantwoordelijkheid en keuze welke en hoeveel dossiers u behandelt.'

Cogghe leunde voorover en steunde op zijn twee ellebogen terwijl hij zijn handen samenvouwde. 'Voor de rest laten we de samenstelling van het team volledig aan u over We hebben er ook alle vertrouwen in dat dat goed zal gebeuren.'

'Over hoeveel manschappen spreken we dan?'

Cogghe kneep in zijn neus en liet zijn ogen afdwalen naar het plafond, alsof hij moeite had om zich het precieze aantal te herinneren. 'Voorlopig is er een budget voorzien voor ongeveer vier, dacht ik. Om te beginnen, hé.'

Van Den Eede ademde diep in en hield de lucht een paar seconden vast in zijn longen. Gewoonlijk kalmeerde hij daarvan. 'Vier...' herhaalde hij, terwijl hij zijn oversten beurtelings aankeek.

Bylemans glimlachte zwijgend terug.

'Voor driehonderd dossiers?'

'We hebben u al gezegd dat het om een proefproject met weinig beschikbare middelen gaat', zei Cauwenberghs. 'U en uw team zullen zich eerst moeten bewijzen.' Waarna hij veelbetekenend naar het dossier op Van Den Eedes knie keek.

'Ik begrijp het.' Van Den Eede knikte. 'Waar en wanneer kan ik Wim Elias ontmoeten?'

'Nu direct, als ge wilt', antwoordde Cogghe opgewekt, terwijl hij overeind kwam als teken dat het gesprek was afgelopen. 'Hij is in uw kantoor al een paar uur bezig met het ordenen van de dossiers die we vanochtend van het Brusselse hof van beroep hebben laten overbrengen.'

Hoewel hij niet precies wist waarom, kreeg Van Den Eede opeens een onbehaaglijk gevoel, alsof hij met open ogen in een val liep die ieder moment achter hem dicht kon klappen. Toen hij ook opstond, gleed het dossier van zijn schoot en viel op de grond.

5

Op de Galgenberg, waar ooit veroordeelde misdadigers de strop rond hun hals kregen en onder grote publieke belangstelling hun laatste adem uitbliezen, was ooit het Brusselse Justitiepaleis gebouwd, met zijn reusachtige koepel in de negentiende eeuw het grootste gebouw ter wereld. Het was op deze heuvel dat Vesalius 's nachts lijken van terechtgestelden liet stelen voor zijn dissecties en anatomische studies. Het paleis werd ontworpen door de Skieven Architec. Dat was de bijnaam die Joseph Poelaert destijds van de bewoners van de Marollen kreeg, nadat hun wijk in naam van Vrouwe Justitia grotendeels werd onteigend. Hitler en zijn architect Adolf Speer waren zo onder de indruk van het paleis dat het als voorbeeld diende voor enkele bombastische gebouwen van het Derde Rijk.

Al een week lang schommelde de temperatuur overdag rond de dertig graden. Het had al zeker een dag of tien niet geregend. De straten lagen er stoffig bij en de vele terrasjes met hun kleurrijke bezoekers in zomerkledij gaven de stad een zuiderse, vakantieachtige sfeer. In de schaduw van het gedenkteken 'Ter Verheerlijking van de Belgische Infanterie' hadden drie jonge zwarten hun koopwaar uitgestald: djembés, Afrikaanse maskers en houten beeldjes, kleine handgemaakte balafons met kalebassen die als klankkast dienstdeden, beschilderde armbanden, kralenkettingen en broekriemen. Wat verderop stond er een met zonnebrillen en blinkende horloges te leuren. Een blanke man met een stoppelbaard, een grote strooien hoed op en een afgeknabbeld sigaartje in zijn mondhoek zat in een kampeerstoeltje omringd door in houtskool getekende portretten een schets te maken van een lachend Japans meisje, terwijl haar enthousiaste vriend alles met zijn camcorder vastlegde. Duiven liepen pikkend en koerend door elkaar over de stoep. Soms vlogen ze even klapwiekend op voor een haastige voorbijganger, om een paar meter verder weer neer te strijken. Een jongeman zat met zijn versterkte akoestische gitaar op een krukje en speelde een niet onaardige versie van Stanley Myers' 'Cavatina', een melodie die wereldberoemd was geworden door de soundtrack van The Deer Hunter. Een in lompen geklede vrouw met een slapende baby in haar armen zat, tegen een muur geleund, met een lege blik naar de grond te staren. Vlak voor haar stond een schaaltje waarin enkele muntstukken lagen. Op een rechthoekig stuk karton stond in grote zwarte letters dat ze uit Roemenië kwam en honger had. De meeste mensen bekeken haar niet eens terwijl ze voorbijliepen. Bedelaars zijn het slechte geweten van een welvaartmaatschappij. Op de straathoek stond een groepje jonge migranten zich te vervelen. Af en toe floten ze of riepen iets naar een passerend meisje. Een stel smakeloos uitgedoste, zwaarlijvige Amerikanen stapte luid taterend achter een gids met een vlag in de richting van het Justitiepaleis. Het terras van het Poelaertplein bood een panoramisch uitzicht over Brussel. In de verte waren zelfs de blinkende bollen van het Atomium te zien.

Vanuit de Regentschapsstraat kwam een getralicde politiewagen het Poelaertplein opgereden en stopte vlak voor de hoofdingang van het gerechtsgebouw. Het achterportier zwaaide open en twee agenten van de lokale politie stapten uit. De chauffeur, die achter het stuur bleef zitten, stak rustig een sigaret op en blies de rook langzaam voor zich uit. Een van de agenten hielp een geboeide man van Marokkaanse afkomst uit de combi. Hij was klein van gestalte, maar had de getrainde spieren van een bodybuilder en de brede, platte neus van een bokser, wat hem bij de andere gedetineerden al vlug de bijnaam Alí had opgeleverd. Zijn donkerkleurige huid verraadde dat hij van Berberse afkomst was. Aan zijn rechterhand ontbrak de helft van zijn middelvinger. Hij was gekleed in een geel T-shirt en een bruine Dockers-broek in combatstijl met opgestikte zakken boven iedere knie. Ondanks het warme weer droeg hij stevige Meindl-wandelschoenen van gewaxt nubuckleer met een dikke, veerkrachtige zool. Zijn bewegingen waren soepel als die van een jachtluipaard.

Op het plein hielden enkele nieuwsgierige voorbijgangers hun pas in en bleven staan kijken hoe de gevangene tussen zijn begeleiders in de trappen beklom. Niets wat zo tot de fantasie spreekt als misdaad en criminelen. De agenten hielden hem ieder losjes bij een arm vast. Normaal werden gevangenen via de achterkant van het gebouw naar binnen gebracht, maar wegens verbouwingswerkzaamheden was die toegang voorlopig onbruikbaar. Op een houten schutting, waarachter die werden uitgevoerd, had iemand in grote zwarte letters 'Pas de Justice, pas de Pays' geklad. Hoewel de situatie waarin hij verkeerde het tegendeel zou doen vermoeden, maakte Alí een heel ontspannen indruk. Toen ze halfweg de trappen waren, gebeurde er echter iets wat normaal alleen op televisie of in de bioscoop te zien was, en precies daardoor een onwerkelijke indruk maakte.

De geboeide man rukte zich opeens los en stampte de agent die rechts van hem liep met zijn zware wandelschoen keihard in zijn maag. De agent vouwde dubbel, viel achterover en rolde een paar trappen naar beneden. Nog voordat de ander kon reageren, had de Marokkaan zijn geboeide handen van achteren rond diens hals geslagen en dreigde hem te wurgen. De man deed verwoede pogingen om zijn vingers tussen de handboeien te wringen, maar Alí loste zijn greep niet. De agent sperde zijn mond wijd open en snakte rochelend naar adem. Zijn gezicht werd vuurrood. De tweede politieman was ondertussen, met een pijnlijke grimas, weer overeind gekrabbeld en greep naar zijn pistool. Alí gebruikte zijn gijzelaar als een levend schild en riep in rasecht Antwerps dat de agent zijn wapen op de grond moest gooien of dat anders 'zijne maat' eraan ging. De man aarzelde nog even, maar toen zijn collega een gesmoorde kreet uitstootte omdat de metalen handboeien zo strak werden aangetrokken dat ze in zijn huid sneden, gehoorzaamde hij meteen. Hij haalde zijn pistool uit de holster en smeet het op de trappen. Vervolgens eiste de Marokkaan, op een rustige maar kordate toon, dat zijn boeien los werden gemaakt. De agent tastte nerveus naar het sleuteltje in zijn zak, terwijl Alí de andere begeleider in een stevige wurggreep hield. Met het sleuteltje in zijn hand kwam de politieman voorzichtig dichterbij. Hij beefde zo hard dat hij moeite had om het slotje te openen. Het aantal toeschouwers was ondertussen flink toegenomen. Enkelen hielden opgewonden een gsm tegen hun oor. Anderen probeerden een foto of video-opname te maken van wat er zich bij de ingang van het Justitiepaleis afspeelde. Eenmaal bevrijd van zijn handboeien duwde Alí zijn gijzelaar met een duw in de rug naar voren, zodat hij tegen zijn collega opbotste en ze beiden op de trappen terechtkwamen. Vervolgens greep hij vliegensvlug naar het wapen, dat een paar treden onder hem lag.

Door die plotselinge beweging miste de eerste kogel doel. Met een ricocherend geluid ketste hij af op een van de trappen.

De omstanders stoven gillend uit elkaar. Terwijl de Marokkaan met een sprong dekking zocht achter een van de kolossale steunpilaren, klonk het tweede schot, dat hem in zijn linkerarm trof, net onder het schouderblad. Het kwam uit de Glock van de chauffeur, die van achter zijn stuur was gekropen en opnieuw richtte. Maar nog voordat hij de trekker kon overhalen, klonk er een derde schot. De chauffeur liet zijn pistool vallen en greep naar de rechterkant van zijn borstkas, waar de kogel zijn lichaam binnen was gedrongen en zijn onderste rib had versplinterd. Even zocht hij wankelend houvast aan de combi, toen gleed hij langzaam op de grond. Op zijn blauwe overhemd verscheen een snel groter wordende donkere vlek. Toen hij met knipperende ogen opkeek zag hij, verblind door het felle zonlicht, het silhouet van een man die traag dichterbij kwam. Intuïtief tastte hij met zijn bebloede hand naar het pistool dat ergens naast hem op de grond lag. Hij zag hoe de schim zijn rechterarm strekte. Het leek of hij met een gestrekte vinger naar hem wees. De gewonde man hief zijn hand op, als wilde hij zich beschermen tegen het brandende zonlicht. De kogel ging dwars door zijn handpalm en trof hem vervolgens midden tussen zijn ogen, die een fractie van een seconde groot van verbazing werden en toen langzaam uitdoofden.

De Marokkaan rende in de richting van de lichtjes afhellende Wolstraat. Zijn schouder voelde aan alsof hij verdoofd was. Van onder de mouw van zijn T-shirt sijpelde bloed langs zijn arm. Toen hij tussen twee geparkeerde auto's door de weg wilde oversteken, werd hij, ter hoogte van het federaal parket, gegrepen door een passerende bromfietser die veel te hard reed en niet meer kon uitwijken. Door de schok werd hij omvergeworpen en kwam met de achterkant van zijn hoofd tegen de zijspiegel van een van de auto's terecht. Even zag hij niets meer. Er ging een stekende pijn door zijn schedel en zijn nek. Hij kwam wankelend overeind en terwijl hij steun zocht tegen de auto, keek hij rond, op zoek naar de bromfietser. Die lag wat verderop in een vreemde houding beweginloos op de straatstenen, met zijn brommer half over zich heen. Het gebarsten glas van zijn helm weerkaatste het zonlicht als een flikkerende spiegelbol in een danstent.

De chauffeur van een witte Nissan-bestelwagen die vanuit de tegenovergestelde richting kwam en het ongeval had zien gebeuren, remde af en klauterde moeizaam uit zijn wagen. Het was een zwaarlijvige man met een donkere zonnebril, grote zweetplekken onder zijn oksels en een veel te wijde short met daaronder melkwitte benen. Hij wilde neerknielen bij de bewusteloze bromfietser, maar deinsde geschrokken achteruit toen hij het pistool zag dat de Marokkaan op hem richtte.

'Terug instappen!'

De chauffeur, die spontaan zijn handen in de lucht stak, vroeg stamelend in het Frans wat dit te betekenen had.

'Dans vot' voiture, j'ai dit!' riep Alí, terwijl hij met zijn pistool een dreigende beweging maakte.

De barmhartige samaritaan haastte zich hijgend naar zijn wagen en kroop opnieuw achter het stuur, terwijl de Marokkaan hem voortdurend onder schot hield. Hij liep om de auto heen, opende het portier aan de passagierskant en stapte in. De vloer was bezaaid met verfrommelde pakjes chips en lege drankblikjes. Op het dashboard kleefden tientallen Post-it-blaadjes met adressen en telefoonnummers.

'Allez-y. En avant!'

De doodsbleke chauffeur was zo in paniek dat hij twee keer moest starten voordat de motor aansloeg. Het zweet glinsterde op zijn voorhoofd. Alí gebaarde in de richting van de Quatre-Brasstraat. Waarna hij de loop van zijn pistool ongeduldig in de zijde van de chauffeur drukte.

'Roulez!'

De gijzelaar knikte gehoorzaam, schakelde met een krakend geluid naar de eerste versnelling en duwde het gaspedaal in. De bestelwagen stak het kruispunt over, draaide rechtsaf en zette vervolgens koers naar de Louizalaan. Onderweg kruiste hij een witte Opel Astra met blauwe strepen, een MUG en een politiecombi, die allemaal met hoge snelheid, met zwaailichten en sirenes, naar het Poelaertplein stoven.

Toen de Marokkaan zich wilde omdraaien om de wagens na te kijken, voelde hij een scherpe pijn in zijn linkerschouder. Hij tastte naar de wond, die nog altijd bloedde. Vermoedelijk zat de kogel nog in zijn arm. Opeens merkte hij dat de bestelwagen sneller was gaan rijden. Hij keek naar de meter en zag dat die langzaam maar zeker naar de 100 klom, op een weg waar de maximumsnelheid 70 was.

'Moins vite.'

Maar het was al te laat. In de achteruitkijkspiegel zag hij de korte bliksemschicht van een flitspaal oplichten. Toen hij naar de chauffeur keek, begreep hij dat die het opzettelijk had gedaan.

'Merde, salaud!'

Woedend sloeg hij met de kolf van zijn pistool tegen de zijkant van het hoofd van de man. Die slaakte een kreet en greep naar zijn rechterslaap, waardoor de bestelwagen een slingerende beweging maakte. De auto op de linkerrijstrook, een Volkswagen-cabriolet met een jongeman met een baseballpetje achter het stuur, moest bruusk uitwijken en begon nijdig te claxonneren. Honderd meter verder sprong het verkeerslicht op rood.

De chauffeur keek vragend naar Alí. 'Qu'est-que je fais?'

De Marokkaan aarzelde. Hij zag dat een groepje voetgangers en enkele fietsers stonden te wachten om over te steken.

'Arrête. Mais pas de connerie, eh!'

Om te laten zien dat hij het meende, drukte hij de loop van zijn pistool tegen het mollige lichaam van de chauffeur. De bestelwagen kwam tot stilstand vóór het zebrapad, vlak naast de cabriolet. De jongeman achter het stuur keek de chauffeur boos aan en tikte met zijn wijsvinger tegen zijn voorhoofd. Uit de boxen van zijn stereo-installatie klonken de technobeats als een dreunende hartslag. Zijn woede werd alleen maar groter toen hij zag dat zijn gebaar, bijna terloops leek het wel, werd beantwoord met een opgestoken middelvinger. De jongen met de baseballpet kwam opgewonden uit zijn auto, trok vloekend het portier van de bestelwagen open en wilde de chauffeur eruit sleuren.

'Attention, il est armé!'

Op hetzelfde moment hief Alí zijn pistool en loste tweemaal kort na elkaar een schot. Het eerste versplinterde de zijruit van de bestelwagen, het tweede doorboorde de motorkap van de cabrio.

De agressieve jongeman sprong geschrokken achteruit, overstekende passanten renden in paniek alle kanten uit.

De Marokkaan drukte zijn pistool tegen de slaap van de chauffeur. 'Vas-y, nom de Dieu!'

De bestelwagen vloog met slippende banden vooruit en verbrijzelde het achterwiel van een fiets die op het zebrapad was achtergelaten.

6

Van Den Eede keek op de plattegrond die naast hem op de stoel lag. Als het klopte, dan moest gebouw R zich achter de volgende hoek bevinden. Hoe verder hij reed, hoe meer de kazerne een verlaten en tegelijk verwaarloosde indruk maakte. Hier en daar groeide zelfs onkruid tussen de hobbelige kasseien, alsof er in tijden geen auto meer was gepasseerd. Hij wist niet dat het gebouwencomplex van de Géruzet zo groot was. Toen hij de hoek omsloeg, zag hij een troosteloze gevel waarvan de meeste ramen aan de binnenkant dicht waren gespijkerd met triplexplaten, omdat het glas ervan kapot was. Overal lagen lege drankblikjes en plastic flessen. Tegen de muur stonden enkele roestende olievaten en wat verderop zag hij een hoop rottende pallets. Van Den Eede keek, voor alle zekerheid, nog eens op zijn plattegrond. Er was geen twijfel mogelijk: dit was gebouw R.

Opeens zag hij, naast een dubbele metalen deur, een langwerpig bordje hangen dat aan de muur was vastgespijkerd en waarop 'FAST' was geschilderd. De pijl was verzakt en wees schuin naar beneden. Van Den Eede parkeerde zijn Range Rover vlak bij de ingang en stapte uit. Hij liep naar de achterkant van de wagen, opende de kofferbak en haalde er een kartonnen doos uit. Het dossier van Eddy Donckers legde hij erbovenop. Voor het scheefgezakte bordje bleef hij staan. Een van de spijkers waarmee het vast was gezet in een voeg tussen twee stenen, was losgekomen. Hij probeerde hem opnieuw in het afbrokkelende cement te drukken, maar gaf het op toen hij plots met de spijker in zijn hand stond en de pijl helemaal verticaal kwam te hangen. Hij wees nu recht naar de grond.

De onderkant van de deur schuurde over de ongelijk liggende tegels. In de hoge, lege traphal hing een muffe geur. Langs de stenen voetlijst zag hij een muis wegglippen, die in een gleuf tussen twee plintjes verdween. Van boven klonk bluesmuziek. John Lee Hooker? Of was het Elmore James? Hij gokte op de eerste. De verfbladderde van de muren, waarop hier en daar ook schimmelplekken waren te zien. Van Den Eede keek zuchtend om zich heen. De verlichting bestond uit een kaal peertje dat aan een lange draad bengelde. Verderop in de hal hing een eenzaam blusapparaat waarmee je waarschijnlijk niet eens een lucifer meer zou kunnen doven. Van Den Eede greep de trapleuning vast, die plakkerig aanvoelde. Het was duidelijk dat dit gebouw al jarenlang leegstond. Hij kwam op een overloop. Vervolgens maakte de trap een bocht van 180 graden. Een rauwe bluesgitaar afgewisseld met een slepende mondharmonica galmde door de ruimte. Was het misschien B.B. King? Het geluid kwam in ieder geval van rechts. 'They call me Mister Lucky, Bad Luck don't bother me', zong een diepe zwarte Amerikaanse stem.

Van Den Eede kwam in een lange, smalle gang met hoge ramen die uitgaven op de voorkant van het gebouw. Gewoon uit nieuwsgierigheid opende hij de eerste deur die hij tegenkwam. Een kale kamer met oude verfpotten en een trapladdertje dat zijn beste tijd had gehad. In een hoek lagen slordig bijeengevouwen stukken plastic vol verfspatten. Op de vensterbank, vol verdroogde vliegen, stonden een paar lege Jupilerflesjes. Van Den Eede trok de deur weer dicht. De volgende liep hij allemaal voorbij tot hij er, halfweg de gang, een tegenkwam die half openstond. Hij zag een bordje met daarop zijn eigen naam en functie. Vlak daaronder las hij: 'W. Elias – Hoofdinspecteur'. De muziek klonk nu vlakbij.

Van Den Eede klopte een paar keer, maar toen daar geen reactie op kwam, zette hij een stap in de kamer. Daarin stond alleen het hoogstnodige: twee bureaus, elk met een computer en een telefoontoestel, en een klein tafeltje dat tegen een muur was geschoven en waarop iemand een faxapparaat en een printer had geplaatst. Aan de muur hingen een grote ronde keukenklok en een plattegrond van Brussel en omgeving. Op een van de vier stoelen stond een radio met ingebouwde cd-speler. Van Den Eede ging ernaartoe en drukte op de pauzeknop. In de deuropening die naar een zijkamertje leidde, verscheen een grote, slanke man in een marineblauw joggingpak. Hij had bruin haar dat in een scheiding was gekamd en zijn voorhoofd gedeeltelijk bedekte. Met zijn gebruinde huid leek het wel of hij net terug was van vakantie. Hij hield met beide handen een stapeltje dossiers vast.

'Wim Elias?'

De man knikte glimlachend. Hij maakte een relaxte en tegelijk toch heel energieke indruk.

'En u bent zeker commissaris Van Den Eede?'

Hoewel ze beiden iets vasthadden, slaagden ze er toch in elkaar de hand te drukken.

'Mark. Laat die commissaris maar weg', zei Van Den Eede, terwijl hij zijn kartonnen doos op het dichtstbijzijnde bureau zette. Zo hadden zijn mannen bij het SIE hem ook altijd genoemd.

'Zoals ge wilt.'

Van Den Eede keek fronsend de kamer rond. 'Hier moeten we het dus mee doen?'

'Plus onze administratie hiernaast en die twee hotelkamers wat verderop de gang', antwoordde Elias met een uitgestreken gezicht.

Van Den Eede vermoedde dat hij het ironisch bedoelde, maar was toch niet helemaal zeker. Iemand inschatten die je voor het eerst ontmoet, is niet altijd makkelijk.

'Hotelkamers?'

Elias legde de dossiers naast de kartonnen doos en gebaarde met een scheef glimlachje dat Van Den Eede hem moest volgen. Ze liepen zwijgend door de gang naar de volgende deur, die Elias met een zwaai opende. In de kamer stond alleen een donkergroen legerveldbed op lage pootjes, dat er als een stretcher uitzag. Aan de muur hing, onder een bruingespikkelde spiegel, een kleine, vuile wastafel met een kraan die lekte.

'Zoals ge ziet, met alles erop en eraan. Kijk maar, we hebben zelfs stromend water!'

Van Den Eede begon hem hoe langer hoe sympathieker te vinden.

'Hiernaast is nog zo'n driesterrensuite met een hemelbed. Er staan daar zelfs een paar kampeerstoeltjes en een picknicktafel.'

'Die zal dan zeker voor de hogere officieren zijn', zei Van Den Eede.

Elias trok glimlachend de deur weer dicht. 'En voor ge het vraagt, Mark, ik heb zelf mijn overplaatsing aangevraagd toen ik hoorde dat gij de nieuwe dienst ging leiden. Ik was een beetje uitgekeken op gewoon politiewerk.'

Van Den Eede knikte. 'Dat kan ik begrijpen. Uw vrouw hopelijk ook?'

De ontspannen uitdrukking op het gezicht van Elias verstrakte en er veranderde iets in zijn blik, die opeens hard werd. Onder zijn rechteroog begon een spiertje te trillen.

'Die heb ik niet', zei hij koeltjes. Waarna hij zich omkeerde en terugliep in de richting van het bureau. 'Kom, dan toon ik u de dossierkamer.'

Toen Van Den Eede die zag, stond hij toch wel even versteld. De stapels kaften die overal op de grond lagen, leken elkaar recht te houden. Eén wand werd helemaal in beslag genomen door grijze kasten met hangmappen, waarvan enkele laden waren opengeschoven.

Hij zuchtte. 'Hoe gaan we dit aanpakken?'

Elias antwoordde dat hij al was begonnen ze alfabetisch te rangschikken. Een werkje waar hij nog wel enkele dagen zoet mee zou zijn.

Volgens Van Den Eede was daar geen haast bij. Er lag immers een 'prioritair' dossier op hen te wachten. Een cadeautje van de directeur-generaal himself. Hij keek naar de computers.

'Zijn die al aangesloten?'

Elias knikte. Van zijn plotselinge stemmingswisseling was niets meer te merken. 'Ik heb daarstraks geprobeerd om met mijn paswoord in te loggen in de ANG,[3] en dat ging zonder problemen.'

'Blij dat er toch iets is wat werkt...'

Ze schoten allebei in de lach.

'Maar het belangrijkste apparaat ontbreekt natuurlijk nog.'

Wim Elias werd op slag weer ernstig en keek zoekend de kamer rond. 'Wat bedoelt ge?'

Van Den Eede liep naar de kartonnen doos die op tafel stond en opende ze. Er zat een koffiezetmachine in.

'Zeg nu niet dat ge liever thee drinkt?'

Elias schudde glimlachend van nee. Van Den Eede zet-

---

3 Algemene Nationale Gegevensbank.

te het koffieapparaat naast de fax. Vervolgens deed hij opnieuw een greep in zijn kartonnen doos. Hij haalde er achtereenvolgens een stapeltje papieren filters, een pakje Tanzaniaanse mokkakoffie van Oxfam, suikerzakjes, melk, plastic lepeltje en bekertjes uit, en tot slot twee ingelijste foto's, die hij op zijn bureau plaatste. Een van Linda en een van Stijn, die op zijn fiets, steunend op zijn linkerbeen, met strakke ogen in de lens staarde. Het viel hem op dat Wim Elias er even naar keek, maar zich vervolgens meteen op het dossier concentreerde, dat hij naar zich toe draaide en opensloeg.

'Eddy Donckers? Is dat onze eerste klant?'

'Een "Franse" Belg. Hij heeft een paar jaar geleden de zoon van een zekere Julien Lagasse ontvoerd, een stinkend rijke makelaar uit Parijs.'

De naam zei Elias niets.

'Een vriend van Jacques Chirac...' voegde Van Den Eede eraan toe, terwijl hij de koffiekan voor een vierde vulde met kraantjeswater.

Elias trok zijn linkerwenkbrauw op. 'Een elitedossier dus.'

'Zo zoudt ge 't kunnen noemen.' Hij goot het water in het koffiezetapparaat, nam een filterzakje, vouwde de onderkant ervan netjes dubbel, zoals hij het Linda altijd zag doen, en duwde het op zijn plaats. 'Als we hem vinden, dan wordt dat ons visitekaartje.'

'Waarom denkt de Franse politie dat hij zich in België schuilhoudt?'

Van Den Eede, die het dossier nog maar vluchtig had ingekeken, antwoordde dat de ouders van Donckers allebei dood waren, maar dat zijn enige zus nog altijd hier woonde.

'En onze Franse collega's hebben vastgesteld dat er een paar keer telefonisch contact tussen broer en zus is geweest. Zij mogen die gegevens opvragen. Wij niet.'

Met zijn zakmes sneed hij de vacuümverpakking open, die een sissend geluid maakte. Hij snoof met gesloten ogen de geur van de mokka op.

'Dan zullen we die zus eens een bezoek moeten brengen', zei Elias, terwijl hij het dossier doorbladerde. 'Ik lees hier dat ze in Leuven woont. Getrouwd met de directeur van Expert Vision, een productie- en reclamebedrijf dat is gespecialiseerd in publiciteitsfilms voor grote bedrijven en tv-spotjes. Rijk volk waarschijnlijk. Gaat die zijn carrière zomaar op het spel zetten voor een ondergedoken gangster, ook al is het zijn schoonbroer?'

'Hij hoeft er niet noodzakelijk iets van te weten', zei Van Den Eede. 'Familieleden bij u in huis verstoppen is trouwens niet strafbaar.'

'Dat weet ik', zei Elias. 'Maar ge kunt er wel uw goeie reputatie serieus mee naar de vaantjes helpen. Zeker als ge een succesvolle zaak hebt en voor de media werkt.'

Van Den Eede schudde voorzichtig een afgemeten hoeveelheid gemalen koffie in het filterzakje.

'Hoe drinkt gij uw koffie 't liefst?'

'Zwart en redelijk straf.'

Dus deed hij er nog wat bij. Hij klapte het deksel dicht en zette het apparaat aan. Daarna ging hij afwachtend op de hoek van zijn bureau zitten en keek opnieuw de kamer rond. Kwam het door de pruttelende koffie dat hij zich hier al wat thuis begon te voelen? Of was het de aanwezigheid van Elias die hem op zijn gemak stelde?

'Toen ik nog commandant van het SIE was, lagen de zaken natuurlijk anders', zei hij. 'Als wij ter plaatse kwamen, wisten we gewoonlijk wél wie we daar konden vinden.' Hij keek Elias aan. 'Maar niet hoe het zou aflopen...'

Elias knikte zwijgend, maar aan zijn reactie kon Van Den Eede zien dat hij wist wat er tijdens die laatste gijzeling was gebeurd. Dat hij er desondanks voor had gekozen om hier onder zijn leiding te komen werken, stemde hem dankbaar.

'Zitten er transcripties van die telefoongesprekken in het dossier?'

Elias bladerde het door, maar vond niets. 'Alleen tijdstip en duur. Hij belde telkens vanuit Lyon. De eerste keer op 15 juni. Het gesprek heeft toen 42 seconden geduurd.'

'Lyon? Zou hij dan eerst zijn ex zijn gaan opzoeken?'

'Daar heeft ze blijkbaar geen melding van gemaakt bij de politie', zei Elias. 'Terwijl hij vastzat, is ze hertrouwd. Ze is een nieuw leven begonnen en heeft ondertussen met haar tweede man een dochtertje. Ge zoudt toch denken dat Donckers niet meer in dat plaatje past. Dus waarom zou ze hem beschermen?'

Van Den Eede knikte nadenkend.

'Als hij in Lyon heeft gewoond, dan kent hij daar zo goed als zeker nog andere mensen.'

Ook dat klonk logisch.

'En die volgende telefoontjes?' vroeg Van Den Eede.

'Eén een dag later, om 23.37 uur. Dat gesprek heeft 1 minuut en 16 seconden geduurd. Het laatste, op 19 juni, duurde bijna 3 minuten.'

'Als hij bij zijn zuster wilde onderduiken, dan heeft hij haar waarschijnlijk moeten overtuigen.'

'Of zij haar man?'

Dat was inderdaad ook een mogelijkheid.

'Best dat we haar niet meteen alarmeren maar een tijdje haar doen en laten in de gaten houden.' Van Den Eede keek naar het apparaat, dat niet langer pruttelde. 'Maar eerst koffie!'

Hij schonk een bekertje in en gaf het aan Elias, die het vlug weer neerzette omdat het te heet was. Toen hij het tweede bekertje wilde vullen, rinkelde zijn gsm. Op het display verscheen de naam van Brepoels. Van Den Eede drukte fronsend de OK-toets in.

'Dag, André', zei hij op een vlak toontje. 'Wat nieuws?'

'Zo te horen weet ge nog van niks.'

'Wat zou ik moeten weten?'

'Ge zit nu toch bij die rappe mannen, hé?'

'Als ge 't FAST bedoelt, dan klopt dat, ja.'

'Wel, dan weet ge ineens wat doen. Ik sta hier aan het Justitiepaleis. Benachir is ontsnapt.'

Van Den Eede keek geschrokken naar Elias, die meteen doorhad dat er iets ernstigs aan de hand was.

'Saïd Benachir?'

'Tijdens zijn transport van de gevangenis naar de correctionele rechtbank. Hij mocht daar een dossier gaan inkijken, waarin hij wordt vernoemd in verband met een lopend onderzoek naar autodiefstallen. Maar 't is op heel iets anders uitgedraaid.'

Van Den Eede voelde opeens een geweldige woede opkomen. 'Hoe kan dat nu? Een topgangster die ze zomaar laten lopen!'

'Spijtig genoeg niet zomaar... Tijdens zijn vlucht heeft hij een agent doodgeschoten.'

In een flits zag Van Den Eede de levenloze blik van Erik Rens. Ook toen had hij het onbehaaglijke gevoel dat die alleen op hém was gericht, alsof Erik nog had willen zeggen: 'Dit is allemaal uw schuld.'

'Wat zegt ge?'

'Dat Benachir zelf ook gewond is geraakt, door een kogel in zijn schouder', herhaalde Brepoels. 'Getuigen hebben hem zien instappen in een witte bestelwagen, merk Nissan, waarvan hij de chauffeur heeft gegijzeld. Voorlopig ontbreekt ieder spoor.'

'Godverdomme! Hoe is dat nu mogelijk!'

Even werd het stil.

'Ik dacht dat ge dit wel wilde weten', zei Brepoels. 'Maar nu moet ik verder gaan doen. Het parket is hier.'

'Momentje. Wie was die flik?'

'Danny Verbiest. Vader van drie kinderen.'

Van Den Eede zuchtte.

'Ik hoop dat ge dat stuk crapuul rap terug te pakken hebt. Ge moogt mijn verslag vandaag nog verwachten.'

'Oké, bedankt, André', zei Van Den Eede, nu heel wat vriendelijker.

Hij bleef nadenkend met zijn gsm in zijn hand staan. Wim Elias keek hem vragend aan. 'Slecht nieuws?'

'Zoek in de ANG de pedigree van Saïd Benachir eens op.'

'Benachir? Is dat niet een van die gijzelnemers die ge toen hebt gearresteerd?'

Van Den Eede knikte somber.

'En Eddy Donckers,' vroeg Elias langs zijn neus weg, terwijl hij zijn computer opstartte, 'wat doen we daarmee?'

'Laat Donckers voorlopig maar waar hij is', zei Van Den Eede, terwijl hij de telefoonlijst van zijn gsm openklikte en naar een nummer begon te zoeken. 'Dit gaat voor.'

Elias protesteerde niet. Hij logde meteen in op het systeem en tikte vervolgens de naam van de ontvluchte gangster in. Op het scherm verschenen de foto en de persoonlijke gegevens van Saïd Benachir. Elias klikte door naar de volgende pagina, waarop een opsomming van het gerechtelijk verleden en van de opgelopen veroordelingen van Benachir stond. Om bij de recentste te komen moest hij tot viermaal toe scrollen.

7

Rob Olbrecht tastte eerst met zijn ogen de oneffenheden af, voordat hij met de middel- en ringvinger van zijn rechterhand naar een smalle gleuf reikte, die zich ongeveer een halve meter boven hem bevond. Hij droeg een stonewashed Levi's-jeansbroek en een marineblauw T-shirt met korte mouwen. Zijn stevige jukbeenderen en afgetekende onderkaak gaven zijn gezicht een vastberaden uitdrukking. Op zijn wangen schemerde een stoppelbaard van enkele dagen. In zijn linkeroor droeg hij een klein zilveren ringetje. Zijn blonde haar en diepblauwe ogen deden wat Scandinavisch aan.

Olbrecht verplaatste zijn gewicht wat naar achteren, weg van de rots, en controleerde of de punten van zijn Vibramgummizolen nog altijd voldoende grip hadden op de steile wand. Vervolgens trok hij zich op, terwijl hij zijn rechterbeen zo ver mogelijk strekte, zodat het een verticale lijn vormde met zijn linkerhand. Net op het moment dat hij zijn andere been bij wilde trekken, begon zijn gsm te rinkelen. Hij liet zich met een verveeld gezicht weer zakken, plaatste zijn gespreide voeten op een rechte lijn, met de schoenpunten tegen de rotswand, en liet zich aan het zekeringstouw ontspannen achterover hangen terwijl hij naar het mobieltje in zijn achterzak tastte.

'Olbrecht', bromde hij kortaf.

'Rob! Mark Van Den Eede hier. Ik stoor toch niet?'
Olbrechts gezicht klaarde meteen op. 'Een momentje.'
Waarna hij zijn gsm in zijn borstzakje stak, het nylontouw
vastgreep en met sierlijke sprongetjes begon te abseilen. In
een oogwenk had hij de twaalf meter afgelegd die hem van
de begane grond scheidden en stond hij naast een groepje
aspirant-klimmers die al zijn bewegingen nauwlettend en
bewonderend gade hadden geslagen.
Hij klikte het touw los van zijn heupgordel en gaf het aan
een meisje. 'Het is aan u. En denk eraan: uw armen zo weinig mogelijk belasten en met uw voetpunten klimmen.'
Het meisje knikte.
'Laat ze niet vallen, hé Pieter', zei hij tegen de jongeman
die het zekeringstouw vasthad. 'De zaal is pas gisteren ge-
kuist.'
Waarna hij glimlachend naar het meisje knipoogde, zijn
mobieltje opnieuw tevoorschijn haalde en wegliep van de
klimmuur.
'De Mark, verdomme! Dat is lang geleden.'
'Veel te lang. Maar ge weet hoe dat gaat, hé.'
'Ik heb horen zeggen dat ge weg zijt bij het SIE. Is dat
waar?'
'Dat is waar', zei Van Den Eede effen. 'Ik ben een nieuwe
eenheid aan het opstarten.'
'Nog altijd even druk bezig, ik hoor het.'
'Meer dan ooit', zei Van Den Eede. 'Daarom dat ik u bel.'
'Hopelijk niet voor een undercoveropdracht,' reageerde
Olbrecht, 'want dan zal ik u teleur moeten stellen.'
'Hoezo?'
Rob Olbrecht legde uit dat hij eigenlijk al veel te lang mee-
draaide in het misdaadmilieu. Hij was na al die jaren 'ver-
brand' geraakt en tijdens zijn laatste infiltratie, in de Rus-
sische maffia die zich in Antwerpen op de drugshandel had

gestort en over lijken ging, had het geen haar gescheeld of ze hadden hem te pakken gehad. Sindsdien hadden zijn bazen hem op non-actief gezet. Hij had nog een massa overuren staan en die was hij nu, min of meer verplicht, aan het opnemen.

'Dat betekent dus dat ge veel tijd hebt', zei Van Den Eede opgewekt.

'Véél te veel naar mijn goesting!'

'Weet gij waar de Géruzet-kazerne is?'

'Natuurlijk dat ik dat weet. Ik heb er vorig jaar nog een initiatiecursus taekwondo gegeven, aan zo'n hoop jonge gastjes.'

Van Den Eede grinnikte. Olbrecht was zelf nog maar zevenentwintig. Dezelfde leeftijd als Erik Rens toen hij stierf.

'Aan welke kleur zit ge ondertussen?'

'Zwart natuurlijk! Of wat dacht ge?' Zijn stem klonk gespeeld verontwaardigd.

'Stomme vraag', zei Van Den Eede laconiek. 'Wanneer kunt ge hier zijn?'

Olbrecht keek op zijn horloge. 'Over een klein halfuurke. Is dat goed?'

'Prima', zei Van Den Eede. 'We zitten helemaal achteraan, in blok R. Ge kunt er niet naast kijken. Het is de meest luxueuze van allemaal.'

'Leer mij de Géruzet kennen', zei Olbrecht.

Van Den Eede verbrak glimlachend de verbinding.

'Hij komt dus?' vroeg Elias, die nog altijd achter zijn computer zat.

Van Den Eede knikte tevreden. 'Hij komt.'

De pedigree van Saïd Benachir kwam uit de printer geschoven. In totaal drie goed gevulde bladzijden. Elias had ondertussen ook alle gegevens uit het Rijksregister opgevraagd en contact gezocht met de jeugdrechtbank. Benachir, geboren in Schaarbeek op 13 februari 1970 als oudste van drie kinderen in een Marokkaans gezin, had inderdaad al heel wat op zijn kerfstok. De eerste keer was hij betrapt toen hij amper vijftien was. Hij had toen geprobeerd om een draagbaar radiotoestel te stelen, maar was er niet veel verder mee gekomen dan de overkant van de straat. Bij hem thuis had de politie nog een aantal gestolen elektrische apparaten gevonden. Gezien zijn jonge leeftijd had de jeugdrechter zich mild betoond en hem alleen een officiële berisping gegeven. Drie jaar later was het opnieuw prijs. Tijdens een toevallige wegcontrole werd hij betrapt achter het stuur van een gestolen Golf. Dat had hem twee maanden gevangenis gekost, die hij niet had hoeven uit te zitten omdat er te weinig cellen beschikbaar waren.

Van Den Eede schudde zijn hoofd. 'Als ge dat leest, zoudt ge denken dat sommige rechters de misdaad aanmoedigen in plaats van te bestrijden.'

De eerste keer dat hij echt voor een tijdje werd opgesloten, was toen hij werd gearresteerd na een hele reeks inbraken en diefstallen in een chique wijk in Evere, waar vooral magistraten, advocaten en diplomaten woonden, met als verzwarende omstandigheid bendevorming. Ons kent ons, dacht Van Den Eede.

Tijdens zijn opsluiting was er een gevangenisopstand geweest, waar de lokale politie aan te pas had moeten komen. Saïd Benachir was een van de aanstokers. Amper een half jaar nadat hij weer op vrije voeten was, liep hij opnieuw tegen de lamp. Deze keer voor racketeering. Met z'n vieren hadden ze tientallen winkeliers en café-uitbaters afgeperst: geld in ruil voor 'bescherming'. Wie niet betaalde, zag zijn zaak in rook opgaan of werd in elkaar geslagen. Ondanks de overweldigende bewijslast en een maand voorarrest, werden de beschuldigden vrijgelaten door de Raadkamer, omdat de handtekening van de onderzoeksrechter ontbrak op het arrestatiebevel.

Van Den Eede werd er mistroostig van toen hij het las. Je zou voor minder gaan twijfelen aan de scheiding der machten, die magistraten een vrijgeleide geeft om keer op keer te blunderen zonder hiervoor verantwoordelijkheid te moeten afleggen. En meestal waren ze dan ook nog zo arrogant om de schuld van hun eigen geknoei bij iemand anders te leggen.

In 1996 was een zekere Yamina Tahiri, samen met enkelen van haar vriendinnen, er bij de politie aangifte van komen doen dat ze door een neef van haar met geweld in een auto was gesleurd en daarna op een verlaten plaats was verkracht. Die neef bleek Saïd Benachir te zijn. De volgende dag waren de vader van Yamina én die van Saïd samen naar het politiekantoor gekomen en had mijnheer Tahiri de aanklacht van zijn minderjarige dochter als een walgelijke leugen afgedaan, waarvoor Allah haar zwaar zou straffen. Een proces was er dan ook nooit gekomen. Enkele maanden later had hij Yamina uitgehuwelijkt aan een Marokkaan, een zekere Ali Auassar, die met succes een klein supermarktje uit de grond had gestampt ergens in Brussel, maar die minstens veertig jaar ouder was dan zij.

Daarna leek het dat Benachir ofwel een tijdlang het rechte pad had bewandeld, ofwel door de mazen van het gerecht was geglipt. Die werden immers almaar groter. Het jaar 1998 trok de aandacht van Van Den Eede. Benachir werd toen verdacht van betrokkenheid bij een groots opgezette autozwendel, met vertakkingen tot in Frankrijk en Duitsland. Voor het eerst dook ook de naam Kurt Van Sande op, die voor ondervraging was opgepakt, maar daarna weer vrij was gelaten omdat er geen harde bewijzen tegen hem waren.

Toen de speurders die uiteindelijk wel vonden en hem opnieuw wilden verhoren, was de vogel natuurlijk gevlogen. Van Sande, die vermoedelijk naar het buitenland was gevlucht, werd bij verstek tot twee jaar cel veroordeeld. Voor zover Van Den Eede wist, was er op geen enkel moment actief naar hem gezocht. De vermelding 'adres onbekend' volstond blijkbaar om hem verder met rust te laten. Benachir, die voor zijn bewezen aandeel in de autosmokkel tot anderhalf jaar cel was veroordeeld, was er na enkele maanden, net als nu, in geslaagd te ontsnappen. Sindsdien had men niets meer van hem gehoord of gezien.

Totdat hij begin dit jaar opnieuw was opgedoken bij de gijzeling van de vrouw en de kinderen van Pierre Van Opstal. Tijdens zijn ondervraging, waar Van Den Eede niet bij betrokken was geweest, maar waarvan hij wel een verslag had gelezen, had Benachir geweigerd de naam van zijn partner te noemen. Forensisch onderzoek had echter duidelijk aangetoond dat het Kurt Van Sande was. Zowel in het huis van Van Opstal als in de helikopter hadden ze DNA-sporen van hem gevonden. Van Sande was, voor de tweede keer, bij verstek veroordeeld tot vijftien jaar gevangenisstraf wegens zijn aandeel in de gijzelingsactie, de dood van Hannes Van Opstal én de koelbloedige moord op Erik Rens. Tenhemelschreiend was het.

Van Den Eede herinnerde zich nog maar al te goed de avond dat hij voor de deur van Eriks ouders had gestaan om hun het verschrikkelijke nieuws mee te delen. Hij had hen willen troosten, maar had niet geweten hoe, omdat hij zelf te erg was aangedaan door wat er was gebeurd. Sommige gebeurtenissen zijn zo afschuwelijk dat er geen woorden voor bestaan. Voor Leslie, de vriendin van Erik, was de wereld van het ene op het andere moment ingestort. Wat er als een schitterende toekomst voor hen beiden uit had gezien, was plotseling omgeslagen in de donkerste nachtmerrie. Van Den Eede had haar die avond tot na middernacht gezelschap gehouden. De meeste tijd hadden ze zwijgend tegenover elkaar gezeten. Maar hij had toch de indruk gehad dat zijn aanwezigheid een steun voor haar was geweest.

Op de begrafenis van Erik was haar houding echter helemaal omgeslagen en weigerde ze zelfs hem een hand te geven toen hij haar officieel wilde condoleren. Ongetwijfeld had ze ondertussen vernomen in welke omstandigheden Erik om het leven was gekomen, en gaf ze Van Den Eede daarvan de schuld. Hij had het haar niet kwalijk genomen. Nog eenmaal had hij haar proberen op te bellen, maar toen hij zijn naam zei, had ze meteen de verbinding verbroken. Van Den Eede was laf geweest. Hij had het daarna niet meer geprobeerd.

Als er in heel die treurige zaak één lichtpuntje viel te bekennen, dan was het dat Van Sande met zijn vijftien jaar celstraf een prooi voor het FAST was geworden. Van Den Eede zou niet rusten voordat die moordenaar achter slot en grendel zat.

Exact 28 minuten nadat ze met elkaar hadden getelefoneerd, stond Olbrecht met zijn metaalblauwe Harley-Davidson Road King Classic voor de slagboom van de ex-rijkswachtkazerne. Hij had die motor tweedehands gekocht met amper 20.000 kilometer op de teller, van iemand die in een echtscheiding was verwikkeld en dringend geld nodig had. Motorrijden was in niets te vergelijken met een auto besturen, vond Olbrecht. Vooral tijdens langere tochten gaf het hem telkens weer een gevoel van vrijheid, dat hem licht in het hoofd maakte. Vorig jaar had hij met twee vrienden de legendarische Route 66, van Chicago naar Los Angeles, in totaal bijna 4000 kilometer, afgelegd. Nu eens door de woestijn, dan weer langs indrukwekkende landschappen en canyons. Hoewel hij geen lezer was, had hij één lievelingsboek: *Zen en de kunst van het motoronderhoud* van Robert Pirsig. Dat had hij wel driemaal gelezen. Het was niet alleen een boek over en voor motorrijders, maar er zat ook een soort universele boodschap in, die Olbrecht volkomen deelde: als je iets doet of onderneemt, moet je het ook goed doen.

Nadat hij zich bij de wacht had aangemeld, moest hij zijn identiteitsbewijs achterlaten en kreeg hij een bezoekersbadge met een nummer op, die hij om zijn nek hing. Daarna kon hij doorrijden. Blok R vond hij zonder problemen. Hij plaatste zijn motor op de zijsteun, deed zijn helm af en borg die op in een van de bagagebakken, die hij vervolgens zorgvuldig afsloot. Voordat hij naar de deur liep, veegde hij met een doek nog vlug even een benzinevlek weg, die was achtergebleven na het tanken.

Toen hij het bureau binnenkwam, stonden Van Den Eede en Elias allebei geconcentreerd naar een computerscherm te kijken.

'Rob!'

Van Den Eede kwam hem glimlachend en met uitgestoken hand tegemoet. Olbrecht drukte die krachtig.

'Hebt ge 't gemakkelijk gevonden?'

'Vanzelf. Gewoon het onkruid tussen de kasseien volgen.'

Ze schoten alle drie in de lach.

'Kennen jullie mekaar?'

Waarna hij beide mannen aan elkaar voorstelde. De aanwezigheid van de kwajongensachtige Olbrecht had de sfeer op slag doen veranderen, alsof er opeens meer vitaliteit en teamgeest in de lucht hingen. Hij mocht dan wel de jongste van de drie zijn, op een of andere manier straalde hij een doortastend zelfvertrouwen uit dat aanstekelijk werkte. Of was het omdat hij hem aan Erik Rens deed denken?

'Wim is hoofdinspecteur bij het FAST, het Fugitive Active Search Team.' Waarna hij uitlegde waarom en waarvoor de eenheid in het leven was geroepen.

Olbrecht luisterde aandachtig zonder hem te onderbreken. Ook toen Van Den Eede zijn uiteenzetting had beëindigd en had laten doorschemeren dat het team nog niet volledig was, bleef Olbrecht zwijgen.

Van Den Eede en Elias keken elkaar even aan. Hadden ze zich vergist in Rob?

'We zijn dus nog op zoek naar minstens één goeie inspecteur...' verduidelijkte Van Den Eede.

'Eindelijk,' antwoordde Olbrecht, 'ik dacht dat ge 't nooit ging vragen.'

Het gelach en de schouderklopjes verdreven meteen de spanning.

Rob Olbrecht keek naar het computerscherm, waarop de foto van Kurt Van Sande te zien was. Hij had een rond gezicht met volle wangen en zwart haar dat in een scheiding was gekamd en waarvan een dikke lok zijn voorhoofd half bedekte. Op de frontale foto keek hij met een brutale, minachtende blik recht in de lens. Alsof hij er op dat moment al van overtuigd was dat ze hem toch niks konden maken voor zijn aandeel in de autosmokkel.

'Is dat de kerel waar we jacht op gaan maken?' vroeg Olbrecht.

Elias knikte en gaf hem de geprinte pagina's over Benachir. 'Plus zijn compagnon. Die is vandaag ontsnapt tijdens zijn transport naar het Justitiepaleis. Hij heeft een flik doodgeschoten en daarna een chauffeur van een bestelwagen gegijzeld.'

Olbrecht nam de stapel aan en liep er vluchtig doorheen. 'Een serieus palmares, zo te zien.'

'Bijna zo indrukwekkend als dat van Van Sande', zei Van Den Eede. 'Diefstal, afpersing, geweldpleging, prostitutie, noem maar op. Hij is er iedere keer, dankzij een handige advocaat en blunderende rechters, goed van afgekomen. Tot een paar maanden geleden.' Hij wreef met zijn rechterwijsvinger even over zijn onderlip. 'Toen is hij bij verstek veroordeeld tot vijftien jaar, voor gijzeling en moord. En daarvoor zal hij hangen.'

De plotselinge verandering in zijn stem had Olbrecht van het computerscherm doen opkijken. 'En hoe gaan we dat doen? Want dit is natuurlijk wel nieuw voor mij.'

'Dit is voor ieder van ons nieuw', zei Van Den Eede. 'Eerst en vooral gaan we hun dossiers bestuderen en alle beschikbare gegevens opvragen.'

Het antwoord leek Rob Olbrecht wat tegen te vallen. Wellicht had hij een ander soort actie verwacht.

'Waar hebben ze gewoond? Hoe lang? Met wie? Keer het Rijksregister binnenstebuiten. Ga na welke voertuigen op hun naam staan of stonden ingeschreven. Met welke automerken ze liefst rijden. Van welk soort vrouwen ze houden. Bij wie ze vaak over de vloer kwamen. Enzovoort.'

Olbrecht zat het allemaal ijverig te noteren.

'Alles kan belangrijk zijn. Iemand die onderduikt, doet dat niet in het wilde weg. Vroeg of laat heeft hij hulp nodig, en waar vindt hij die beter dan bij mensen die hij kent?'

Terwijl Elias de pedigree van Van Sande printte, nam Van Den Eede plaats achter zijn bureau. 'Van Benachir weten we dat hij gewond is geraakt tijdens die schietpartij aan het Justitiepaleis. Hij kan niet blijven rondlopen met die kogel in zijn schouder. Informeer bij alle ziekenhuizen en dokters in de omgeving of ze een patiënt met een schotwond hebben verpleegd. Ik wil alle namen en adressen van familieleden en van mensen met wie hij ooit langdurig contact had.' Hij keerde zich nu naar Wim Elias. 'Bel ook eens met de Wegpolitie. Misschien heeft die witte bestelwagen tijdens zijn vlucht een overtreding begaan of een aanrijding veroorzaakt.'

Elias greep meteen naar de telefoon.

'Bij Benachir zijn de sporen nog vers', zei Olbrecht. 'Maar Van Sande, hoe beginnen we daaraan?'

'Via Benachir', zei Van Den Eede.

'Hoezo?'

'Na zijn ontsnapping heeft Van Sande losgeld gevraagd en gekregen in ruil voor de vrouw van Van Opstal. Dat heeft in alle kranten gestaan en is uitgebreid op het nieuws geweest. Denkt ge niet dat Benachir zijn deel zal willen van die twee miljoen?'

Er verscheen een glimlach op het gezicht van Olbrecht. 'We gaan hem dus schaduwen?'

Van Den Eede knikte. 'Maar daarvoor moeten we hem natuurlijk eerst vinden.'

Ondertussen had Elias zijn gesprek afgerond.

'We hebben misschien geluk. Om 14.32 uur is er een witte Nissan geflitst op de Louizalaan, terwijl hij in zuidelijke richting reed.' Hij liep naar de plattegrond van Brussel en wees. 'Hier ongeveer. Niet ver van het Ter Kamerenbos.'

'En van de Ring', vulde Van Den Eede aan. 'Vandaar kan hij alle kanten uit. Op wiens naam staat die Nissan?'

Elias bekeek zijn notities. 'Een zekere Jean Lafon. Een loodgieter uit de Chaletstraat, in Sint-Joost-ten-Node. Getrouwd met Marie Delfosse, drie kinderen. Wilt ge dat ik contact met zijn vrouw opneem?'

Van Den Eede schudde van nee. 'Laat de lokale dat maar doen. En zeg dat ze iemand van slachtofferhulp meenemen.'

Het faxapparaat begon te ratelen. Er schoof traag een vel

papier uit. Het was het verslag van Brepoels. Van Den Eede trok het dadelijk naar zich toe, maar veel nieuws bevatte het niet. Er volgde een tweede blad met enkele getuigen-verklaringen, onder meer van mensen die de ontsnapping van Benachir hadden gezien, en van de bestuurder van de cabrio die bij de verkeerslichten was beschoten.

'Hebben de mannen van de lokale nog altijd een Glock 17?' vroeg Van Den Eede, zonder zijn ogen van het blad op te slaan.

'Ik dacht van wel', zei Olbrecht. 'Waarom?'

'Aan het Justitiepaleis heeft Benachir twee keer gevuurd en daarna nog eens twee keer vanuit de Nissan. Volgens de politieman van wie dat pistool was, zaten er, in plaats van een volledig magazijn, maar acht patronen in zijn wapen. Benachir heeft er dus nog vier over.' Hij dacht even na. 'Geef zijn beschrijving door aan alle wapenhandelaars in Brussel en in de randgemeenten. Vraag hun onmiddellijk de politie te verwittigen als een Marokkaan die de helft van zijn rechter middelvinger mist 9mm-para's wil kopen.'

Elias ging achter zijn toetsenbord zitten en begon dade-lijk de gevraagde adressen op te zoeken. Olbrecht nam plaats bij de tweede computer en zei dat hij navraag zou doen bij ziekenhuizen en dokters. Van Den Eede bekeek opnieuw het dossier van Saïd Benachir, die in de gevangenis van Sint-Gillis had gezeten. Hij greep naar de telefoon, toetste het algemeen nummer in en vroeg om door te worden verbon-den met de directeur. Die wist hem te vertellen dat Bena-chir, behalve zijn moeder, niemand op zijn bezoekerslijst had staan.

'Ook zijn vader niet?'

'Nee, die was er nooit bij. Alleen zijn moeder kwam iede-re week langs. Ze bracht dan altijd Marlboro's mee, en van die Marokkaanse zoetigheid.'

'Wat voor zoetigheid?'

'Is dat belangrijk?'

'Geen idee', zei Van Den Eede naar waarheid. 'Maar zeg het toch maar.'

Hij hoorde gezucht en vervolgens papiergeritsel op de achtergrond. '*Mous... koutchou*, of zoiets. Ik weet niet of ik het goed uitspreek.'

Van Den Eede liet hem de naam van het gerecht spellen, terwijl hij noteerde.

'Had Benachir speciaal contact met iemand binnen de gevangenis?'

'Niet voor zover mij bekend. Volgens de cipiers gedroeg hij zich nogal eenzelvig.'

'Oké, bedankt voor uw tijd.'

'Graag gedaan.'

Achter zijn rug hoorde hij Olbrecht vragen of hij iemand van de eerstehulpafdeling kon spreken. In gedachten verzonken, greep hij naar zijn bekertje, dat leeg was. Net toen hij wilde kijken of er nog iets in de koffiekan zat, begon zijn gsm te rinkelen. Het was Linda.

'Zijt ge al vertrokken?'

'Vertrokken? Naar waar?'

Even bleef het stil aan de andere kant.

'Zeg dat het niet waar is, hé. Ge zijt toch niet vergeten om Stijn af te halen?'

'Stijn?'

'Maar enfin, Mark, hoe is dat nu mogelijk!'

Opeens herinnerde hij het zich weer. Ze hadden gisterenavond afgesproken dat hij Stijn bij de school zou oppikken. Hij keek op zijn horloge. Vier minuten voor vijf. De lessen eindigden om vijf uur.

'Ik vertrek nu direct', zei hij, terwijl hij zijn leren PME Legend-pilotenjack met één hand van de rugleuning van zijn stoel nam.

'Op u kunt ge nu nooit eens rekenen. Ge wist toch dat ik vandaag met mijn moeder naar de oogarts moest.'

Ook daaraan had hij niet meer gedacht. Hij besefte dat ze alle reden had om boos te zijn.

'Sorry, het is hier vandaag nogal druk geweest.'

'Gij hebt altijd een uitvlucht! Maak dat ge in uw auto zit en die jongen gaat halen!'

Hij wilde nog eens zeggen dat het hem speet, maar ze had de verbinding al verbroken.

Olbrecht, die de naam doorstreepte van het ziekenhuis waarmee hij net had getelefoneerd, keek hem met opgetrokken wenkbrauwen aan. 'Problemen?'

'Ik moest om vijf uur mijn zoon van school halen.'

Olbrecht wierp een blik op de keukenklok. 'Dan zou ik onderweg mijn sirene maar aanzetten.'

Elias bleef naar zijn monitor staren, alsof hij niets had gehoord.

'Tot morgen. En als ge iets vindt of als er nieuws is, laat het mij dan weten, hé.' Waarna hij zich met zijn jas in zijn hand naar buiten haastte.

Olbrecht keek met een scheef glimlachje naar Elias. 'Ik ken er ene die straks een sigaar gaat smoren.'

'Een afspraak is een afspraak', zei Elias droogjes, waarna hij zich opnieuw op zijn beeldscherm concentreerde.

8

Steven Dierckx hield van het verende geluid van zijn Nikes op het asfalt. De zolen ervan waren gevuld met lucht, om de schokken te dempen. Hij liep in een soepel ritme dat perfect aan zijn ademhaling was aangepast. In stilte telde hij zijn stappen, telkens tot vier. Bij een oneven getal ademde hij in, bij een even weer uit. Het was als een rustgevende mantra. De eerste kilometer was het altijd even zoeken naar dat breekbare evenwicht, maar als het er eenmaal was, leek het soms alsof zijn lichaam het helemaal van hem overnam en hij wérd gelopen. Zijn bewegingen kregen dan iets zuiverends. Het was moeilijk uit te leggen aan iemand die de roes van endorfine niet kende. Iedere keer probeerde hij wat hij noemde 'de witte cirkel in zijn hoofd' te bereiken. Dat was het moment waarop beelden, gedachten en woorden oplosten in een vage mist, die daarna almaar helderder werd. Het was iets wat hij niet kon willen of forceren. Maar als het gebeurde, liep hij op wolkjes met het gevoel of hij door kon blijven gaan. Sommigen konden maar niet begrijpen wat er zo ontspannend was aan die uitputtende tochten, die hij al meer dan twintig jaar driemaal per week in het Ter Kamerenbos kwam lopen. 'Tijdverlies', noemden ze het. 'Je eindigt gewoon waar je bent vertrokken.' Als je het zo bekeek, dan was zowat alles in het leven tijdverlies. Voetballers lopen achter een bal aan, die ze daarna weer wegtrappen, en iedere dag sloven mensen zich uit om geld te verdienen, dat ze vervolgens weer uitgeven. Zelfs grasmaaien is zinloos als je bedenkt dat het een week later opnieuw is aangegroeid. Wie iets doet om iets anders te bereiken, zal er nooit echt plezier aan kunnen beleven. Steven Dierckx liep niet om te vermageren, om zijn conditie op peil te houden of omdat tv-figuren daartoe opriepen, maar omdat hij graag liep. Zo simpel was het. Hij hield er bovendien van om bij het vallen van de avond te lopen, wanneer het bos er verlaten bij lag. Alleen het gedempte geluid van zijn zolen op het asfalt, het ruisen van zijn ademhaling en het regelmatige gebons van zijn hart.

Toen hij ongeveer halfweg was, hoorde hij echter een geluid dat hij niet meteen thuis kon brengen. Alsof iemand met een voorwerp op metaal klopte. Soms klonk het stiller of hield het even op. Dan begon het opnieuw. Opeens zag hij in de schemering iets wits tussen de bomen opduiken. Automatisch ging hij trager lopen, tot hij bijna aan het wandelen was. Dit was geen witte cirkel, maar een rechthoek. Toen hij nog wat dichterbij kwam, zag hij plotseling wat daar stond. Het was een bestelwagen die een tiental meter ver in een doodlopend bospaadje was gereden. Het kloppende geluid klonk nu vlakbij.

Mark Van Den Eede zat met een glas single malt, waarin drie ijsblokjes lagen, die hij met een traag draaiende beweging van zijn hand zachtjes tegen elkaar liet rinkelen, vol walging te kijken naar een BBC-reportage over malafide praktijken van Engelse hondenfokkers. Zogezegd om het ras zuiver te houden en te beantwoorden aan uiterlijke kenmerken die in officiële standaarden zijn beschreven, worden honden met genetische afwijkingen gekweekt. De losse huidplooien van bassets slepen als natte dweilen over de grond, Duitse herders zakken diep door hun achterste poten wegens heupdysplasie, de Cavalier King Charles-spaniël moet met barstende koppijn door het leven omdat zijn schedel te klein is geworden voor zijn hersenen, en ridgebacks worden geboren met een open rugwond, die op hondenshows als hét bewijs van rasechtheid worden beschouwd. Allemaal om te voldoen aan eigenschappen en voorschriften die door dwaze keurmeesters in stenen tafelen waren gebeiteld, die door al even grote dommeriken slaafs worden opgevolgd. Had men dan nog altijd niet begrepen waartoe de eis van raszuiverheid uiteindelijk leidde, of het nu bij planten, dieren of mensen was?

Hij hoorde Linda de trap afdalen. Sinds hij met Stijn thuis was gekomen – bijna een halfuur later dan voorzien – hadden ze amper met elkaar gesproken. Ook Stijn zelf was boos op hem geweest. Toen Van Den Eede zich bij hem had verontschuldigd omdat hij tien minuutjes te laat was, had zijn zoon ostentatief op zijn horloge gekeken en bitsig geantwoord dat het 'exact elf minuten en 22 seconden' waren! Van Den Eede had er geen moment aan getwijfeld dat het klopte. In de auto had Stijn de hele tijd koppig door het zijraam zitten kijken. Op vragen hoe het in de klas was geweest en of de tomaten in de serre, waarvoor hij verantwoordelijk was, goed groeiden, was telkens het antwoord 'Weet ik niet' gekomen. Van Den Eede wist dat aandringen zinloos was en dat hij ook beter zijn mond kon houden.

Linda kwam de woonkamer binnen. Met een vermoeide zucht kwam ze naast hem in de fauteuil zitten. Toen ze naar de beelden op tv keek, van een beagle die een drietal keer per week een zware epilepsieaanval kreeg als gevolg van inteelt, kwam er een uitdrukking van afkeer op haar gezicht.

'Wat is dat voor iets?'

'Een Britse documentaire over dierenmishandeling.'

'Juist wat ik nodig had', zei ze, terwijl ze, om zich een houding te geven, een modetijdschrift nam en er lukraak in begon te bladeren.

Van Den Eede greep naar de afstandsbediening en zette de televisie uit. 'Zal ik een glas wijn voor u halen?' Ze schudde van nee.

Hij keek fronsend naar de honingkleurige drank in zijn glas, waarin de ijsblokjes bijna waren gesmolten. 'Ik heb toch al gezegd dat het mij spijt en dat het niet meer zal gebeuren.'

Ze klapte het tijdschrift weer dicht en gooide het op het salontafeltje. 'Waar en wanneer heb ik dat nog gehoord?'

'Ge moet een beetje redelijk blijven, hé Linda. Het was de eerste dag van een nieuwe job, ik had van alles aan mijn hoofd.'

'Behalve dan uw zoon, die een kwartier aan de schoolpoort heeft staan wachten.'

'Elf minuten en 22 seconden...' zei Van Den Eede.

Maar Linda kon er niet om lachen. 'Wie weet wat er in die tijd allemaal had kunnen gebeuren?'

'Ja, maar er is niks gebeurd.'

Ze bekeek hem met een verwijtende blik. 'Daar gaat het niet om. Trouwens, ik dacht dat het bij dat FAST niet als bij het SIE zou worden, met van die onregelmatige werkuren?'

'Dat is alleen maar voorlopig, tot het team volledig is samengesteld en alles wat beter is georganiseerd.'

'Ik hoop het', zei ze, met een stem die toch al wat minder geïrriteerd klonk.

Zijn gsm begon te rinkelen. Hij las de naam op het display.

'Dag, Rob.' Hij keek even naar Linda, wier gezicht meteen weer verstrakte. 'Oké, ik kom direct.'

Hij stak zijn mobieltje in zijn broekzak en kwam overeind.

'Dat was Olbrecht. Ik moet nog even weg.'

Linda knikte zwijgend. Ze nam de afstandsbediening en schakelde de tv opnieuw in. De documentaire over het hondenleed had plaatsgemaakt voor een spotje over de eigenzinnige politieman Witse, die in Halle zielig stond te doen onder zijn eenzame boom.

Toen Mark Van Den Eede in het Ter Kamerenbos arriveerde, waren Elias en Olbrecht met commissaris André Brepoels en met een man in een joggingpak aan het praten. De blauwe zwaailichten van de politiecombi en van de ziekenwagen wierpen grillige schaduwen op het wegdek. Van Den Eede parkeerde zijn auto achter de combi, stapte uit en liep in de richting van zijn collega's, terwijl hij even naar de bestelwagen keek die verderop tussen de bomen stond. Mannen van het Gerechtelijk Laboratorium, gekleed in witte pakken, waren volop met hun sporenonderzoek bezig. Van Den Eede drukte Brepoels de hand, waarna die hem voorstelde aan de jogger.

'Dit is mijnheer Dierckx. Hij heeft de Nissan gevonden terwijl hij hier kwam joggen.'

Van Den Eede gaf ook Dierckx een hand en zei wie hij was. De man vertelde dat hij er waarschijnlijk voorbij zou zijn gelopen – er kwamen hier 's avonds immers wel vaker vrijende koppeltjes – als dat metalige geluid er niet was geweest, dat uit de laadruimte klonk.

'Toen ik dichterbij kwam, hoorde ik zo'n dof gekreun.'

''t Had dus toch een vrijend koppeltje kunnen zijn!' Brepoels lachte, zonder dat iemand er aandacht aan besteedde.

'Ik ben eerst voorin gaan kijken, maar daar zat niemand.

Op de passagiersstoel aan de rechterkant van het dashboard zag ik vlekken die op bloed leken. Het achterportier was niet op slot. Toen ik het voorzichtig opendeed, zag ik een man liggen. Hij was aan handen en voeten gebonden en had van die grijze plakband over zijn mond.'

'Jean Lafon. Onze verdwenen loodgieter', zei Van Den Eede. 'Zit hij in de ambulance?'

Elias knikte. 'Hij heeft een klop tegen zijn hoofd gekregen en wat schaafwonden.'

Van Den Eede wendde zich tot Brepoels. 'Maakt gij een verslag van wat mijnheer Dierckx heeft verteld, André?' Waarna hij zonder een antwoord af te wachten naar de ziekenwagen liep.

Brepoels keek verontwaardigd naar Wim Elias. 'Was dat nu een vraag of iets anders?'

'Geen idee.' Olbrecht glimlachte. 'Stuur het in ieder geval maar afap naar ons door.'

'Asap, zult ge bedoelen, zeker?'

'As *fast* as possible', verduidelijkte Olbrecht, waarna hij Elias wenkte en ze samen Van Den Eede achternaliepen.

'Fast, mijn kloten', mompelde Brepoels, die vervolgens Dierckx bij de schouder nam en nukkig in de richting van de combi knikte.

Jean Lafon zat aan een infuus, met een deken om zich heen, op de bovenste trede aan de achterkant van de ambulance. Een verpleger controleerde zijn hartslag en bloeddruk.

'Dag, mijnheer Lafon, ik ben commissaris Van Den Eede. En dit zijn hoofdinspecteur Elias en inspecteur Olbrecht.'

'J'ai déjà tout dit à l'autre commissaire de police', zei Lafon met een hoogrood gezicht van opwinding.

'Oui, je sais. Mais je voudrait l'entendre moi-même. Chaque détail peut être important.'

Lafon slaakte een diepe zucht, maar begon dan toch te vertellen. Hoe hij hulp had willen bieden bij dat ongeval met die brommer, maar meteen een pistool onder zijn neus had gekregen. De beschrijving die hij gaf van zijn gijzelnemer, kwam volledig met die van Benachir overeen. De Marokkaan had hem gedwongen om hierheen te rijden en zijn gsm af te geven. Vervolgens had Lafon in de laadruimte van zijn Nissan moeten kruipen, waar 'ce salaud' hem vast had gebonden. De striemen van de koorden waren nog duidelijk te zien op zijn polsen en enkels! De contactsleutel van de Nissan had de gangster ergens in het struikgewas gesmeten. Daarna was hij te voet verder gegaan.

Van Den Eede wilde het nummer van Lafons gsm, en gaf opdracht aan Elias om die te laten traceren en via de provider na te gaan of er recentelijk gesprekken mee waren gevoerd, en met wie.

Elias bekeek hem verbaasd. 'Ik dacht dat dat niet mocht?'

'Niet tijdens de strafuitvoering. Maar omdat er ondertussen een nieuw misdrijf is gepleegd, zitten we terug in een gerechtelijk onderzoek, en dan mag het weer wel...' zei Van Den Eede met een scheef glimlachje.

Waarna hij zich naar Olbrecht keerde. 'Hebt ge aan alle ziekenhuizen en dokters gevraagd om ons te contacteren als er iemand met een schotwond binnenkomt?'

Olbrecht knikte. 'Denkt ge echt dat hij zo stom is om daarnaartoe te gaan?'

'Hangt ervan af hoe erg het is en of hij elders terechtkan. Zijn er nog adressen van mensen met wie hij vroeger contact had? Buiten zijn ouders dan.'

Olbrecht tastte naar zijn notitieboekje. 'Zijn jongste zuster is vorig jaar getrouwd en ondertussen naar Marokko verhuisd. De oudste woont al sinds 1994 in Borgerokko. Veel verschil maakt dat eigenlijk niet, behalve dat het een wat verder weg ligt dan 't ander...'

Van Den Eede negeerde het flauwe grapje en vroeg zich af of het klopte wat sommigen over Rob Olbrecht zeiden: dat hij racistische trekjes zou hebben.

'Laten we morgenvroeg maar eerst met zijn ouders gaan praten', zei hij.

'Waarom nu niet?'

'Omdat ik hem de mogelijkheid wil geven om contact met hen op te nemen. Als we daar nu in 't wilde weg binnenvallen voordat hij de kans krijgt om bij hen onder te duiken, dan zijn ze verwittigd.'

'Dat zou anders kunnen tegenvallen, gaan praten met zo'n Marokkaanse familie.'

'Hoezo?'

'Die hebben het doorgaans niet zo begrepen op de politie. Eigenlijk op niemand die geen moslim is. Ik ben ooit geïnfiltreerd in een Brusselse bende uit de Marollen, die zaken wilde doen met Marokkanen die hasj uit het Rifgebergte binnensmokkelden. Eer dat ge die mannen hun vertrouwen hebt...'

Van Den Eede wilde vragen over wie van de twee hij het had, maar deed het toch maar niet. 'Wat stelt gij dan voor?'

Olbrecht begon door het adressenbestand in zijn mobieltje te bladeren. 'Ik ken wel iemand die ons kan helpen.'

Wim Elias kwam erbij. 'Er is twee keer kort na elkaar met die gsm gebeld, hier vanuit het Ter Kamerenbos. Eerst naar een vast toestel en dan naar een mobiel, maar zonder dat er een gesprek is geweest. Alle twee de nummers staan op dezelfde naam. Daarna is er geen signaal meer opgevangen. Waarschijnlijk heeft hij de gsm uitgeschakeld.'

'Of onbruikbaar gemaakt.'

'Dat kan natuurlijk ook.' Hij scheurde een blaadje uit zijn blocnote en gaf het aan Van Den Eede. 'Youssef Benachir' stond erop.

9

'Ạsh'hadu ạn lạ ilaha illạ-llah.'
De zangerige stem van de imam weergalmde door de sobere, kale gebedsruimte. De gelovigen, allemaal mannen die netjes op rijen naast en achter elkaar op tapijten zaten, herhaalden in koor de sjahada, terwijl ze met hun handpalmen en voorhoofd de grond raakten in de richting van de gibla, een muur die loodrecht op de geboorteplaats van de profeet stond. De vroomsten onder hen waren te herkennen aan de vereelte plek op hun voorhoofd, waarmee ze vijfmaal daags op het kleine gebedssteentje steunden. Op een groene achtergrond waren in Arabisch schrift religieuze teksten geschreven, die de enige versiering in de moskee waren. Portretten of afbeeldingen vielen nergens te bespeuren.

Orhan Tarik, gekleed in een oranje T-shirt met daarover een lichtkleurig gestreept overhemd en een wijde slobberbroek, had zijn moeder meer dan eens horen zeggen dat ze hem de heilige woorden vlak na zijn geboorte zachtjes in zijn oor had gefluisterd, opdat hij ze zijn hele leven lang niet zou vergeten. 'Uw God is een enige God, er is geen God dan Hij.' Tarik sprak de getuigenis nog elke dag vijfmaal uit tijdens de verplichte salat, hoewel met heel wat minder overtuiging dan vroeger. De woorden waren er nog wel, als een bezwerende formule, maar de begeleidende emotie was steeds meer naar de achtergrond verdwenen. Misschien had dat wel te maken met zijn wetenschappelijke studie. Hij had criminologie gedaan aan de VUB, iets waartegen zijn ouders zich aanvankelijk hadden verzet. Maar hij had zijn zin doorgedreven, en dankzij een studiebeurs was dat ook gelukt. Daarna had hij zich gespecialiseerd in forensisch sporenonderzoek, in de hoop wetenschappelijk medewerker aan de universiteit te worden. De politieke benoeming van een concurrent, de zoon van een socialistische senator, had daar een stokje voor gestoken. Dus had hij maar gesolliciteerd voor een vacature bij de afdeling Technische Recherche van de politie. Zijn euforie omdat hij werd verkozen uit twaalf mogelijke kandidaten, was snel verdwenen toen hij erachter kwam dat zijn aanstelling eigenlijk een vorm van positieve discriminatie was geweest. Vrouwen en allochtonen waren immers ondervertegenwoordigd in het korps. Hij had zich gevoeld alsof iemand hem had láten winnen.

Negenentwintig jaar geleden was hij in Molenbeek geboren, als laatste van vijf kinderen. Zijn ouders, die een huisje hadden gekocht in de Graaf van Vlaanderenstraat, waren altijd streng gelovige moslims geweest. Twee van zijn drie broers woonden nog thuis, samen met zijn jongste zus, Halima. Zijn andere zus was enkele jaren geleden aan een Marokkaanse slager uitgehuwelijkt, die een winkel in de Pradostraat had en halal vlees verkocht. Iedere week sleep hij zijn messen om op het overdekte binnenplaatsje achter zijn woning schapen ritueel te slachten. De dieren werden met hun kop in de richting van Mekka gedraaid en vervolgens werd met één vlijmscherpe haal hun keel doorgesneden. Tarik hield niet van zijn zwager, die altijd met een bloederig schort rondliep. Hij verdacht hem ervan dat hij zijn zus Laila, die altijd en overal een hoofddoek droeg, geregeld sloeg, ook al beweerde ze zelf dat het niet waar was. Uit angst voor haar echtgenoot, vermoedde hij.

Als op afspraak kwamen de geknielde mannen weer overeind. Ze hieven hun beide handen op tot naast hun oren en zeiden als uit één mond de woorden 'Allahoe akbar', waarna ze met licht gebogen hoofd en de armen voor hun borst gekruist naar de recitatie van de eerste soera, Al-Fătiha, begonnen te luisteren. De imam las de tekst voor op een bezwerende toon terwijl hij de vinger van zijn rechterhand als een dreigende waarschuwing in de hoogte stak. Soms schakelde hij over op gezang, waarbij hij de woorden traag en met langgerekte klanken door de gebedsruimte liet resoneren. Het was een van de korte soera's uit de Koran.

Net toen hij aan de volgende wilde beginnen, begon de gsm die in Tariks achterzak zat een vrolijke jingle te spelen, die snel in volume toenam. Hij had het melodietje nog maar pas gedownload. De imam stopte bruusk met voordragen en keek verstoord in de richting van waaruit het geluid kwam. Tarik tastte geschrokken naar zijn mobieltje en duwde snel op de bezettoets. Op het display zag hij een bekende naam verschijnen. Orhan Tarik maakte een verontschuldigende buiging in de richting van de imam en verliet daarna, met achterwaartse stappen, de rij gelovigen, van wie enkele oudere mannen met lange zwarte baarden hem met een boze, verontwaardigde blik bekeken.

Tegenover de moskee was er de wekelijkse markt. Groente-, fruit- en snoepkraampjes met zeildoeken in allerlei kleuren stonden dicht tegen elkaar aan en lieten amper plaats voor de vrouwen in chador, die met grote plastic zakken in hun hand inkopen deden. Op de hoek van de straat stond een groepje jongeren te lanterfanten. Twee mannen met ruige stoppelbaarden en een kalotje op hun hoofd, zaten op het terras van een koffiehuis *mancala* te spelen met zonnebloempitten. In hun hand hielden ze allebei losjes een *tasbih* vast, waarvan ze de kralen heen en weer lieten schuiven tussen hun vingers.

Terwijl Tarik in de richting van de Ribaucourtstraat wandelde, belde hij het nummer dat hij zo-even had geweigerd.

'Dag, Orhan.'

'Dag, Rob. Ik zie dat ge mij hebt opgebeld?' zei hij, terwijl hij verderliep.

'Zouden ze u een uurtje kunnen missen bij de Technische?'

'Ik heb een paar dagen vrij.'

'Dat komt goed uit!'

Orhan Tarik hield even zijn pas in. 'Ge zijt toch weer niet van plan om mij voor een van uw undercoverzaken te gebruiken?' vroeg hij achterdochtig. 'Want deze keer zeg ik nee.'

Olbrecht begon te lachen. 'Zijt gerust. Ik ben geen mol meer. Ik werk nu voor het FAST.'

'Het wát?'

'Dat leg ik straks wel allemaal uit. Woont gij nog altijd in de Graaf van Vlaanderenstraat?'

Tarik zei dat hij daarnaar op weg was.

'Oké, dan pikken we u daar seffens op!'

'We?'

Olbrecht had de verbinding al verbroken. Even overwoog Tarik om hem weer op te bellen. Maar eigenlijk was hij ook wel benieuwd waarom Olbrecht hem nu weer zo dringend nodig had.

Ze hadden elkaar leren kennen toen Olbrecht bij het Gerechtelijk Laboratorium was komen aankloppen met de vraag of daar iemand werkte die verstand had van forensische beeldverwerking en audiofiltering. Hij wilde opnamen die afkomstig waren van een verborgen camera die was gericht op een pand van een Roemeense mensensmokkelaar, laten analyseren en uitvergroten. Een paar maanden later was hij Tarik opnieuw komen opzoeken, met de vraag om de gsm van een ondergedoken Brusselse pooier te traceren. Een officiële toestemming had hij ditmaal niet, maar Tarik was uiteindelijk gezwicht voor het argument dat twee prostituees die tegen de man hadden getuigd groot gevaar liepen zolang hij op vrije voeten was. In Olbrechts verslag werd alleen melding gemaakt van een 'anonieme tip' die tot de geslaagde arrestatie had geleid.

Die avond waren ze voor het eerst samen iets gaan drinken. Olbrecht had Blonde Leffe van het vat gedronken, Tarik had om Zam Zam Cola gevraagd. Toen de dienster het in Keulen hoorde donderen en zei dat ze alleen Pepsi hadden, had hij maar Ice Tea besteld. Een kleffe kinderdrank, volgens Olbrecht. En wat was die Zam Zam voor iets? Tarik had hem uitgelegd dat het eigenlijk gewone cola was, die in Iran werd geproduceerd en inmiddels ook in bijna alle Brusselse nachtwinkels en theehuizen werd verkocht. Olbrecht had het hypocriet gevonden. Cola drinken was dus oké voor moslims, als die maar niet uit Amerika kwam? Zonder een spier te vertrekken had Tarik gevraagd wat hij dan dacht van de Belgische wapenexport naar landen als Libië, Israël, Pakistan, Turkije of Saudi-Arabië, die allemaal waren veroordeeld voor schending van de mensenrechten. Was dat niet veel schijnheiliger dan frisdrank exporteren? Er was een discussie op het scherp van de snee ontstaan, die uiteindelijk was beklonken met twéé Blonde Leffes.

Aan zijn derde ontmoeting met Rob had Tarik minder goede herinneringen. Olbrecht had hem gevraagd contact op te nemen met een Marokkaanse drugshandelaar, zodat hij die tijdens een deal op heterdaad kon betrappen. Dat was, dankzij Tarik, ook gelukt. Maar de onderzoeksrechter had de man de volgende dag al weer laten gaan, omdat het volgens hem om 'uitlokking' ging. Tarik was door zijn overste op het matje geroepen en had een uitbrander van jewelste gekregen, die hij lijdzaam over zich heen had laten gaan. Toen hij echter, tijdens het naar buiten gaan, de hoofdcommissaris had horen mompelen dat je met allochtonen in het korps al even veel last had als met alle andere, had Tarik zich niet meer kunnen inhouden en had hij zijn baas een racist genoemd. Sindsdien was hun relatie veranderd in een tikkende tijdbom.

Tarik draaide de Graaf van Vlaanderenstraat in en liep naar de hoek met de Sint-Mariastraat. Het was op deze plaats dat de Rijkswacht in 1994 een gezochte migrant uit Schaarbeek had doodgeschoten, waarna de opgekropte woede bij de allochtone gemeenschap zich had ontladen in gewelddadige rellen tegen iedereen die ook maar iets met de lokale overheid of de politie te maken had. Ook Tarik had eraan deelgenomen, en had zelfs een nacht in de cel doorgebracht nadat hij was opgepakt voor het ingooien van ramen van het gemeentehuis. Tot een veroordeling was het gelukkig nooit gekomen, zodat hij er geen strafblad aan over had gehouden. Sindsdien schuwde hij iedere vorm van extremisme, van welke kant die ook kwam.

Toen hij bijna het oude handelspand Aux 100.000 Chemises was genaderd, zag hij aan de overkant Rob Olbrecht op de motorkap van een witte Range Rover ontspannen zitten praten met een grote, slanke man met grijzend haar en een getrimde baard, die met een klein vorkje iets aan het eten was uit een plastic bakje. Olbrecht stak glimlachend zijn hand op.

'Staat ge hier al lang te wachten?'

'Een paar minuutjes.' Hij wees naar de man naast hem.

'Dit is mijn nieuwe chef, commissaris Mark Van Den Eede.'
Tarik zag nu dat hij sardientjes aan het eten was.
Van Den Eede veegde eerst zijn vingers af aan een papieren servetje voordat hij Tarik de hand drukte. 'Heeft Rob u al uitgelegd waarvoor wij hier zijn?'
'Nog niet, nee.'
'Wij willen gaan praten met de ouders van een voortvluchtige Marokkaan, en Rob dacht dat het een goed idee was om u daar mee naartoe te nemen.'
Tarik keek Olbrecht, die onverstoorbaar bleef glimlachen, een beetje wantrouwig aan. Van Den Eede, die het had opgemerkt, stelde hem meteen gerust. Hij had onderweg contact opgenomen met Tariks overste, en die vond het goed. Tarik stond nog even te twijfelen, maar stemde er toen toch mee in.
'Waarom ook niet?' zei hij gelaten, terwijl ze in de Range Rover stapten. 'Ik heb tenslotte nog een paar dagen vakantie...'

De familie Benachir woonde in de Schaarbeekse Brabantwijk, in een smal rijtjeshuis vlak bij het Noordstation. Het huis had één verdieping met een plat dak en maakte, net als de hele straat, een verloederde indruk. De verf op de ramen en de voordeur bladderde af en de geel bepleisterde voorgevel vertoonde op verschillende plaatsen grote barsten. Door het half openstaande raam op de eerste verdieping hing een laken naar buiten. Overal lag zwerfvuil, en het geluid van het drukke verkeer en van het nabijgelegen station dompelde de hele buurt in een draaikolk van lawaai. Hoe iemand hier 's nachts een oog dicht kon doen, was Van Den Eede een raadsel.
Hij klikte zijn Range Rover op slot, liep naar de deur en belde aan. Tarik, die onderweg een bondige maar duidelij-

ke briefing van Olbrecht had gekregen, leek zich niet helemaal op zijn gemak te voelen. Hij had vooral onthouden dat Saïd Benachir gewapend was en geen moment had geaarzeld om zijn pistool ook te gebruiken. Net toen hij wilde vragen of ze geen voorzorgen moesten nemen, ging de deur open. Er stond een kleine, dikke vrouw met een rond gezicht, gekleed in een zwarte chador en met een verbleekte lichtblauwe hoofddoek op.

Van Den Eede toonde haar zijn legitimatiekaart en stelde zichzelf en de anderen in het Nederlands voor. 'Bent u de moeder van Saïd Benachir?'

De vrouw stond als aan de grond genageld, terwijl ze in verwarring van de een naar de ander keek. Van Den Eede die veronderstelde dat ze hem niet had begrepen, keek naar Tarik, die alles nog eens in het Marokkaans herhaalde. Nog voordat ze kon antwoorden, klonk uit de gang een barse stem. Een donkerbruine, gedrongen man met een stoppelbaard, een brede neus en een gerimpeld voorhoofd duwde de vrouw opzij en posteerde zich in de deuropening. Hij droeg een grijs kalotje, een zwarte jas over een kraagloos wit overhemd, dat tot bovenaan dicht was geknoopt, een lichte gestreepte broek en sandalen met stevige zolen. Hij snauwde iets in het Marokkaans, waar Tarik kalm op reageerde. Van Den Eede hoorde hem de naam Saïd noemen. De ogen van de man keken dreigend in Tariks richting. Hij zei opnieuw iets wat niet erg vriendelijk klonk, waarbij hij met zijn rechterhand een kappende beweging maakte. De vrouw probeerde over zijn schouder mee te kijken. Tarik antwoordde op dezelfde rustige toon.

Olbrecht keek hem ongeduldig aan. 'Mogen wij ook weten waarover het gaat?'

'Zij zijn inderdaad de ouders van Saïd, maar hij wil ons niet binnenlaten.'

'Dat had ik ook al wel begrepen.'

De man wilde de deur dichtdoen, maar Olbrecht was vlugger. Hij zette er zijn voet tussen en duwde hem met beide handen weer open. 'Als ge liever mee naar het bureau gaat, dan moet ge 't maar zeggen, hé Mohammed!'

Olbrecht had zo hard geroepen dat een paar voorbijgangers nieuwsgierig hun pas inhielden en bleven staan. Moeder Benachir begon opgewonden in het Marokkaans tegen haar man te praten terwijl ze heftige gebaren met haar handen maakte. Bovenaan links ontbrak een van haar tanden, waardoor ze sliste. Haar man legde haar met een bruuske hoofdbeweging het zwijgen op. Hij keek de drie politiemannen woedend aan, maar deed toen toch een stap opzij om hen binnen te laten.

Olbrecht knipoogde glimlachend naar Van Den Eede. 'Als het moet, dan verstaan ze wel Vlaams, hé.'

Een opmerking waar Tarik geïrriteerd op reageerde. 'Dan hebt ge mij zeker niet meer nodig?'

Van Den Eede legde vergoelijkend zijn hand op zijn schouder en wenkte hem mee de smalle, schemerige gang in. Het viel hem op dat moeder Benachir lichtjes mank liep. Ze moesten uitkijken waar ze hun voeten zetten, want het lag er vol planken, kartonnen dozen gevuld met oud papier, en opeengestapelde tegels. Tegen de muur stond een roestig brommertje zonder zadel en twee dichtgebonden vuilniszakken, waaruit een rottende geur opsteeg. Halfweg de gang passeerden ze een steil houten trapje. Olbrecht keek vragend om naar Van Den Eede, maar die gebaarde dat hij door moest lopen.

In de kleine woonkamer lagen en hingen overal tapijten in allerlei tinten rood. Tegen drie van de muren stonden, over de hele lengte, lage banken, waarop grote vierkante kussens lagen, versierd met veelkleurige motieven. Ook op de grond lagen kussen. Ze waren om een laag achthoekig tafeltje geschikt, waarop een goudkleurig dienblad stond met een sierlijke theekan in vertind koper, vier beschilderde theeglaasjes en een platte aangesneden taart die was bestrooid met gekonfijte vruchten. Van Den Eede vroeg zich af of dat de *mouskoutchou* was die de moeder van Saïd mee naar de gevangenis had genomen wanneer ze haar zoon ging bezoeken. Op een van de kussens zat een dikke kat traag haar pels schoon te likken. Ze keek even verstrooid op toen het gezelschap binnenkwam, maar ging daarna gewoon verder. In de hoek stond een televisiemeubel op pootjes. Van Den Eede vond dat het vloekte met de rest van dit oosterse interieur.

Vader Benachir nam plaats in het midden van een van de muurbanken en wees met een norse beweging naar de andere zitplaatsen. Van Den Eede en Olbrecht gingen naast elkaar op een bank zitten. Tarik nestelde zich met gekruiste benen op een kussen dat op de grond lag. Moeder Benachir bleef bedremmeld staan, vlak bij de open deur naar het keukentje.

Haar man haalde een *tasbih* uit zijn jaszak, rechtte zijn rug en stak zijn kin vooruit op een manier die Van Den Eede aan Mussolini deed denken. Hoewel hij klein van gestalte was, deed hij zijn best om het gedwongen bezoek vanuit de hoogte te bekijken. Kortaf vroeg hij waarvoor ze kwamen. Vreemd genoeg sprak hij met een Hollands klinkend accent.

Van Den Eede schraapte zachtjes zijn keel en antwoordde dat ze op zoek waren naar hun zoon, Saïd.

Vader Benachir bekeek hem met een minachtende blik, terwijl zijn vingers de kralen van zijn gebedssnoer betastten. 'Dan moet u niet hier zijn. Mijn zoon is afwezig', zei hij, terwijl hij de *tasbih* rond zijn hand wikkelde.

Olbrecht kon het niet laten even te grinniken, terwijl hij het woordje 'afwezig' herhaalde. Van Den Eede keek tersluiks naar moeder Benachir, die daar als een zoutzuil stond. 'Wij weten dat uw zoon een gevangenisstraf uitzit', ging Van Den Eede verder.

De ogen waarmee Benachir hem aankeek, leken nu op twee donkere gaten waaruit alle licht was verdwenen. 'Maar toen hij gisteren naar de rechtbank werd overgebracht, is hij ontsnapt.'

Op het gezicht van vader Benachir viel geen enkele reactie te bespeuren. Hij liet de kralen weer tussen zijn vingers glijden, zonder dat dit een nerveuze indruk maakte. Bidden kon hij op dit moment onmogelijk zitten te doen. Het zou dus wel een soort bezigheidstherapie zijn, vermoedde Van Den Eede, een middel om zijn zenuwen onder controle te houden.

'Spijtig genoeg heeft hij daarbij een politieagent doodgeschoten en een tijdlang een autobestuurder gegijzeld. Die hebben we gelukkig gisterenavond gezond en wel teruggevonden.'

Moeder Benachir hapte hoorbaar naar adem, sloeg haar handpalmen tegen haar hoofd, en begon klaaglijk en met een hoog geluid te huilen, alsof ze een geliefde dode beweende. Haar man snauwde haar in het Marokkaans iets toe, waarna haar gejammer overging in onderdrukt gesnik.

Olbrecht, die blijkbaar vond dat het allemaal niet vlug genoeg ging, vroeg aan Benachir of zijn zoon contact met hen had opgenomen.

Benachir bekeek hem met een schuine blik, zonder zijn hoofd te bewegen. 'Ik heb mijn zoon al maanden niet meer gezien.' Hij sprak alle lange klinkers kort uit, waardoor zijn stem iets mechanisch kreeg.

'Saïd is tijdens zijn ontsnapping zelf gewond geraakt',

zei Tarik, op een toon die bijna bezorgd klonk. 'Hij heeft dringend hulp nodig.' Waarna hij zich half omkeerde naar moeder Benachir. 'Als u weet waar hij is, zeg het ons dan alstublieft.'

De vrouw keek angstig in de richting van haar man, die zich op de zwarte kralen tussen zijn vingers concentreerde. Haar lippen trilden alsof ze kou had.

'Saïd is geen moordenaar', zei Benachir kordaat zonder zijn ogen op te slaan. 'Hij is een goed moslim en doet geen vlieg kwaad.'

Olbrecht, die almaar ongeduldiger werd, maakte een snuivend geluid. 'Een vlieg misschien niet, nee. Maar mensen wel. Trouwens, de vraag was of ge weet waar hij is.'

'Ik heb al gezegd: néén!' riep hij koppig.

De manier waarop hij het losse uiteinde van zijn gebedskraal nu heen en weer sloeg, alsof hij een klein zweepje vasthad, deed Van Den Eede vermoeden dat hij zijn zenuwen niet langer de baas was.

Moeder Benachir deed een paar stappen naar voren en keek haar man met een gekwelde blik aan. 'Youssef...'

Van Den Eede was er nu zeker van dat ze wist waar Saïd was, maar niet durfde te spreken uit angst voor haar echtgenoot, die star voor zich uit zat te kijken en deed alsof hij zijn vrouw niet had gehoord.

'Mogen wij even rondkijken in uw woning?'

Het draaien en keren met de tasbih viel meteen stil.

'Gij hebt een huiszoekingsbevel?'

Van Den Eede schudde van nee.

'In dat geval', zei Benachir terwijl hij overeind kwam en bazig zijn armen voor zijn borst kruiste, 'wil ik dat u weggaat. Nu, meteen!'

Van Den Eede was niet onder de indruk en antwoordde rustig dat ze geen gerechtelijk bevel nodig hadden om naar ontsnapte gevangenen te zoeken.

Olbrecht, die dat leek te beschouwen als een teken om eindelijk tot actie over te gaan, liet zijn beide handen met een klap op zijn knieën vallen, stond ook op en liep in de richting van het keukentje. Hij duwde de deur wat verderop open en keek naar binnen. Het was een kleine, vensterloze ruimte waarin zelfs de kat amper plaats zou vinden om zich te verbergen.

Toen hij zich naar de anderen omkeerde, klonk boven hen opeens een dof geluid, als van een zwaar voorwerp dat op de grond viel. Rob Olbrecht rende meteen naar de deur waardoor ze binnen waren gekomen. Tarik sprong op en volgde hem. Moeder Benachir begon opnieuw met haar hoog, klagerig gehuil, dat al vlug in een luid gekrijs overging, terwijl haar echtgenoot beide mannen achterna wilde lopen. Van Den Eede, die het dichtst bij de deur zat, kwam overeind en hield hem tegen.

'U blijft hier.' Hij wees naar de bank.

Benachir riep hem van alles in het Marokkaans toe. Van Den Eede vond het maar beter dat hij er niks van begreep, en gebaarde opnieuw dat Benachir moest gaan zitten. De man rukte zich los, keerde zich om en viel toen brutaal uit tegen zijn vrouw terwijl hij zijn hand dreigend omhoog stak. Moeder Benachir stopte dadelijk met haar schelle geschreeuw. Van Den Eede begreep dat ze al eerder was geslagen. Hij voelde een mengeling van medelijden voor haar en een groeiende afkeer jegens Benachir, die het duidelijk gewend was om zich als een tirannieke patriarch te gedragen. Moeder Benachir ging bang en ineengedoken op de bank zitten en begon te mompelen. Was het bidden wat ze deed?

Rob Olbrecht en Orhan Tarik stonden nu boven aan de trap, die uitkwam op een rechte gang die amper een meter breed was en doodliep. Links en rechts waren telkens twee deuren, waarvan er één openstond. Door een kleine, mat-grijze glazen koepel viel een schuine streep licht naar binnen, waarin, als microben onder een microscoop, stofdeel-tjes ronddwarrelden.

Met een hoofdknik gebaarde Olbrecht naar de open-staande deur, terwijl hij naar zijn Baby Glock greep. Het voordeel van het wapen was dat het van hetzelfde 9mm-para-kaliber was als zijn grotere broer, maar heel wat minder woog. Je kon het ding makkelijk in je binnenzak kwijt zonder dat het die beschadigde, zoals de vroegere Glock 17 altijd deed. Olbrecht gebaarde dat Tarik achter hem moest blijven, en stapte behoedzaam, met zijn vooruitgestoken pistool stevig in zijn twee handen geklemd, op de geopen-de deur af. Achter zich kon hij de ademhaling van Tarik horen. Toen hij vlakbij was, boog hij door zijn knieën, haal-de tweemaal diep adem, en draaide zich met een soepele be-weging een kwartslag naar links, waarbij hij ervoor zorg-de dat zijn voeten, zijn gestrekte armen en het pistool in balans waren. In een flits zochten zijn ogen de ruimte af. De kamer was leeg. Olbrecht liet het wapen zakken. Op het dubbele bed lag een kale versleten matras. Door het raam aan de straatkant hing een laken uit te waaien. Tegen de muur stond een wastafel met een grote spiegel vol roest-vlekjes. De andere wand was grotendeels gevuld met een ouderwetse kleerkast zonder deuren, die tot boven toe was volgepropt met stapeltjes kleren en sjaaltjes die naar mot-tenballen roken.

De twee mannen verlieten de kamer en gingen ieder aan één kant van de tegenoverliggende deur staan. Olbrecht hield zijn wapen in 'Medium Ready', ademde opnieuw een paar keer diep in en uit, en knikte toen naar Tarik, die met zijn linkervoet vliegensvlug de deur openstampte. Dit was de badkamer. Er was maar één raampje, dat op een kier stond en veel te klein was om een volwassen persoon door te laten.

Tarik wees naar een ineengepropte handdoek die naast het bad lag. Hij nam zijn balpen en hield met de punt ervan de handdoek omhoog. Er zaten gestolde bloedvlekken op. Olbrecht stond al weer op de gang, naast de volgende deur, waartegen Tarik weer zijn voet zette. Maar deze keer gaf ze niet mee. Ze was van binnen op slot gedraaid. Tarik ging een paar stappen achteruit en gooide zich er met zijn volle gewicht tegen. Met een krakend geluid vloog de deur open. Ongeveer in het midden van de kamer lag een omgevallen stoel onder een openstaand dakraam.

Olbrecht vloekte, zette de stoel overeind en klom erop. Voorzichtig stak hij zijn hoofd naar buiten. Op het platte dak was niemand te zien. Hij hees zich door het dakraam omhoog. Hoe Saïd dit met zijn gewonde schouder had gedaan, was hem een raadsel. Hij kon de warmte van de dakbedekking, die hier en daar blazen vertoonde, voelen afstralen. Het huis aan de linkerkant had ook een plat dak. Rechts keek hij aan tegen een wand van bakstenen.

Terwijl Tarik hem door het dakraam gadesloeg, sprong Olbrecht op het dak van de buren, dat tweemaal zo groot was en waarop een brede, manshoge schouw stond, waarachter iemand zich makkelijk kon verbergen. Hij sloop behoedzaam om de schouw heen, zijn pistool in de aanslag. Niemand. Toen viel zijn oog op een brandladder aan de achterkant van het huis. In de kleine, meestal verwaarloosde achtertuintjes die hij van hieruit kon zien, was niemand te bespeuren.

Olbrecht stak zijn pistool zuchtend in zijn binnenzak. 'Dat komt ervan, hé. Met al dat gelul hier beneden.'

Hij vloekte nog eens en liep toen terug naar het dakraam, waar hij zich weer naar binnen liet glijden. Toen hij opnieuw met beide voeten op de stoel stond, zag hij onder zich Tarik op zijn hurken zitten. Hij had een klein fototoestel vast. Olbrecht sprong van de stoel en bukte zich om te zien wat de aandacht van Tarik had getrokken. Op de houten steunlat onder het zitvlak van de stoel zaten enkele bloederige vingerafdrukken.

Toen Olbrecht opnieuw in de woonkamer kwam, zat Van Den Eede op zijn gemak een stuk van de zelfgebakken zoete taart te proeven. Moeder Benachir zat met haar handen in haar schoot gevouwen tegenover hem op de bank, terwijl haar man nog altijd nors met zijn gebedskraal zat te spelen. 'Smaakt het zo'n beetje?' vroeg Olbrecht. Zijn woorden dropen van het sarcasme. 'De vogel is gevlogen, zoals te verwachten.'

Moeder Benachir sloot haar ogen en slaakte een zucht. Haar echtgenoot bleef onverstoorbaar voor zich uit kijken. 'Maar we hebben wel iets anders gevonden.'

Op dat moment kwam Orhan Tarik binnen met de in een plastic zak verpakte handdoek. 'Die lag in de badkamer. Er zitten bloedvlekken op.'

Van Den Eede bekeek het zakje. Even schoot het door zijn hoofd dat inbeslagname van voorwerpen tijdens een inval, strikt genomen, niet wettelijk was. Als het moest, kon hij later nog altijd een huiszoekingsbevel aanvragen.

'Mijnheer Benachir?' Hij hield de plastic zak met daarin de bebloede handdoek vragend in de hoogte. 'Waar komt dat bloed vandaan?'

'Van het scheren zeker niet, aan zijn stoppelbaard te zien', zei Olbrecht.

'Ik heb gisteren een schaap geslacht.'

'Een schaap?' herhaalde Olbrecht grinnikend. 'En waar is dat arm beest dan?'

'In de diepvries.'

'Thuisslachtingen zijn verboden.'

'Niet volgens de islam.'

'En liegen?' vroeg Olbrecht. 'Mag dat van Allah?'

Benachir keek alsof hij hem ieder moment naar zijn strot kon vliegen. 'Vuile racist!'

Olbrecht deed dreigend een stap naar voren. Tarik hield hem tegen.

'Als ik een racist ben, wat is uw zoon dan? Hij heeft, godverdomme, een onschuldige mens vermoord! Een vader van drie kinderen! Wat zegt uw godsdienst daarover?'

Tarik gebaarde dat hij rustig moest blijven, en zei vervolgens iets in het Marokkaans tegen de Benachirs.

'Wat hebt ge gezegd?'

'Dat familie onderdak verschaffen volgens de wet niet strafbaar is', zei Tarik.

'Maar een politieonderzoek tegenwerken is dat wel', voegde Van Den Eede eraan toe. 'Ik vraag het dus nog één keer: is Saïd hier geweest?'

Moeder Benachir verborg snikkend haar gezicht achter haar handen.

Haar echtgenoot kwam opnieuw overeind en liep met vinnige passen naar de deur, die hij demonstratief openhield. 'Ik kan u niet helpen, en heb verder niks te zeggen.'

'Zoals ge wilt', zei Van Den Eede, terwijl hij opstond. 'Maar die handdoek nemen we mee als bewijsmateriaal.'

'Tot heel binnenkort', gromde Olbrecht bij het naar buiten gaan. 'Ge zijt nog niet van ons af, Mohammed.'

Op het moment dat Orhan Tarik, als laatste, voorbij Benachir de gang in liep, snauwde die hem iets in het Marokkaans toe.

Olbrecht, die zich had omgekeerd, zag het gezicht van Tarik verstrakken. Toen ze weer op straat stonden en naar de Range Rover liepen, vroeg hij wat Benachir hem had gezegd.

'Een van de ergste beledigingen die er zijn voor een moslim', zei Tarik, zichtbaar aangedaan. 'Dat ik een afvallige ben die zijn eigen familie te schande maakt...'

Olbrecht schoot in de lach.

'Dat valt nog mee', zei hij, terwijl hij Tarik een schouderklopje gaf. 'Ge moest eens weten wat ze ooit al allemaal tegen mij hebben gezegd!'

10

Antoine Libert, gekleed in een kaki T-shirt met daarover een zwart mouwloos Crossfield-vest vol opgestikte zakjes, zoals fotografen vaak dragen, en een denimbroek, hield halt op het hoogste punt van Les Crêtes en veegde met zijn zakdoek het zweet van zijn voorhoofd. Het gebons van zijn hart vulde zijn hele borstkas, die hijgend op en neer ging van die laatste zware klim. Hij zette de leren schoudertas met proviand op de grond en nam vervolgens plaats op een plat stuk rots, die de hitte van de voorbije dag in zich had opgezogen en vastgehouden.

Hoewel het volop zomer was, legde de ondergaande zon een herfstkleurige sluier over het eikenbos. Het was windstil en behalve het vrolijke gekwetter van distelvinken en de virtuoze zangcapriolen van merels die zich tussen het dichte gebladerte verborgen hielden, was geen enkel geluid te horen. Hoog in de lucht draaide een buizerd trage, almaar groter wordende cirkels, tot hij nog amper een stip was die opeens van het radarscherm verdween. Ook toen de vogel niet meer te zien was, bleef Antoine Libert naar de lucht staren tot zijn ogen ervan begonnen te tranen.

Het gesprek dat hij daarnet vanuit de telefooncel naast de kerk van Rochehaut had gevoerd, had nog geen minuut geduurd. Toch had het zijn leven ingrijpend veranderd. In zijn hoofd tolden beelden en herinneringen over en door elkaar heen, zonder dat hij er ook maar één van kon vasthouden. Het was alsof hij knock-out was geslagen en half verdoofd, nog niet beseffend wat hem was overkomen, met zijn gezicht op de grond lag, terwijl boven hem genadeloos werd afgeteld. In plaats van hier zou hij nu bij Vanessa moeten zijn om haar te steunen en te troosten in haar verdriet. Maar hij wist dat het niet mogelijk was. Hij hield de lucht in zijn longen enkele tellen vast en ademde toen langzaam door zijn neus uit. Meteen voelde hij zijn hartslag dalen. Hij wachtte nog even tot het gebonk achter zijn borstbeen helemaal was verdwenen, kwam toen overeind en zwierde de riem van zijn tas over zijn linkerschouder. Vervolgens controleerde hij of het pistool nog altijd stevig achter zijn broekriem zat, en begon langs het smalle, kronkelige paadje tussen de rotsen aan de afdaling naar het bos.

Al van ver zag hij de open plek tussen de bomen. Toen hij dichterbij kwam, vloog met veel gedruis een patrijs voor zijn voeten op. Libert bleef staan en keek naar de houten chalet die daar onder een oplichtende stolp lag. Voor zijn ogen wriemelden duizenden muggen en vliegjes als opstuivende stofjes door elkaar heen. Toen er enkele op zijn gezicht neerstreken, jaagde hij ze met een geïrriteerd gebaar weer weg. Hij was moe, voelde zich bedrukt en stikte van de dorst. Het gevoel dat onlangs tijdens zijn afwezigheid iemand zijn schuilplaats had doorzocht, had hem nog alerter gemaakt. Misschien was het een toevallige inbreker geweest? Maar dan een die niets mee had genomen. Werd de eigenaar van het huisje nu al door iemand gemist? Onwaarschijnlijk, aangezien hij bekendstond als een eenzaat. En waarom had hier dan nog geen politie voor de deur gestaan? Er was natuurlijk nog een vierde mogelijkheid waarmee hij rekening moest houden...

In plaats van de kortste weg naar de chalet te nemen liep hij in de beschutting van de bomen naar de zijkant ervan. Alles leek even rustig en verlaten als hij het achter had gelaten. Gewoontegetrouw tastte hij even naar zijn pistool. Hij liep naar de voordeur en stak zijn sleutel in het slot. De deur draaide met een knerpend geluid open. Daar had hij zelf voor gezorgd, zodat er 's nachts niemand binnen zou kunnen komen zonder dat hij het hoorde. Voordat hij verder ging, keek hij de kamer rond. Hij deed enkele stappen naar voren, haalde de riem van zijn schouder en bukte zich om de zware tas neer te zetten. Toen hij weer overeind kwam, zag hij in een flits, uit het niets, een schaduw opduiken op de muur. Terwijl hij zich omkeerde, trof de slag hem aan zijn rechterslaap. Nog voordat hij de grond raakte, werd alles zwart voor zijn ogen.

In de verte hoorde hij een politiesirene die snel dichterbij kwam. Hij wilde vluchten, maar kon zich niet bewegen. Zijn armen en benen zaten ergens aan vast. Had hij een ongeval gehad? Knipperend opende hij zijn ogen. Was dat het zwaailicht van de politieauto dat hij zag? Aan de rechterkant van zijn voorhoofd voelde hij een kloppende pijn, die tot onder zijn schedel uitstraalde. De vage vlekken en kleuren die hij aanvankelijk had kunnen onderscheiden, namen stilaan weer herkenbare vormen aan. Toen hij besefte dat hij op een stoel zat, probeerde hij opnieuw overeind te komen. Maar iets belette hem dat. Zijn handen waren achter de rugleuning samengebonden en zijn beide voeten zaten ter hoogte van zijn enkels vast aan de voorpoten van de stoel. Ademen ging moeilijk, want dat kon alleen door zijn neus, waarvan het rechtergat gedeeltelijk verstopt zat met gestold bloed. Over zijn mond was een breed stuk tape geplakt. Iedere keer dat hij met een snuivend geluid zijn longen probeerde te vullen, kostte hem dat veel moeite. De politiesirene klonk nu als een soort luchtalarm dat werd uitgeschakeld en langzaam wegstierf. Toen stond er opeens iemand voor hem.

Libert hief zijn hoofd op om de man wat beter te kunnen bekijken. Langzaam werd het beeld scherper, alsof hij eerst de lens van een fototoestel moest instellen. Toen dat gebeurd was, werd op zijn netvlies het gezicht geprojecteerd van een verzorgde jongeman die hem met een scheef lachje aankeek. Libert herkende hem meteen als 'de vierde mogelijkheid'.

'Ik zie dat ge mij nog kent, mijnheer Libert?' Vooral de laatste woorden hadden spottend geklonken. 'Want zo heet gij tegenwoordig toch, hé?' Hij boog zich wat meer voorover. 'Ik versta u niet. Spreek eens wat harder.'

Het gezicht van de indringer hing nu vlak bij het zijne. Hij rook zo sterk naar musk dat Liberts neus ervan begon te prikken.

'Wacht, want zo kunt ge natuurlijk niet praten.' Waarna hij een hoekje van de plakband tussen zijn duim en wijsvinger nam en de tape, die aan Liberts snor- en baardstoppels plakte, tergend langzaam lostrok. 'Als ik u zeer doe, dan moet ge 't zeggen, hé, mijnheer Libert.' Hij grinnikte. 'Ook al is dat wel een beetje de bedoeling.'

Antoine Libert probeerde zijn verkrampte en uitgedroogde lippen te bewegen. Hij bevochtigde ze met zijn tong en trok zijn mondhoeken een paar keer achteruit. Toen hij iets wilde zeggen, gingen zijn woorden verloren in een korte, maar hevige hoestbui.

'Wat was dat?'

'Ik vroeg hoe ge mij hebt gevonden', herhaalde Libert met een schorre stem.

De jongeman glimlachte. Hij zag er heel tevreden over

zichzelf uit. 'Doet dat ertoe? Ik héb u gevonden, dat is het belangrijkste. Juist zoals vorige keer, weet ge nog wel?' Zijn gezicht verstrakte nu opeens en kreeg een dreigende uitdrukking. 'En waren wij toen niks overeengekomen?' Hij greep Libert vast bij zijn haar en trok zijn hoofd brutaal naar achteren. 'Ik heb de pest aan mensen die zich niet aan afspraken houden! Zeker als 't over geld gaat.'

'En ik heb de pest aan amateurs', zei Libert, terwijl hij hem uitdagend aankeek. 'Uw informatie klopte niet. Door uw stomme schuld is er van alles misgelopen.'

'Maar 't is dan uiteindelijk toch terug goed gekomen, heb ik in de krant gelezen.'

'Ge moet niet alles geloven wat ze in de gazet schrijven.' De indringer trok Liberts hoofd nog wat meer naar achteren, tot diens nekwervels kraakten. 'Wáár is het?'

'Ik weet niet waarover ge 't hebt', bracht Libert met moeite uit. De huid rond zijn adamsappel was zo strak gespannen dat hij amper kon slikken.

De jongeman liet hem los. 'Zoals ge wilt.'

Hij keerde zich om en liep naar het gasfornuis, waarop een waterketel stond te pruttelen. Libert zag zijn eigen pistool op het aanrecht liggen.

'Ik was nochtans wél bereid om mij aan de afspraak te houden', zei de indringer, met zijn rug naar Libert toe. 'Maar nu niet meer. Nu wil ik alles, tot de laatste cent.'

Ondanks het gebonk in zijn hoofd en zijn verdroogde lippen deed Libert een poging om te lachen.

'Dan zult ge 't eerst moeten vinden.'

De jongeman keerde zich om. In zijn ene hand had hij een kopje waarin een theezakje hing, in zijn andere de waterketel, waaruit hete damp opsteeg.

'Het zou ons alle twee veel last besparen, u vooral, als ge zoudt zeggen waar het ligt.'

Hij kwam een paar stappen dichterbij. Libert rook weer de penetrante aftershave, waarvan de geur hem misselijk maakte. Vlak voor de stoel bleef de indringer staan. 'Vroeg of laat gaat ge 't mij toch vertellen, daar ben ik zeker van', zei hij. 'Dus waarom nu niet?'

Libert keerde zijn hoofd naar het raam en zuchtte, alsof de hele situatie hem eindeloos verveelde.

'Bon', zei de jongeman. 'Dan stel ik voor dat we eerst gezellig samen een taske thee drinken.' Glimlachend begon hij het kopje te vullen met water uit het aluminium keteltje. De muskgeur van de aftershave vermengde zich met die van de kruidenthee. Opeens hield hij op met gieten en keek Libert aan. 'Ge drinkt toch graag thee? Of zijt ge eerder een koffiedrinker?'

Libert antwoordde niet.

De indringer goot opnieuw water bij. 'Ikzelf hou het meest van rozenbottel, maar dat staat niet in uw kast.' Het dampende water kwam nu bijna tot aan de rand. Hij bleef met vaste hand gieten.

Instinctief probeerde Libert zich met zijn vastgebonden voeten achteruit te duwen, maar de stoel bewoog niet. De handen van de jongeman bevonden zich vlak boven de schoot van Libert. Voorzichtig goot hij nog wat water bij, dat nu over de rand liep en op de linkerdij van Libert sijpelde. Veel was het niet, maar toch leek het of de vloeistof een gat in zijn huid brandde. Libert maakte een grommend geluid, als van een hond die zich bedreigd voelt.

'Oh, sorry, dat was per ongeluk. Ik heb u toch geen pijn gedaan, hoop ik?'

'Loop naar de hel.'

De indringer keek hem brutaal vanuit de hoogte aan en schudde bedenkelijk zijn hoofd.

'Daar zult gij eerder dan ik in terechtkomen, vrees ik.' Hij goot opnieuw water bij in het kopje. 'En naar 't schijnt, kan het daar héél warm worden.'

Deze keer droop het kokende water op de andere dij van Libert, die zijn ogen dichtkneep en op zijn tanden beet om het niet uit te schreeuwen. Er was alleen een dof gekreun te horen, dat van diep uit zijn borst leek te komen. De jongeman bukte zich en wachtte tot Libert zijn ogen weer opendeed.

'Ze maken die kopjes veel te klein tegenwoordig. Vindt ge ook niet?'

Libert deed zijn hoofd naar achteren en mompelde iets onverstaanbaars.

De ander dacht waarschijnlijk dat hij iets wilde zeggen, want hij boog zich nog wat dichter naar Libert. 'Wat zegt ge?'

Met alle kracht die hij in zijn nekspieren had, sloeg Libert opeens zijn hoofd en schouders naar voren. Hij raakte zijn belager vlak op diens neusbeen, dat krakend brak. Het bloed spoot uit de neusgaten. Het slachtoffer viel jammerend achterover op de grond. Het theekopje spatte op de stenenvloer uiteen, terwijl het gloeiend hete keteltje op zijn borst viel. Een geut van het kokende water kwam in zijn hals en op zijn gezicht terecht. Met een dierlijk gebrul sloeg hij zijn handen voor zijn ogen en begon als een gek te wrijven.

Libert boog zo ver mogelijk voorover, tot zijn voorhoofd bijna zijn knieën raakte en hij zijn armen, die bij zijn polsen samen waren gebonden, over de rugleuning heen kon trekken. Vervolgens duwde hij zich met moeite, steunend op zijn vuisten, omhoog tot hij wankelend rechtop stond. De indringer lag nog altijd hulpeloos op de vloer, met roodgezwollen ogen en een van pijn verwrongen gezicht.

Libert schoof eerst zijn linker- en daarna zijn rechtervoet naar voren. Het kwam erop aan voorzichtige pasjes te nemen, want als hij viel, was de kans klein dat hij op eigen kracht overeind geraakte. Hij slaagde erin bij het fornuis te komen, waar hij zich met veel moeite kon omkeren. Achter zijn rug tastte hij naar de lade waarin het bestek lag. Na enkele pogingen kreeg hij een aardappelmesje te pakken, dat hij tussen de duim en de wijsvinger van zijn rechterhand klemde. Hij manoeuvreerde het lemmet zodanig dat het naar boven wees en met de vlijmscherpe kant aandrukte tegen de tape waarmee zijn polsen waren gekneveld. Daarna bewoog hij het mesje als een klein zaagje op en neer. Bijna liet hij het vallen toen de punt ervan vlak boven zijn linkerpols in zijn huid drong. De jongeman deed ondertussen verwoede pogingen om overeind te komen, maar het was duidelijk dat hij geen steek zag en zijn oriëntatie compleet kwijt was.

Libert voelde dat zijn polsen losser kwamen te zitten. Hij schoof het aardappelmesje achter zijn broekriem, waarna hij zijn vingertoppen tegen elkaar drukte en probeerde om, met ritmische bewegingen, zijn handpalmen telkens wat verder uit elkaar te duwen. Hij hoorde de tape scheuren. Vlug trok hij de resten van zijn polsen, waarna hij zijn tintelende handen stevig over elkaar wreef om de bloedsomloop weer op gang te brengen. Hij bukte zich en trok de tape los waarmee zijn voeten aan de poten van de stoel vastzaten.

Toen hij overeind kwam en zich omkeerde, zag hij dat de jongeman op zijn knieën zat en met beide handen zíjn pistool vasthad, dat hij beverig in de richting hield van waaruit hij geluid meende te horen. Libert bleef onbeweeglijk staan en tastte naar het keukenmes dat achter zijn brockriem zat. De oogleden van de indringer leken twee enorme builen. De huid van zijn gezicht en hals zag vuurrood, alsof hij urenlang in de brandende zon had gelegen.

Libert had ondertussen het keukenmesje tussen zijn broekriem vandaan gehaald. Met een korte, hoekige beweging gooide hij het een paar meter verder op de grond. De jongeman keerde zich met een ruk in de richting van het lawaai en haalde blindelings de trekker over. De knal was zo oorverdovend dat Libert het gevoel had dat zijn trommelvliezen scheurden. Nog voordat de schutter de kans had een tweede keer te vuren, sprong Libert naar voren en stampte het pistool uit de handen van de indringer. Die viel opzij, maar kroop dadelijk weer overeind en begon paniekerig, kruipend op knieën en handen, de vloer rondom zich heen af te tasten. Maar Antoine Libert had het wapen al vast.

'Is het dit wat ge zoekt?' vroeg hij.

De jongeman stopte met rondscharrelen en bleef onbeweeglijk zitten, wachtend op wat komen ging.

In het westen leken de kruinen van de bomen in brand te staan. Vleermuizen doken met hoekige, onvoorspelbare bewegingen van het ene naar het andere insect. Vanuit het bos klonk de ratelende triller van een eenzame nachtegaal, die met een sierlijk glissando overging in een hoge, langgerekte fluittoon. Uit het gras steeg het zeurende gesjilp van krekels op. Met een sprong dook een kikker van de kant in het donkere water van een ondiepe poel. Glimwormen knipoogden vanuit de struiken verleidelijk naar elkaar.

Eén tijdloos ogenblik lang leek het omringende bos de adem in te houden. Daarna keerde het nachtelijk leven in al zijn mysterieuze verscheidenheid terug, alsof er niets was gebeurd.

11

'Heeft het gesmaakt?' vroeg Linda.

Stijn trok een weifelend gezicht. 'Nogal.'

'Hoezo? Anders eet gij toch graag lasagne?'

'Vandaag is veels te warm voor. Mijn smaakpupillen zijn alsof helemaal in de war.'

'Papillen', zei Linda, terwijl ze met een verhulde glimlach naar Van Den Eede keek, die eerst haar wijnglas en toen het zijne bijvulde. Ze zaten op het terras achter het huis. Het was een zwoele zomeravond die een beetje als vakantie aanvoelde. Behalve het ritmische gesjirp van krekels en af en toe het gekwaak van eenden die zich schuilhielden in het dichte struikgewas naast de Maalbeek, was het stil in de Tommenmolenstraat. Van Den Eede woonde in een vrijstaande, gedeeltelijk heropgebouwde boerderij, omgeven door weiland en maïsvelden, vlak bij de oude molen en het natuurgebied de Maalbeekvallei, dat voor het grootste deel op het voormalige grondgebied van de Abdij van Grimbergen ligt. Toen ze pas getrouwd waren, hadden hij en Linda een tijdje in een appartement op het Kerkplein gewoond. Maar toen de woning aan de Tommenmolen te koop kwam te staan, hadden ze niet lang hoeven na te denken. Over twee jaar zou de lening die ze ervoor hadden moeten aangaan, eindelijk afbetaald zijn.

Van Den Eede keek naar het etiket op de fles en las hardop: 'Chianti Classico Colli Fiorentini.'

'Hoe vindt ge hem?'

Hij knikte goedkeurend terwijl hij de geur van de donkerrode wijn opsnoof. 'Lekker.'

'Die stond vandaag in reclame bij de Colruyt. Ik heb er maar ineens zes meegebracht.'

'Wijn is een viezige drank', zei Stijn met opgetrokken neus. 'Porcies bloed!'

'En hoe was het vandaag op school?' vroeg Van Den Eede.

'In de klas is daarstraks iets heel ergs gebeurd', zei hij met een ernstig gezicht.

Toen Linda vroeg wat er was gebeurd, haalde hij ongeïnteresseerd zijn schouders op.

'Dat weet ik niet meer. Maar 't was wel héél erg!'

Van Den Eede schoot in de lach, waarop Stijn hem kwaad aankeek.

'Gij lacht mij weeral uit, of wá?'

'Maar nee, ik lach u niet uit.'

'Wel waar!'

Van Den Eede besloot wijselijk te zwijgen. Stijn keek opeens op zijn horloge, sprong overeind van zijn stoel en haastte zich naar binnen om de televisie aan te zetten. Het weerbericht was nog niet begonnen.

'Lap, die Frank Deboosere is weeral te laat! Wat een trage slak!'

Toen Van Den Eede Martine Tanghe iets hoorde zeggen over een staking bij de cipiers, uit onvrede tegen de almaar toenemende overbevolking in de gevangenissen, ging hij in de deuropening staan kijken. Linda kwam hem achterna. Agenten hadden voorlopig hun taken in de gevangenis overgenomen. Justitieminister Marc Verwilghen deed voor de zoveelste keer de belofte dat het personeelstekort en de veiligheidsproblemen in de gevangenissen dringend zouden worden aangepakt, evenals het vervoer van gevaarlijke criminelen. Hij betuigde ook zijn deelneming met de familie van de politieagent die eergisteren op de trappen van het Brusselse gerechtshof was neergeschoten. Op de vraag van de interviewer of het normaal was dat een gevaarlijke gangster van zijn cel naar het Justitiepaleis werd vervoerd om daar zijn dossier in te kijken, terwijl slachtoffers of hun nabestaanden vaak alle moeite hadden om inzage te krijgen in gerechtelijke documenten, antwoordde de minister dat in een democratie ook gevangenen bepaalde rechten hadden die moesten worden geëerbiedigd. Hij herhaalde nog eens dat de hervormingen binnen het gerecht voor hem een absolute politieke prioriteit waren, waar hij zich de komende maanden en jaren intensief mee zou bezighouden, uiteraard in nauwe samenspraak met de magistratuur.

'Een magere troost voor de familie van die dode politieman', zei Linda.

Van Den Eede knikte zwijgend. In gedachten zag hij weer de doffe blik waarmee Erik Rens hem had aangestaard. Want zo had hij het toen aangevoeld; dat hij hém met zijn uitgedoofde ogen had aangekeken. En die indruk was er nog altijd. Zolang hij de moordenaar van Erik niet had opgespoord en gearresteerd, zou hij zijn ogen niet kunnen sluiten.

De interviewer maakte van de gelegenheid gebruik om de mening van de minister te vragen over enkele recente, op zijn minst dubieuze gerechtelijke uitspraken, waardoor zware criminelen werden vrijgesproken of hun straf ontliepen, terwijl relatief kleine vergrijpen dan weer streng werden gesanctioneerd. Wat bijvoorbeeld te denken van de rechter die onlangs een dronken automobilist die drie jonge meisjes van de weg had gemaaid en daarna vluchtmisdrijf had gepleegd, naar huis had gestuurd met een half jaar voorwaardelijk en de vaderlijke raad om in het vervolg 'toch een beetje voorzichtiger te rijden'. Minister Verwilghen toonde zijn medelevende mediaglimlach en antwoordde dat in ons systeem de rechtspraak nu eenmaal volledig autonoom werkt en politieke inmenging in dezen wenselijk noch wettelijk zou zijn.

'Met andere woorden: ze doen wat ze willen', zei Linda verontwaardigd. 'Soms denk ik dat die mensen met hun toga's in een ivoren toren leven en er gewoon niet uit wíllen komen. Ik vraag mij af wat die rechter zou hebben gezegd als een van die dode meisjes zijn eigen dochter was geweest.'

Van Den Eede zweeg, maar haar spontane boosheid over zoveel onrecht deed hem deugd. Heel wat moderne criminologen en psychologen hadden minder gezond verstand en pleitten ervoor om gevangenisstraffen drastisch te verminderen of zelfs helemaal af te schaffen, omdat ze meer kwaad dan goed zouden doen. Volgens die nieuwe profeten moest een misdadiger zo vlug mogelijk weer in de samenleving worden opgenomen. 'Weg met de repressie, leve de reïntegratie!' De dader was immers zelf ook een slachtoffer, zo meenden die intellectuele charlatans: van een onrechtvaardige maatschappij, een ongelukkige jeugd, een stressvolle omgeving, zijn eigen frustraties en mislukkingen of van een aangeboren sociale achterstand. Hij was iemand die professioneel moest worden begeleid en gepamperd, terwijl de slachtoffers in de kou bleven staan met hun woede, verdriet en onmacht. Soms vond Van Den Eede het bijna onbegrijpelijk dat niet méér verongelijkte mensen het recht in eigen handen namen. Al werd hij honderd jaar, nooit zou hij erin kunnen berusten dat de moordenaar van Erik Rens vrij en ongestraft rondliep. Schuld en boete waren als links en rechts, boven en onder. Het ene betekende niets zonder het andere.

Op het scherm verscheen het lachende gezicht van Frank Deboosere. Toen Stijn hem hoorde zeggen dat de hittegolf nog niet voorbij was en dat er de komende dagen opnieuw temperaturen van tegen de dertig graden werden verwacht, stak hij boos zijn vuist op naar de televisie.

'Onnozele Frank! Dat is veels te heet!'

'Wat kan de weerman er nu aan doen dat het zo warm blijft?' vroeg Linda.

'Sabine Hagedoren moet dringend terugkomen', mopperde hij. 'Die geeft veel beter weer!'

Het geluid van de deurbel klonk.

Linda keek verbaasd op. 'Wie kan dat zijn?'

Het was Orhan Tarik die aan de voordeur stond. 'Stoor ik?'

'Helemaal niet', zei Van Den Eede. 'Kom binnen.'

Tarik verontschuldigde zich dat hij nog zo laat aanbelde, maar hij kwam direct van het Gerechtelijk Laboratorium met de uitslag van het bloed op de handdoek die ze in Benachirs huis hadden gevonden.

Toen ze de woonkamer binnenkwamen, was het weerbericht juist voorbij. Stijn was er nog altijd niet goed van en dreigde ermee een protestbrief te sturen naar de Belgische regering, want die moest zo snel mogelijk alle fabrieken sluiten.

'Anders wordt de wereld één grote broedkast!'

Toen hij de vreemde man zag die daar naast zijn vader stond, hield hij meteen zijn mond. Van Den Eede stelde Tarik en Linda aan elkaar voor.

'En dit is mijn zoon, Stijn.'

Tarik stak glimlachend zijn hand uit.

'Dag, Stijn.'

Die keek hem met achterdochtige nieuwsgierigheid aan. 'Gij ziet uit alsof halve neger', zei hij fronsend. 'Hoe komt zo zwart zijt?'

Linda reageerde gegeneerd, maar Tarik bleef onverstoord glimlachen.

'Omdat ik uit Marokko kom. Bijna iedereen ziet daar bruin.'

Stijn leek niet helemaal tevreden met dat antwoord, maar Linda gaf hem de kans niet om nog een tweede vraag te stellen en trok hem mee naar de keuken.

'Onze zoon is autistisch', zei Van Den Eede, terwijl hij Tarik voorging naar het terras.

'Ge woont hier mooi. En rustig, zo te horen.'

Van Den Eede wees uitnodigend naar een tuinstoel. 'Een glas wijn?'

'Nee, dank u. Ik drink geen alcohol.'

'Iets anders? Koffie? Thee?'

Orhan Tarik bedankte opnieuw en haalde toen het verslag van het Gerechtelijk Laboratorium uit zijn binnenzak.

'Het bloed op die handdoek is niet van een arm schaap afkomstig. Het is menselijk en is van dezelfde bloedgroep als die van Saïd.'

'Om echt zeker te weten dat het van hem is, zouden we dus een DNA-analyse moeten laten doen', zei Van Den Eede. 'Maar dat kost geld en tijd.'

Volgens Tarik hadden ze geen DNA nodig. 'Op de stoel in de badkamer heb ik een paar bebloede vingerafdrukken gevonden. Ik heb die gedigitaliseerd en vergeleken met die van Saïd uit de database. Als bewijs in een rechtbank zou het aantal typica[4] waarschijnlijk niet volstaan, maar ik ben er zo goed als zeker van dat die afdrukken van hem zijn.'

Van Den Eede knikte goedkeurend. 'Knap werk.'

---

4 Typica zijn identificatiepunten. Het Belgische vingerafdrukkensysteem vereist 12 overeenkomstige punten om tot een betrouwbare identificatie te komen.

Tarik legde het verslag op de grenen houten tuintafel en maakte aanstalten om op te staan.

'Volgens Rob werkt gij bij het Gerechtelijk Labo?'

'Dat klopt.'

'Zijt ge tevreden met uw job?'

Het was alsof hij daar zelf nog niet echt over na had gedacht.

'Ja, zeker? Waarom vraagt ge dat?'

'Dat klonk niet echt overtuigend.'

'Ge werkt voor de politie, maar ge hebt toch niet echt het gevoel dat ge politiewerk doet', legde Tarik uit. 'Als ge begrijpt wat ik bedoel.'

'Hebt ge er nooit aan gedacht om eens iets anders te gaan doen?'

Zijn bezoeker keek hem enkele ogenblikken zwijgend aan. 'Zoals?'

'Bij het FAST komen werken, bijvoorbeeld. Wij zouden een goeie spoorzoeker kunnen gebruiken...'

'Dus wéér labowerk?'

'Ja', zei Van Den Eede. 'Maar dat niet alleen...'

Hoewel het nog vroeg was, had de lokale tamtam in de Schaarbeekse Brabantwijk goed zijn werk gedaan. Onder grote belangstelling werden de ouders van Saïd Benachir naar de zwarte Golf GTI-hatchback van Tarik gebracht. De omstanders, bijna allemaal mensen uit de straat, keken boos toe. Een van hen scandeerde iets in het Marokkaans, terwijl hij zijn vuist boven zijn hoofd tegen een denkbeeldige boksbal beukte. Olbrecht verstond een paar keer iets dat klonk als 'djalin' of 'djahim'.

'Wat zei die pipo?'

'Iets wat ik liever niet vertaal', antwoordde Tarik, terwijl hij het achterste portier voor moeder Benachir openhield.

'Dat ge alle twee voor eeuwig zult branden in de hel, zonder dat de dood u komt verlossen!' snauwde vader Benachir voordat ook hij instapte.

Olbrecht keerde zich om en wilde naar de jongen lopen die hen zojuist naar de duivel had gewenst, maar Tarik hield hem tegen en schudde van nee. De groep kijklustigen groeide nog voortdurend aan en de sfeer werd nu ronduit grimmig. Tot opluchting van Tarik volgde Olbrecht zijn raad op. Hij liep met grote stappen terug naar de Golf en ging op de passagiersstoel zitten. Toen ze wegreden, vloog er met een harde klap iets tegen de kofferbak. Moeder Benachir begon van schrik te gillen. Tarik keek in zijn achteruitkijkspiegel. Op het midden van de weg lag een kassei.

Mark Van Den Eede liep gezwind de trappen van blok R op. In zijn rechterhand had hij een vierkante taartendoos vast. Toen hij het bureau binnenkwam, zat Wim Elias geconcentreerd naar zijn computerscherm te staren. Naast hem lag een opengeslagen dossier.

'Goeiemorgen!'

'Dag, Mark', zei Elias, waarna hij rustig de dossiermap dichtvouwde en in zijn la opborg.

'Nog iets nieuws?'

Elias greep naar zijn computermuis en sloot het tabblad, nog voordat Van Den Eede kon zien waarmee hij bezig was geweest. 'Olbrecht heeft laten weten dat ze met de ouders van Benachir onderweg zijn.'

Van Den Eede knikte tevreden en zette de platte kartonnen doos op zijn eigen bureau.

'Oh, ja, en hoofdcommissaris Cogghe heeft gebeld...' voegde hij er schijnbaar terloops aan toe.

'Cogghe?' Hij keek Elias verbaasd aan. 'Waarom?'

'Hij wilde weten hoe ver we staan met ons speurwerk naar Eddy Donckers.'

'En wat hebt ge gezegd?'

'Dat we er volop mee bezig zijn, natuurlijk', antwoordde Elias met een uitgestreken gezicht.

Enkele ogenblikken bleef het stil. Toen schoten beide mannen bijna tegelijkertijd in de lach.

'We zullen er wel iets aan moeten doen', besloot Van Den Eede. 'Anders krijgen we vroeg of laat last met Cauwenberghs, die die pluim graag op zijn eigen hoed zou steken.'

Elias stelde voor om in Leuven met de zus van Donckers te gaan praten.

'Waar is het juist dat ze woont?'

'In de Tiensestraat.'

'Misschien kunt ge haar huis eerst een paar uur in 't oog houden? Zien wie er zoal komen en gaan.'

'Nu?'

Op dat moment hoorden ze beneden de zware metalen deur schurend opengaan en even later weer dichtvallen.

'Nee, straks. Ik wil dat ge eerst, samen met Rob, vader Benachir ondervraagt, terwijl ik hiernaast met zijn vrouw praat.'

Het geluid van voetstappen galmde door de kale traphal. Toen het gezelschap de gang bereikte, konden ze Olbrecht en Tarik geanimeerd onder elkaar horen praten.

'Hij is, verdomme, nog niet eens afbetaald!'

'Ge hebt toch wel een omniumverzekering?'

'Weet ge wat dat kost?'

Tarik kwam met een bedrukt gezicht het bureau binnen. Achter hem verscheen het echtpaar Benachir, dat er al even somber uitzag, op de voet gevolgd door een glimlachende Olbrecht.

Van Den Eede begroette de ouders van Saïd, en vroeg toen of er iets was gebeurd.

'Het was daar intifada', zei Olbrecht, terwijl de Benachirs

bedremmeld om zich heen stonden te kijken. 'Een van hun moslimbroeders heeft een kassei tegen Orhans nieuwe auto gegooid.' Hij maakte met zijn duim en wijsvinger een cirkel. 'Zo'n bluts in zijn koffer.'

'Veel groter!' riep Tarik. 'Dat kost mij minstens een paar honderd euro!'

'Laat maar een bestek maken', zei Van Den Eede. 'Ik zal zien wat ik kan doen.' Waarna hij zich naar Elias keerde. 'Wim, dit is inspecteur Orhan Tarik, onze vierde man. Hij werkt voorlopig nog bij het Gerechtelijk Labo, maar ik hoop dat ik hem daar zo rap mogelijk weg kan halen.'

Beide mannen drukten elkaar de hand. Van Den Eede vroeg aan moeder Benachir of ze hem wilde volgen naar hiernaast.

Ze keek aarzelend naar haar man, die zei dat zijn vrouw zonder zijn toestemming nergens naartoe ging.

'Dat zullen we nog wel eens zien', zei Olbrecht, terwijl hij zich tussen Benachir en zijn vrouw opstelde. 'Dat ge thuis graag de baas speelt, dat weten we. Maar hier hebben wij het voor het zeggen. Begrepen, Mohammed?'

Vader Benachir begon luidkeels te protesteren en eiste meteen een advocaat. Toen Van Den Eede zei dat in België de aanwezigheid van een advocaat bij een eerste verhoor niet verplicht en evenmin gebruikelijk was, sloegen bij Benachir alle stoppen door. Hij had het over een 'fascistenstaat', 'nazipraktijken' en 'een zware schending van de Rechten van de Mens'.

Olbrecht, wiens geduld stilaan op raakte, greep hem opeens vast bij zijn jaskraag en duwde hem neer op een stoel. 'Kop dicht! Als gij gisteren niet tegen ons had gelogen, dan zat ge hier nu niet. Uw vrouw gaat mee naar hiernaast voor verhoor, en gij blijft ondertussen braafjes op die stoel zitten. Of anders...'

Hij haalde zijn handboeien van zijn riem en liet ze voor het gezicht van Benachir bengelen. Die bromde nog wat onvriendelijks in het Marokkaans, maar hield toen toch zijn mond.

Van Den Eede wenkte Tarik, opende de deur en maakte een uitnodigend gebaar naar Saïds moeder.

'Rob gaat er wel graag met vuile voeten door, hé.'

'Soms is dat ook nodig.'

'Als ik hem niet beter kende, dan zou ik nog denken dat hij het niet zo voor allochtonen heeft.'

'Ja', zei Van Den Eede.

En daar bleef het bij. Ze liepen door de gang naar de kamer waar de kampeerstoeltjes en het picknicktafeltje stonden. Moeder Benachir sleepte wat met haar linkervoet.

Van Den Eede vroeg haar om tegenover hen plaats te nemen. 'Excuseer ons voor het gebrekkige meubilair. We zitten hier nog maar pas en hebben nog geen tijd gehad om alles te laten inrichten.'

Moeder Benachir, die haar twijfels leek te hebben over de stevigheid van het kampeerstoeltje, keek nerveus om zich heen. Misschien dacht ze wel dat ze in een cel terecht was gekomen.

Van Den Eede sloeg het dossier open dat Tarik mee had gebracht en op het tafeltje had gelegd. 'Mevrouw Benachir,' begon hij, 'we weten dat ge uw zoon trouw iedere week in de gevangenis zijt gaan bezoeken. Waarom ging uw man nooit mee?'

De vrouw drukte haar handen samen in haar schoot en boog beschaamd haar hoofd. 'Omdat hij wilde niet.'

'Waarom niet?'

Ze haalde vermoeid haar schouders op. 'Hij vond dat...' Ze zocht blijkbaar naar het juiste woord. '...vernéderend. Mijn man is heel trots.'

Van Den Eede keek naar Tarik, die begreep dat hij aan zet was.

'Sabah al Khair', zei hij vriendelijk, terwijl hij zijn handen samenvouwde voor zijn borst en een lichte buiging maakte.

Moeder Benachir beantwoordde zijn groet en slaagde er zelfs in even te glimlachen. Tot verbazing van Van Den Eede ging Tarik ook daarna nog in het Marokkaans verder, waarna hij een antwoord kreeg waar geen einde aan leek te komen. Van Den Eede keek van de een naar de ander en had het gevoel dat hij er voor Piet Snot bij zat. Het heen en weer gepraat bleef zo nog een tijdje doorgaan. Toen viel het gesprek opeens stil.

Tarik knikte dankbaar naar moeder Benachir, en wendde zich toen tot Van Den Eede. 'Het was precies gezellig zo ondereen.'

'Ze zegt dat ze altijd haar best heeft gedaan om haar kinderen als goede moslims op te voeden, maar bij Saïd is dat spijtig genoeg niet gelukt. Waarschijnlijk omdat hij altijd de lieveling van zijn vader is geweest.'

Van Den Eede keek hem fronsend aan.

'Marokkaanse jongens, en dan zeker de eerstgeborene, krijgen een ander soort opvoeding dan meisjes. Veel vrijer en zelfstandiger. Als de vader er niet is, zijn zij plaatsvervangend gezinshoofd.'

'Met andere woorden,' verzuchtte Van Den Eede, 'Saïd heeft van in het begin zijn goesting mogen doen.'

Tarik maakte een hoofdbeweging die het midden hield tussen een ja en een nee. Van Den Eede vroeg zich af of hij misschien ook de oudste van het gezin was. Hij nam zich voor om er bij gelegenheid Tariks dossier eens op na te slaan.

Tarik leek zijn gedachten te raden, en zei met een onbewogen gezicht dat hij thuis de jongste was.

Van Den Eede knikte glimlachend.

'Volgens zijn moeder heeft Saïd vroeger hard zijn best gedaan om aan werk te geraken', vervolgde Tarik. 'Hij heeft jarenlang gesolliciteerd bij allerlei firma's en in fabrieken, maar toen dat niet lukte, is hij hoe langer hoe meer verbitterd geworden in alles en iedereen.'

'Dat kan ik nog begrijpen', zei Van Den Eede. 'Maar als iedereen die geen werk heeft aan het stelen en moorden moest gaan, dan zou het er lief uitzien.'

Moeder Benachir had hem vast begrepen, want ze sloeg beschaamd haar ogen neer en mompelde vervolgens iets in het Marokkaans.

Van Den Eede keek vragend naar Tarik, wachtend op een vertaling die er niet leek te komen. 'Wat zei ze?'

'Dat het eigenlijk ook de schuld van de Belgische rechters is', zei Tarik voorzichtig. 'Als die haar zoon van in het begin wat harder hadden aangepakt in plaats van altijd alles maar door de vingers te zien, dan was het waarschijnlijk nooit zover gekomen.'

Van Den Eede knikte instemmend. 'Hebt ge haar over de labo-uitslagen verteld?'

'Dat ga ik nu doen.'

Waarna hij weer op Marokkaans overschakelde. Toen hij zijn uitleg had gedaan, antwoordde moeder Benachir niet meteen. Ze zuchtte diep en veegde een opkomende traan weg. Aan de manier en de toon waarop ze daarna begon te spreken, kon Van Den Eede horen dat het een bekentenis was. Wanneer mensen logen, merkte hij dat vaak aan de klankkleur van hun stem, die veranderde. Er waren er die stiller gingen praten, maar de meesten spraken net iets harder, alsof ze hun leugen daarmee meer overtuigingskracht wilden geven. Vroeger, voordat hij bij het SIE was, had hij heel wat ondervragingen geleid. Zijn collega's hadden hem wel eens 'de leugendetector' genoemd. Wie op het punt staat een bekentenis af te leggen of iets toe te geven, verandert ook van toon, soms nog voordat hij de woorden heeft uitgesproken waarop de ondervrager zit te wachten. Van Den Eede noemde dat 'de modulaties' van het verhoor. Soms was hóé een verdachte iets zei belangrijker dan wat hij vertelde. Een ondervrager die geen gevoel had voor zulke nuances miste iets heel belangrijks.

'Ze geeft toe dat Saïd eergisterenavond thuis is geweest', zei Tarik. 'Hij is daar rond een uur of elf aangekomen, helemaal uitgeput door het bloedverlies. Ze had meteen een dokter willen bellen of met hem naar het ziekenhuis rijden, maar dat wilde hij niet. Zijn vader heeft toen een van Saïds zussen opgebeld. Die werkt als verpleegster in het AZ. Zij zag natuurlijk direct dat het een schotwond was. Ook zij heeft haar broer proberen te overhalen om met haar mee naar het ziekenhuis te rijden, maar zonder succes. Ze heeft de wond ontsmet en is erin geslaagd het bloeden te stelpen. Daarna is ze terug vertrokken. Ze had nachtdienst en had iemand haar plaats laten innemen.'

Van Den Eede wendde zich tot moeder Benachir. 'Waar is uw zoon nu, mevrouw?'

'Ik, eerlijk, niet weten.'

'Maar u weet wel dat hij zwaargewond is, en dringend medische verzorging nodig heeft?'

Aan haar wanhopige reactie te zien besefte ze dat maar al te goed. 'Als ik zou weten, waar hij is, ik zou direct zeggen. Anders hij misschien doodgaat of nog stommiteiten bij doet!'

Van Den Eede geloofde haar. 'Weet u met wie Saïd contact had vooraleer hij in de gevangenis belandde?'

Ze schudde van nee.

'Kameraden?'

'Hij bracht die nooit mee naar huis.'
'Was hij bij een club? Had hij een stamcafé?'
'Ik denk van niet. Misschien mijn man kan u meer vertellen daarover?'
'Of hij dat ook wil,' mompelde Van Den Eede, 'dat is een andere vraag.' Tarik zei wat in het Marokkaans, waarop moeder Benachir zich iets leek te herinneren. Ze begon ratelend te praten, zweeg toen opeens en begon vervolgens in haar grote, diepe handtas te rommelen. Van Den Eede keek vragend naar Tarik, maar die gebaarde dat hij geduld moest hebben. Moeder Benachir leek eindelijk te vinden wat ze zocht. Een verfrommeld blaadje papier, dat ze voorzichtig openvouwde en op het tafeltje gladstreek. Het was een foto uit een modetijdschrift, van een lachend meisje met een grote zonnebril, dat poseerde onder een soort strooien hutje, tegen een achtergrond van zee en strand. Ze had lang loshangend zwart haar, droeg een witte zomerjurk met daarover een mouwloos vest met franjes, en hield haar sandalen losjes in haar rechterhand.
'Wat hebt ge haar eigenlijk gevraagd?'
'Of hij ooit een vast lief heeft gehad', antwoordde Orhan Tarik.
Van Den Eede keek nog eens naar de foto, met enige verbazing ditmaal. 'Is ze dat?'
'Ja, maar hoe ze heet, dat weet ze niet meer.'
'Als we de naam van dat tijdschrift zouden kennen, dan kan het niet moeilijk zijn om haar te vinden.'
'Die weet ze nog wel.' Tarik glimlachte. 'Het is een zomercataloog van 3 Suisses...'

Toen ze het bureau binnenkwamen, lag Olbrecht rustig achterovergeleund in Van Den Eedes stoel, met zijn voeten op de hoek van het bureau en zijn handen als een kopsteun achter zijn hoofd gevouwen. Wim Elias tikte iets in op het toetsenbord van zijn computer. Op het scherm verschenen twee foto's, van een man en een vrouw. Vader Benachir, die verveeld aan de kralen van zijn *tasbih* zat te frutselen, hield daar meteen mee op toen hij zijn vrouw zag. Hij sprong overeind en vroeg aan Van Den Eede of ze nu eindelijk mochten gaan. De commissaris keek vragend naar Olbrecht, die traag van nee schudde, terwijl hij zijn voeten van het bureau haalde.

'Uit die vent komt geen zinnig woord. Weet ge wat hij antwoordde toen ik zei dat een nachtje in den bak hem misschien goed zou doen? Insjallah!'

Van Den Eede liet Benachir de foto uit het modeblad zien. 'Herkent ge die?'

Toen hij de foto zag, viel Benachir uit in het Marokkaans, eerst tegen zijn vrouw, daarna tegen Van Den Eede, die de gutturale klanken kalm en zonder hem te onderbreken aanhoorde.

'Hij zei dat ze een onreine, smerige hoer is, die niet welkom was onder zijn dak', vertaalde Tarik. 'Als Saïd trouwt, dan zal het met een vrome moslima zijn, en niet met een slet.'

'Dan zal hij toch eerst braaf zijn straf moeten uitzitten', zei Olbrecht.

'Haar naam, dat is alles wat ik vraag', drong Van Den Eede aan.

Maar Benachir kneep zijn lippen stijf op elkaar en keek de andere kant op. Van Den Eede besloot het daarbij te laten. Ze hadden met die koppige man al tijd genoeg verloren. 'Breng ze maar terug naar huis, Rob.'

Dat wilde vader Benachir echter niet. Hij stond erop het openbaar vervoer te nemen. Hij greep zijn vrouw bij haar arm, trok haar mee naar buiten en sloeg de deur hard achter zich dicht.

Olbrecht begon te grinniken. 'Zou hij weten dat de eerste bushalte hier minstens een halve kilometer vandaan ligt?'

Van Den Eede stopte hem de foto van het poserende meisje in de handen. 'Fax die naar de redactie van 3 Suisses. Vraag wie dat is en waar ze woont.' Waarna hij naar Elias ging, op wiens computerscherm nog altijd de foto's van een man en een vrouw te zien waren. 'En wie zijn dat?'

'Dit is Riet Donckers, de oudere zus van Eddy. En dat is haar man, Nico De Volder. Ge weet wel, die met zijn productiehuis. Als Eddy Donckers contact met hen heeft gezocht, dan denk ik niet dat het is om daar onder te duiken.'

'Waarom dan wel?'

'Ik heb via de Nationale Bank eens nagekeken hoe het met die vennootschap van De Volder zit. Vorig boekjaar werd afgesloten met een nettoverlies van ongeveer 400.000 euro.'

'Hij is dus zo goed als failliet?'

'Het was eerder een tijdelijk liquiditeitsprobleem, dat ondertussen is opgelost.'

'Zoveel te beter voor hem', zei Van Den Eede. 'Maar wat heeft dat met ons of met Eddy Donckers te maken?'

'Eddy's vader was een schatrijke vastgoedmakelaar. Twee jaar geleden is hij samen met zijn vrouw omgekomen in een auto-ongeluk. Een testament was er niet, zodat de erfenis gelijk werd verdeeld onder hun twee kinderen. Maar aangezien hun zoon op dat ogenblik in Frankrijk een gevangenisstraf van tien jaar uitzat, vroeg en kreeg de dochter het beheer over zijn aandeel, vooral bouwpercelen en grond die bedoeld was als uitbreidingsgebied voor industriezones. Riet heeft het jaar daarop haar eigen deel van de nalatenschap met flink wat winst verkocht. Dat van haar broer heeft ze ondergebracht in de vennootschap van haar man.'

'Die dat heeft gebruikt als onderpand om zijn schulden af te lossen', begreep Van Den Eede. 'In de veronderstelling dat zijn schoonbroer nog voor een hele tijd vastzat.'

Elias knikte.

'Ik denk niet dat Eddy Donckers daar hard mee zal kunnen lachen, als hij dat ontdekt', zei Tarik.

'Kunt ge de erfenis van iemand anders, waar ge het beheer over hebt, zomaar hypothekeren, zonder zijn toestemming?'

Elias betwijfelde dat. 'Maar zoals ge weet, kan in België zowat alles, als ge maar genoeg geld hebt en de juiste personen kent.'

'En dat zijn in dit geval?'

'Op zijn minst een notaris. Eventueel ook een onderzoeksrechter die het lopende dossier kan beïnvloeden.'

'Als Riet Donckers en haar man Eddy in de zak hebben gezet, dan doen ze het nu waarschijnlijk in hun broek van de schrik. Ze hebben er dus alle belang bij dat hij zo rap mogelijk terug achter de tralies zit. En daar kunnen wij alleen maar van profiteren.'

Olbrecht legde tevreden de hoorn neer, greep naar de verkreukelde foto van het poserende meisje en wapperde ermee alsof hij zichzelf koelte wilde toewuiven. 'Heren, mag ik u voorstellen: Els Deweerdt, 25 jaar, freelance fotomodel, ongetrouwd. Woonde vroeger in Kraainem. Maar ongeveer een maand na Saïds veroordeling is ze naar Halle verhuisd.'

'Woont ze daar alleen?'

'Geen idee. Maar aangezien ze hem geen enkele keer heeft bezocht in de gevangenis, denk ik wel dat het uit is met de liefde.'

Een conclusie waarmee Van Den Eede het eens was.

Elias sloot zijn computer af en kwam overeind. 'Zal ik dan nu eens gaan kijken hoe het bij Riet Donckers zit?'

Van Den Eede keek op zijn horloge. Bijna middag. Hij hoefde zich vandaag geen zorgen te maken om Stijn, aangezien Linda hem van school zou afhalen. Maar hij had haar wel beloofd om vanavond op tijd thuis te zijn.

'Doe dat. En neem Orhan mee. Ondertussen gaan Rob en ik langs bij Els Deweerdt.'

'Ik heb eerst nog een vraag', zei Elias. 'Wat zit er eigenlijk in die platte doos die daar staat?'

Van Den Eede begon te lachen. 'Goed dat ge 't zegt! Ik zou het nog vergeten.'

Hij nam de doos vast en opende die. Er zat een grote, ronde puddingtaart in, belegd met kiwi's, aardbeien, stukjes banaan, ananas en halve druiven.

'Het worden er vandaag 43', verzuchtte hij.

12

Onze-Lieve-Vrouwe van Halle met haar ballen, zo noemt de plaatselijke bevolking de Zwarte Madonna die boven op het neogotische hoofdaltaar van de Sint-Martinusbasiliek troont en de stad al eeuwenlang geen windeieren legt. Het beeld is immers de trekpleister van de zuidelijkst gelegen Vlaamse stad die, op een steenworp afstand van Brussel, op de grens van het Pajottenland en de Brabantse Ardennen ligt. Volgens de legende zou de Madonna in 1489 een genadeloze belegering, door de legers van Filips van Kleef, hebben afgeslagen, door de aanstormende kanonskogels in haar mantel van notelaarshout op te vangen. Een heldendaad, die haar gezicht en handen echter voorgoed donker van het buskruit heeft gekleurd. De projectielen liggen nog altijd in een nis achter in de gotische kerk.

Van Den Eede en Olbrecht waren echter niet gekomen om de basiliek te bezoeken. Ze staken het Stationsplein over, in de richting van de brug over het Kanaal Brussel-Charleroi. Oude Hallenaren spraken nog altijd van het 'kolenafvoerkanaal', ook al passeerden hier al jaren geen steenkoolschepen meer. Het water was inktzwart en stonk door de hitte van de voorbije dagen. Dat er geen dode vissen op dreven, kwam waarschijnlijk doordat er al lang geen meer in rond zwommen.

Ze kwamen op de Willamekaai.

'En nu?'

Olbrecht keek op zijn plattegrond en wees naar rechts. Ze staken de straat over, die lichtjes afhelde. Van hieruit leek het dak van het station op een reusachtige deltavlieger. De spoorlijn van Halle was een van de oudste van het land. Na een honderdtal meter wees Olbrecht naar een herenwoning. Een art-nouveaupareltje, met een trapgevel en een erker boven enkele prachtige glas-in-loodramen. 'Nummer elf. Daar is het.'

Het huis stond ingeklemd tussen twee kleine, saaie appartementsgebouwen.

'Zoiets kan natuurlijk alleen maar in België', zei Van Den Eede.

Ze beklommen het trapje en belden aan. Het duurde eventjes voor ze stappen hoorden en het gezicht van een vrouw in de deuropening verscheen.

'Juffrouw Deweerdt?' vroeg Van Den Eede, ook al had hij haar meteen herkend.

De vrouw knikte, terwijl ze verbaasd naar de legitimatiekaarten keek die de twee mannen haar toonden.

'Ik ben commissaris Van Den Eede, en dit is inspecteur Olbrecht. Kunnen wij u even spreken?'

'Waarover?'

'Dat leggen we binnen wel uit', zei Olbrecht.

Els Deweerdt aarzelde, alsof ze het niet helemaal vertrouwde, maar deed dan toch de deur verder open. Van Den Eede zag nu dat ze hoogzwanger was. Ze kwamen niet in een gang, zoals hij had verwacht, maar in een ovaalvormige hal met een marmeren tegelvloer. Het diffuse licht dat er binnenviel, kwam waarschijnlijk van een glazen koepel op het dak en van een langwerpig mat raam dat was beschilderd met gele, groene en rode bloemen die op hortensia's leken. Of waren het orchideeën? Van Den Eede had geen geheugen voor bloemennamen, iets wat Linda maar niet kon begrijpen. Als het op het analyseren en onderzoeken van een misdaad aankwam, had hij oog voor het kleinste detail, maar kenmerkende eigenschappen van planten kon hij met de beste wil ter wereld niet uit elkaar houden. Soms dacht Linda dat hij het opzettelijk deed en dat hij haar voor de gek hield.

Onder het matglazen raam prijkte, op een verhoging, een donkergroene fauteuil met drie fluwelen kussens. De kleine ruimte aan de linkerkant ervan, afgebakend met lichtbruine boogvormige panelen versierd met slingerplantachtige motieven, werd bijna helemaal opgevuld door een terracotta bloempot waarin metershoge stengels pampagras met wuivende pluimen stond. Rechts klom een brede houten trap, die zo te ruiken pas met vernis was behandeld, via een overloop, naar de tweede verdieping. De leuning ervan bestond uit kunstig uitgewerkt smeedijzer. Links en rechts gaven twee hoge openstaande deuren uit op de hal. Ze hadden gekleurde en in lood gevatte rechthoekige ruitjes en ervoor hingen stoffen gordijntjes die onderaan werden samengehouden door een dik touw. Het harmonieuze interieur leek meer op een zorgvuldig uitgekiend kunstwerk dan op een ontvangsthal en wekte de indruk dat je een museum binnentrad. Els Deweerdt maakte een uitnodigend gebaar naar de linkerdeur.

'Dat is hier wat anders dan bij ons in de Géruzet', zei Olbrecht langs zijn neus weg, terwijl ze een al even indrukwekkende woonkamer binnengingen. 'Ik wist niet dat fotomodellen zo veel verdienden.'

Op de warm glanzende parketvloer lag een Perzisch tapijt waarin vooral planten en vogels waren verweven. Drie wanden hadden gestileerde lambriseringen. De vierde bestond uit een groot dubbel schuifraam dat openstond en uitzicht bood op een klein ommuurd tuintje met een ban-kirai zonneterras. Overal in de kamer stonden oosters aan-doende lampenkappen. De ingebouwde boekenkast puil-de uit van de dure kunst- en fotoboeken, en op de houten stoelen en zitbanken lagen rode kussens, die het interieur iets erotisch gaven. Op de schouw boven de smeedijzeren open haard hing een ronde spiegel die werd omgeven door goudkleurige zonnestralen.

Els Deweerdt wees naar een tweepersoonszitbank. 'Kan ik u iets te drinken aanbieden?'

Van Den Eede bedankte, maar Olbrecht wilde weten of ze misschien cola in de ijskast had staan. Ze keek nog eens naar de commissaris, die dan toch maar een glas water vroeg. Els Deweerdt ging naar de keuken.

Ze had haar rug nog niet gekeerd, of Olbrecht imiteerde met zijn hand haar bolle buikje, en begon toen op zijn vin-gers te tellen. 'Het zou van Saïd kunnen zijn.'

Van Den Eede knikte weifelend. Els Deweerdt kwam terug de woonkamer in, met in haar handen een dienblad waar-op twee glazen water en een glas cola stonden. Olbrecht haastte zich om haar te hulp te schieten.

Nadat ze allemaal een verfrissende slok hadden genomen, besloot Van Den Eede om meteen ter zake te komen. 'Juf-frouw Deweerdt, klopt het dat u de vaste vriendin van Saïd Benachir bent geweest?'

Ze glimlachte op een manier die verraadde dat ze die vraag had verwacht. 'Een maand of drie', zei ze. 'Kun je dat al vást noemen?'

Van Den Eede wilde weten waarom ze weer uit elkaar waren gegaan.

'Zijn vader was ertegen', antwoordde Els Deweerdt. 'Toen die ontdekte dat zijn zoon omgang had met een ongelo-vige, dreigde hij ermee hem te onterven. Hij heeft trouwens een rijke neef die zijn dochter maar al te graag zou uithuwelijken aan Saïd.'

'En dat vriendje van u legde zich daar zomaar bij neer?' zei Olbrecht. 'Gewoon omdat zijn vader het niet goedvond?'

'Ten eerste is hij mijn vriendje niet meer, en ten tweede ben ik degene die het uit heeft gemaakt.'

'Waarom?'

'Omdat hij wilde dat ik mij tot de islam bekeerde. Dan waren volgens hem alle problemen ineens opgelost.'

'Volgens mij beginnen ze dan pas voor een vrouw', vond Olbrecht.

Van Den Eede vroeg hoe Saïd op haar beslissing had gereageerd.

'Slecht', verzuchtte Els. 'Hij is mij nog zeker een week lastig blijven vallen met telefoontjes, sms'jes en mailtjes. Twee keer heeft hij aan de deur gestaan, maar ik heb hem niet binnengelaten.'

'Dat heet stalken', zei Olbrecht. 'Waarom hebt ge de politie niet verwittigd?'

'Omdat het niet meer nodig was. Een paar dagen later is hij opgepakt voor een of andere gijzeling, waarbij doden zijn gevallen.'

Olbrecht keek tersluiks naar Van Den Eede. Alleen een nauwkeurige observator kon merken dat er iets veranderde in diens gezicht. De kaakspieren van de commissaris trilden lichtjes en zijn neusgaten gingen wat verder open terwijl hij diep inademde.

'U weet dat Benachir begin deze week, tijdens zijn overbrenging naar het Justitiepaleis, is ontsnapt?'

'En dat hij daarbij een man heeft doodgeschoten en een andere heeft gegijzeld', voegde Olbrecht er dadelijk aan toe.

Els Deweerdt knikte, terwijl ze naar de grond keek. 'Ik heb het in de krant gelezen', zei ze met een doffe stem.

'Heeft hij sindsdien contact met u gezocht?' vroeg Van Den Eede.

Ze schudde van nee.

'Zelfs geen telefoontje of een sms?' drong Olbrecht aan.

'Nee, niets.'

'Heel zeker?'

Ze sloeg haar ogen op en keek hem verbaasd aan. 'Gelooft u mij niet?'

De manier waarop Olbrecht terugkeek, had iets fixerends. Als ze haar ogen afwendt, zit ze te liegen, dacht Van Den Eede. Maar dat deed ze niet.

'Zou ik hier eens mogen rondkijken?'

Haar verbazing werd nog groter.

'Waarom?'

'Gc weet maar nooit', zei Olbrecht ontwijkend.

Els Deweerdt keek naar Van Den Eede, alsof het antwoord van hem moest komen.

'Ik zie echt niet in wat u daarmee hoopt te bereiken', zei ze kalm. 'Maar als u vindt dat het nodig is... ga uw gang.'

Van Den Eede kwam glimlachend overeind en haalde een adreskaartje uit zijn binnenzak. 'Als hij toch contact met u zou zoeken, wilt u ons dan direct verwittigen?'

Ze nam het kaartje aan, keek er even naar en knikte. 'Oké. Al verwacht ik het niet. Hij weet nict eens dat ik ben verhuisd.'

Olbrecht kwam nu ook overeind. Hij keek verongelijkt.

Toen ze in de hal kwamen, bleef Van Den Eede staan. 'Voor wanneer is de bevalling?'

Els Deweerdt glimlachte, terwijl ze haar linkerhand op haar buik hield. Zoals ze daar ongeweeglijk in die prachtige ruimte stond, had ze iets van een klassiek beeldhouwwerk.

'Voor heel binnenkort', zei ze ontwijkend. 'Als alles goed gaat, tenminste.'

155

'Waarom zou het niet goed gaan?' zei Van Den Eede. Op dezelfde vriendelijke toon vroeg hij of Saïd de vader was. De glimlach op het gezicht van Els Deweerdt verdween meteen. Ze schudde van nee.

'Van wie dan wel?' vroeg Olbrecht.

Eerst leek het erop dat ze niet wilde antwoorden, maar toen zei ze dat het van een Franse modefotograaf was die ze had leren kennen tijdens een fotoshoot. Benachir zat toen al in de gevangenis. Het was niet meer dan een vluchtig avontuurtje geweest. Ze wist niet eens waar hij woonde, en had ook geen enkele moeite gedaan om dat te achterhalen.

Olbrecht wilde weten waarom ze geen abortus had laten uitvoeren.

Els Deweerdt keek hem beledigd aan. 'Ik zie niet in waarom een onschuldig kind zou moeten boeten voor de stommiteit van de moeder', zei ze. 'U wel?'

Olbrecht leek even uit zijn lood geslagen, maar herpakte zich snel. 'Wat ik daarover denk, is niet belangrijk', antwoordde hij. Waarna hij de voordeur opentrok en naar buiten stapte.

'Wat was dat allemaal daarjuist?' vroeg Van Den Eede, toen ze weer in de brandende zon langs het stinkende kanaal liepen.

'Niks. Zeg liever waarom ik niet mocht rondkijken in dat huis.'

'Omdat ik denk dat ze de waarheid sprak.'

Olbrecht keek hem zijdelings van onder een opgetrokken wenkbrauw aan. 'Ik niet', zei hij. 'Een vrouw die zich zwanger laat maken door een vreemde, en tóch die kleine wil houden?' Hij stak zijn hand uit met de palm naar boven. 'Daar geloof ik niks van. Wedden voor 50 euro dat die Marokkaan wél de vader is?'

Van Den Eede ging daar niet op in. 'Benachir móét zich

ergens hebben laten verzorgen. Hij kan niet blijven rond-lopen met een kogel in zijn schouder.'
'Tenzij hij het niet heeft overleefd', zei Olbrecht, 'en we op zoek zijn naar een dode.'

De zwarte Chrysler PT Cruiser Limited Edition van Elias stond in de kronkelige Tiensestraat schuin tegenover het huis van Riet Donckers geparkeerd. De woning was opge-trokken in een combinatie van natuur- en blauwe hard-steen, typisch voor de 'wederopbouwstijl' van na de Eerste Wereldoorlog. Aan de gevel hing een koperen plaat met daarop: 'Expert Vision – Publishing & Video-Production'. Voor de rest was aan niets te zien dat er in het gebouw een bedrijf was gevestigd. In de loop van de middag waren er welgeteld drie mensen langs geweest, van wie Tarik foto's had gemaakt. Waarschijnlijk klanten die een afspraak had-den, want nadat ze hadden aangebeld en iets in de intercom hadden gezegd, was de deur telkens met de afstandsbedie-ning geopend.

Hoewel de auto in de schaduw stond en de vier raampjes plus het schuifdak waren geopend, was het er sniklheet in. Eigenlijk was het geen wagen om een observatie mee te doen. Daarvoor trok hij te veel aandacht. Sommige voorbijgan-gers bleven zelfs even staan om ernaar te kijken, waarschijn-lijk in de veronderstelling dat het een Oldtimer was. De beschadigde Golf van Tarik hadden ze bij zijn garage ach-tergelaten, waar de schade zou worden opgenomen.

'Ik ben eens benieuwd wat dat grapke met die kassei mij gaat kosten', zei Tarik, terwijl hij zijn Ray Ban-zonnebril uit zijn borstzakje nam en opzette. 'Stel dat het niet bij uitblutsen blijft, en dat heel de achterkant moet worden herspoten.'

Net zoals Van Den Eede vond Elias dat het niet aan Orhan

was om op te draaien voor die kosten. Maar Tarik was er toch niet gerust op. Bovendien was het een nieuwe auto. Er stond nog geen 10.000 kilometer op de teller.

'Iets meer dan gij er hebt gedaan.' Hij greep met zijn linkerhand de ronde versnellingspook vast. 'Al ziet hij er natuurlijk veel ouder uit dan hij is, met die retrolook.'

'Hij heeft zijn voor- en tegenstanders. Sommige mensen geraken er niet op uitgekeken, andere vinden hem dan weer ronduit lelijk.'

'Maar gij houdt van retro?'

'Niet speciaal', zei Elias, terwijl hij de zonneklep wat omlaag trok. 'Dat was meer iets voor mijn vrouw.'

Tarik liet de versnellingspook los en keek zijn partner aan.

'Wás?'

Elias leunde met zijn elleboog op het geopende raampje en keek met half dichtgeknepen ogen naar buiten.

'Mijn vrouw is dood. Ze is vorig jaar verongelukt.' Hij veegde traag met zijn vingertoppen over de rand van de grote ovale buitenspiegel, alsof hij die zachtjes wilde strelen.

'Sorry, Wim. Daar wist ik niks van.'

'Geeft niet.' Hij liet zijn hoofd tegen de steun rusten.

'Kinderen?'

Elias schudde van nee. 'Sofie kon er geen krijgen. We hebben een tijdje aan adoptie gedacht, maar uiteindelijk is het er niet van gekomen.'

Hij streek de haarlok die zijn voorhoofd half bedekte opzij. Het gebaar gaf hem iets jongensachtigs.

'Misschien al goed. Met het soort werk dat ik doe.'

Tarik knikte zwijgend.

Een lijnbus passeerde met veel lawaai en liet een wolk van stof en uitlaatgassen achter zich, waardoor Elias een hoestbui kreeg. Toen die voorbij was, schraapte hij zijn keel en vroeg met een hese stem of er nog water was.

Tarik greep naar de kleine koelzak die naast hem stond, ritste die open en haalde er een kwartliterflesje uit. 'Het laatste.'

Hij gaf het aan Elias, die het dopje eraf schroefde, het flesje aan zijn lippen zette, in één keer half leegdronk en teruggaf.

Tarik bedankte en zei dat hij de rest ook mocht hebben. Hij keek naar het huis van Riet Donckers en zuchtte verveeld. 'Volgens mij zitten wij hier onze tijd te verdoen.'

Elias dronk het flesje verder leeg, schroefde het dopje er weer op en smeet het op de achterbank.

'Ik denk dat ge gelijk hebt.'

Hij sloot de ramen, liet het schuifdak openstaan, en stapte uit.

Tarik vroeg wat hij van plan was. Ze waren hier toch alleen maar om te observeren?

'Ja', zei Elias. 'Maar zoals ge zelf zei, brengt dat ons niks verder.'

Tarik opende zijn portier en stapte ook uit. Elias klikte zijn auto op slot, waarna ze samen de straat overstaken. Nadat ze hadden aangebeld, klonk er een vrouwenstem uit de intercom, die vroeg of ze een afspraak hadden. Elias antwoordde dat ze van de politie waren en graag even met mevrouw Donckers zouden praten.

'Momentje.'

Er was wat heen en weer gepraat aan de andere kant, waarvan Elias geen woord verstond. Toen zei de stem dat ze binnen konden komen en in de gang mochten wachten. Er klonk een luid gezoem, gevolgd door een droge klik. Elias duwde de deur open. Ze kwamen in een lange, smalle gang die uitgaf op een kleine lift en haaks op een tweede gang stond. Tegen de hoge muren, die in oogverblindend geel waren geverfd, hingen om de paar meter reclameposters voor van alles en nog wat: parfum, auto's, kleding, whisky, bankinstellingen, zelfs films. Van die laatste herinnerde Elias zich dat hij sommige ooit in het straatbeeld had gezien.

Het raampje van de liftdeur lichtte op. De deur ging open en een vrouw van middelbare leeftijd, met geblondeerd haar en gekleed in een sexy zwart zomerjurkje dat tot net boven haar knieën reikte, stapte uit en kwam op hen afgelopen. Haar glanzend rood gestifte lippen – dezelfde kleur als de pumps die ze droeg – en het leren bandje rond haar hals gaven haar iets hoerigs. Elias zou zich haar best voor kunnen stellen in een leren SM-pakje met een zweepje in haar hand.

'Dag, heren. U wilde mij spreken?' vroeg ze met een professioneel glimlachje.

Wim Elias stelde zichzelf en Tarik voor. Riet Donckers nodigde hen uit om haar naar 'de privé' te volgen. Terwijl ze achter haar aan liepen, trok Tarik een gezicht van 'olala'. Aan de lift sloeg Riet links af. De muren waren hier rood geschilderd, en in plaats van reclameposters hingen er ingelijste natuurfoto's die met veel psychedelische effecten waren bewerkt, waardoor het landschappen van een andere planeet leken. Ze passeerden nog twee deuren voordat Riet er een opende. Ze liet Elias en Tarik voorgaan.

De witte ruimte waarin ze terechtkwamen, baadde letterlijk in het licht dat door de vele glasramen naar binnen viel. Toch was het er heerlijk koel. De kamer gaf uit op een ommuurd tuintje met een aangelegde vijver. De planten hingen er maar slapjes bij, maar ondanks de aanhoudende zomerse hitte was er in het kortgemaaide gazon geen enkele droge of verkleurde plek te zien. Het lag erbij als na een malse regenbui. Het interieur zelf was sober maar op en top design. Op de vloer lag parket, aangelegd in visgraatvorm. De tafel bestond uit een blinkend metalen

frame waarop een glazen blad rustte. Ook de stoelen eromheen waren van glas, tot zelfs de rugleuning toe, net als de
halfcirkelvormige luchter die de hele kamer vervormd en
in het klein weerspiegelde. Aan het andere uiteinde van de
kamer was een zithoek, met een gekromd bankstel waarvan het ontwerp eerder kunstig dan praktisch was. De enige
plant in de kamer was een reusachtige palmvaren in een donkerbruine stenen pot. Helemaal rechts klommen de treden
van een wenteltrap langs een ronde witte paal naar de volgende verdieping.

Riet Donckers vroeg waar ze het liefst wilden zitten. Elias
koos voor de ongemakkelijke glazen stoelen met de kaars-
rechte rugleuning. Hij moest even glimlachen toen hij zag
hoe voorzichtig Tarik plaatsnam, alsof hij vreesde dat het
glazen zitvlak het elk moment kon begeven. Riet vroeg of
ze zin hadden in een lekker koud wit wijntje. Elias en Tarik
bedankten. Ook een ijsgekoelde martini sloegen ze af. Riet
schonk er voor zichzelf een in en vroeg of ze dan helemaal
niets wilden drinken. Elias vroeg water, dat ze even later in
een lang smal glas met een zware voet en met veel ijs kregen
opgediend. Vorm leek hier in alles het overwicht te hebben
op inhoud, dacht Elias, alsof ze de strategie van hun reclamebedrijf consequent naar hun privéleven door hadden
getrokken. Hoe smaakvol en aantrekkelijk ook, het had
allemaal iets glads, waar hij niet van hield.

'U komt zeker in verband met mijn broer?' vroeg ze, waarna ze van haar glas nipte.

'Wij hebben inderdaad de vraag van de Franse politie gekregen om hem op te sporen en uit te leveren', zei Elias. 'En
we dachten dat u ons daarbij misschien kon helpen.'

'Ik zie niet goed in hoe.'

'We weten dat hij een paar keer telefonisch contact met
u heeft opgenomen', zei Tarik.

Riet Donckers ontkende dat niet, maar voegde er meteen aan toe dat het daarbij was gebleven. Met haar broer wilde ze niets meer te maken hebben.

'Waarom heeft hij u dan opgebeld?'

'Om te vragen of hij hier een tijdje kon komen logeren, zoals hij dat noemde.' Ze zette haar glas opnieuw aan haar blinkende lippen en nam deze keer een grote slok. Elias en Tarik wisselden even een blik. 'Ik heb natuurlijk nee gezegd.'

'Maar daar nam hij geen genoegen mee?'

'Hoe bedoelt ge?'

'Omdat hij u later nog twee keer heeft getelefoneerd. Vooral het laatste gesprek, op 19 juni, heeft tamelijk lang geduurd.' Elias sloeg er zijn notitieboekje op na. 'Twee minuten en 47 seconden om precies te zijn.'

Riet Donckers leek verrast door de gedetailleerde informatie waarover de speurders beschikten.

'U bent blijkbaar goed op de hoogte?' zei ze met een gespannen glimlach.

Tarik vroeg waar dat gesprek toen over ging.

'Hetzelfde als de twee vorige', antwoordde Riet. Ditmaal klonk er een lichte wrevel in haar stem door. 'Hij was ondertussen gaan aankloppen bij zijn ex-vrouw, in Lyon, maar die had natuurlijk de deur voor zijn neus dichtgeslagen. Toen ik herhaalde dat hij hier ook niet welkom was, werd hij kwaad.'

'Waarom heeft u de politie niet verwittigd?' vroeg Elias. 'U had ons kunnen vertellen waar hij zat.'

'Dat wist ik helemaal niet. En daarbij...' Ze keek nadenkend naar haar glas martini, dat ze zachtjes ronddraaide in haar hand, zodat het ijs een tinkelend geluid maakte. 'Wat hij ook heeft gedaan, het blijft nog altijd mijn broer', voegde ze eraan toe met een breekbaar stemmetje.

Elias kreeg steeds meer het gevoel dat ze een rol speelde in een reclamespotje.

'En daarna heeft hij op geen enkele manier meer contact met u gezocht?' drong Tarik aan.

'Nee. Ik denk dat hij na dat derde telefoontje wel had begrepen dat hij hier niet welkom was.'

'Weet uw man van die gesprekken?'

'Waarom zou hij? Nico en mijn broer hebben mekaar, voor zover ik mij herinner, misschien hoop en al twee of drie keer gezien. Zelfs op de begrafenis van onze ouders was Eddy niet. Hij zat toen al vast in Frankrijk. Wij praten ook nooit over hem.'

'Bent u niet bang dat hij hier vroeg of laat toch ongevraagd aan de deur staat?' vroeg Elias.

'Bang?' Ze keek hem fronsend aan. 'Waarom zou ik bang moeten zijn van mijn eigen broer?'

Elias ging een beetje verzitten. Zijn onderrug begon pijn te doen van het harde glas. 'Zou ik even gebruik mogen maken van het toilet?'

'Dat is langs daar.' Ze wees naar de witgelakte deur naast de wenteltrap. 'En daarna de tweede deur aan uw rechterkant.'

'Bedankt. Ik ben direct terug.'

Het laatste had hij tegen Tarik gezegd, die rustig knikte. Aan de manier waarop hij terugkeek, zag Elias dat zijn maat hem had begrepen.

Deze keer kwam hij in een hemelsblauwe gang terecht, met aan weerszijden twee deuren. Ramen waren er niet, het licht viel indirect via het glazen koepeldak naar binnen en werd onderweg blijkbaar ook nog eens gefilterd, waardoor het een gelige schijn kreeg die het effect van zonnestralen nabootste. De herinrichting van dit huis moest een bom geld hebben gekost. Elias hoorde de gedempte stemmen van Tarik en Riet Donckers. Er klonk zelfs even wat gelach. Voorzichtig opende hij de eerste deur aan zijn linkerkant. In de kamer stonden een zonnebank, een fitnesstoestel en een loopband waarop een klein tv-scherm was gemonteerd, dat was verbonden met een dvd-speler. Joggen voor watjes, noemde Elias dat. Als fervent loper kon hij niet begrijpen dat je plezier kon beleven aan dat ter plaatse trappelen, terwijl je dan ook nog eens naar een of andere stomme film keek. Stilletjes trok hij de deur weer dicht, en liep naar de tweede, die zich aan de overkant bevond. Die gaf toegang tot een logeerkamer met één onbeslapen bed, waarvan de lakens kraakschoon waren. Er stonden ook een tv-toestel, een kleine ijskast vol blikjes Jupiler, pils, cola, fruitsap en kwartliterflesjes witte bordeaux. De wastafel, in de vorm van een grote schelp en met een koperbruine kraan, blonk alsof hij in de toonzaal van een sanitaire winkel stond. Geen haartje of schilfertje was er te vinden op het blinkende email. De handdoeken en het washandje zaten nog in de verpakking van het reinigingsbedrijf. Tegen de muren hingen reproducties van non-figuratieve schilderijen: Appel, Mondriaan en Alechinsky. Een veilige keuze, vond Elias. Op de laminaatvloer lag niet één stofje of vuiltje. Hij nam zijn Zwitsers zakmes en plooide het kleine schroevendraaiertje naar buiten, waarmee hij het roostertje van de wastafel begon open te schroeven. Toen hij daarmee klaar was, tastte hij met zijn middelvinger zo diep mogelijk rond in de sifon. Vreemd genoeg voelde die droog en schoon aan, alsof hij nog nooit was gebruikt. Elias schroefde, inwendig vloekend, het roostertje weer dicht, en liep daarna naar het raam, dat uitkeek op de aangelegde tuin met de verdroogde borderplanten en het groene gras.

Hij draaide zich om en nam de ruimte in zich op. Die deed hem denken aan een hotelkamer die, in afwachting van een nieuwe gast, een grondige schoonmaakbeurt had gekregen. Een forensisch team zou hier dagenlang werk hebben, en zelfs dan wellicht zonder resultaat terugkeren. Bij het naar buiten gaan trapte hij nog even het pedaalemmertje onder de wastafel open, maar zoals hij had verwacht was dat leeg.

Op de gang bedacht hij dat hij niet te lang meer weg kon blijven zonder argwaan te wekken. Hij trok de volgende deur aan de rechterkant open, drukte de spaartoets van het wc-reservoir in en sloot onmiddellijk weer de deur. Daarna spoedde hij zich naar de enige kamer die hij nog niet had geïnspecteerd, de tweede van links. Toen hij de klink naar beneden duwde, merkte hij dat de deur op slot was. Hij klopte aan, maar er kwam geen reactie. Elias drukte zijn oor tegen de deur, waarachter het muisstil was. In zijn broekzak begon zijn gsm te trillen. Op het display zag hij dat de oproep van Tarik kwam. Elias stopte zijn mobieltje weer weg en wandelde rustig terug naar het andere einde van de gang. Toen hij daar bijna was, ging de deur open. Daar stond Riet Donckers.

'Ge hebt het toilet toch gevonden?'

'Jaja, al had ik mij eerst wel van deur vergist. Ik had die aan de linkerkant genomen. Maar die was op slot.'

'Dat is de badkamer', zei Riet. 'Die wordt momenteel vernieuwd.'

Elias knikte en keek nog eens naar de deur.

Het was of Riet zijn gedachten raadde. 'Gelooft ge mij niet?'

'Ik word nu eenmaal betaald om achterdochtig te zijn.'

'Momentje', zei Riet, waarna ze in de fitnesskamer verdween. Toen ze weer naar buiten kwam, had ze een sleutel in haar hand, die ze glimlachend heen en weer schudde alsof het een klein belletje was.

De afgesloten kamer werd inderdaad gerenoveerd. De badkuip was uitgebroken en in de muur waren gaten voor nieuwe leidingen gemaakt.

'Er zat een lelijke scheur in het email', legde Riet uit. Waarna ze plagerig vroeg of Elias misschien nog iets wenste te zien.

Hij schudde glimlachend van nee.

In de woonkamer ging hij niet weer op de glazen stoel zitten. Hij bedankte Riet voor de hulp en gaf haar zijn naamkaartje, met de vraag of ze hem wilde waarschuwen als haar broer toch nog zou opduiken of contact zou zoeken. Riet Donckers beloofde het.

Toen ze weer op straat stonden, vroeg Tarik of Elias zijn 'grote boodschap' iets had opgeleverd, want hij had er wel de tijd voor genomen.

'Een badkamer zonder bad en een logeerkamer die er als nieuw uitziet. Zelfs de sifon onder de wastafel leek nog nooit te zijn gebruikt.'

'Of hij werd pas vervangen', zei Tarik. 'De beste manier om geen sporen achter te laten.'

'Best mogelijk dat Eddy Donckers bij zijn zuster ondergedoken heeft gezeten', zei Elias. 'Maar ik geloof niet dat hij daar nu nog is. Want wat voor zin heeft het dan om alles zo grondig op te kuisen?'

Ze staken schuin de straat over.

'Waarom hebt ge eigenlijk niks over die erfeniskwestie gevraagd?'

'Omdat ik haar voorlopig liever niet ongerust maak. Wie denkt dat hij veilig is, maakt rapper een fout.'

Toen ze aan de auto kwamen, keek Tarik op zijn horloge. 'Bijna vijf uur. Wat doen we?'

'Nog eens rap langs uw garagist rijden om te horen of die al iets meer weet, en dan naar huis. Ik snak naar een ijskou-

de blonde Leffe, zo ene met een smakelijke schuimkraag.'
Tarik lachte en stapte in.

Elias bleef opeens staan. Uit een van de rijtjeshuizen zag hij een oude man met een vuilniszak naar buiten sloffen, die hij tegen een lantaarnpaal bij een paar andere zette. Elias draaide zich om en keek naar het huis van Riet Donckers. Hij keerde op zijn schreden terug, greep de vuilniszak vast die op de stoep voor de woning stond, en liep ermee naar zijn auto.

Tarik bekeek hem vanaf zijn passagiersstoel. 'Wat nu?'

Elias trok de kofferbak van de Cruiser open en smeet de grijze dichtgebonden zak, die door de warmte een weeë geur verspreidde, erin. Hij kroop achter het stuur en keek Tarik glimlachend aan terwijl hij de auto startte.

'Gij hebt toch verstand van forensisch onderzoek, hé?'

'Ja, en dan?' Hij trok opeens een vies gezicht. 'Ik moet toch niet tussen die stinkende afval gaan rommelen?'

Elias gaf hem een speelse vuiststoot tegen zijn schouder en draaide vervolgens de knop van de airconditioning helemaal open. De binnenthermometer stond op 40 graden. Die voor buiten wees er zeven minder aan.

Van Den Eede reed over de kasseiweg waarlangs de Maalbeek liep en dikke knotwilgen stonden, en draaide vlak vóór het ruisende maïsveld de oprit van zijn woning in. Nog voordat hij zijn huissleutel tevoorschijn had gehaald, ging de voordeur al open. Linda viel hem om de hals, wenste hem een gelukkige verjaardag en gaf hem een klinkende zoen. Over haar schouder zag hij Stijn wat verderop in het halletje staan. Hij staarde naar de vloer, alsof hij zich diep schaamde over de innige omhelzing waarvan hij getuige was.

'Dag, Stijn!' riep Van Den Eede, waarna Linda hem losliet en achteromkeek.

'Wat zegt ge tegen papa?'

Hij haalde zijn schouders op, terwijl hij naar beneden bleef kijken.

'Wat hadden we afgesproken, Stijn?'

'Weet ik niet meer.'

'Dat weet gij nog wel.'

'Laat hem maar doen', zei Van Den Eede. 'Hij heeft zeker last van de warmte.'

Daar had Linda evenwel geen oren naar. Ze riep Stijn bij zich, die schoorvoetend dichterbij kwam, alsof hij bang was om uit te glijden.

'Welke dag is het vandaag?'

'Donderdag', zei Stijn droogjes.

Van Den Eede moest moeite doen om niet in de lach te schieten.

'Ik bedoel: welke speciále dag is het?' drong Linda geduldig aan.

Stijn drukte de top van zijn wijsvinger tegen zijn lippen en kneep zijn ogen tot spleetjes, alsof hij diep nadacht.

Linda slaakte een zucht. 'Allee, Stijn, komt er nog wat van, of hoe zit het?'

Hij mompelde iets, terwijl hij zijn armen stijfjes over elkaar sloeg.

'Kan het misschien iets harder, Stijn, want daar heeft papa niks van verstaan.'

'Ge-luk-ki-ge ver-jaar-dág!' Het klonk alsof hij een slogan scandeerde. Hij schudde een paar keer nerveus met zijn hoofd.

'Bedankt, zoon.' Van Den Eede glimlachte, terwijl hij naar Linda knipoogde.

'En toch vin-ik kleur níé mooi!' zei hij met een nors gezicht. 'Veels te veel wit erbij!' Waarna hij zich bruusk omkeerde en met grote passen naar binnen liep.

'Waar had hij het over?' vroeg Van Den Eede.

Linda wuifde de vraag weg. 'Geen idee. Misschien over een tekening die hij voor u heeft gemaakt?' De tuin geurde naar de lavendel die volop in bloei stond, met af en toe een bitter vleugje kamperfoelie. Terwijl ze achteraan op het terras onder een luifel zaten te genieten van hun derde glas Piper-Heidsieck en van de gegrilde paddenstoelen, die waren gevuld met ricotta, tijm en knoflook, vroeg Linda of hij zijn verjaardagsgeschenk voor of na de barbecue wilde. Van Den Eede zat nog te twijfelen, toen ze opeens overeind sprong en zei dat ze het beter nu kon gaan halen, omdat het anders nog zo lang zou duren. Stijn, die net aan zijn tweede pakje chips begon, keek haar met een verongelijkte blik na terwijl ze in huis verdween.

'Weet gij wat het is?' vroeg Van Den Eede op een samenzweerderig toontje.

'Ja', bromde Stijn, waarna hij zijn mond vol chips propte en krakend begon te kauwen.

Van Den Eede keek naar zijn zoon, die daar op een stoel voor zich uit zat te staren, en voelde zich een beetje droevig worden. Wat ging er om in dat beschadigde hoofd? Wat zou er van hem worden als hij en Linda er niet meer zouden zijn? Waar of bij wie zou hij terechtkunnen? Autisten waren niet de makkelijkste mensen om mee samen te leven. Zou Stijn ooit in staat zijn op eigen benen te staan? Het waren vragen die de laatste tijd wel vaker door zijn gedachten spookten, vooral wanneer hij 's nachts niet kon slapen en op zijn rug in de duisternis lag te staren.

Maar vanavond mocht hij daar niet aan toegeven. Hij greep naar zijn glas champagne en wilde er juist van drinken, toen hij Linda uit de keuken zag komen. Ze keek hem lachend en met verwachtingsvolle ogen aan. In haar armen hield ze een tricolore puppy vast, die een beetje beverig om zich heen keek, alsof hij had liggen slapen en niet goed wist wat er allemaal om hem heen gebeurde.

'Een Border collie!' stamelde Van Den Eede, die compleet verrast was door wat hij zag. 'Een met drie kleuren nog wel!'

'Het is een reu. We hebben hem Joppe genoemd', zei Linda. 'Maar als ge dat niet mooi vindt, dan kunnen we 't nog altijd veranderen.'

Het hondje begon klagerig te piepen. Ze streelde het zachtjes over zijn kop en rug. Van Den Eede zat nog altijd perplex op zijn stoel.

'Awel, wat vindt ge ervan?'

'Zijn poten zien veels te wit!' riep Stijn koppig. 'Dá trekt alsof op niks!'

Van Den Eede kwam overeind, zette zijn glas neer en liep naar Linda, die het hondje met zijn snuit naar hem draaide.

'Kijk, daar komt het baasje.'

Van Den Eede stak zijn hand uit naar de puppy en streelde hem over de donzige vacht. Joppe begon speels aan zijn arm te likken en kwispelde alsof hij een oude bekende zag. De man die geen traan had kunnen laten toen het lichaam van een van zijn manschappen uit een helikopter werd gegooid en voor zijn ogen op het asfalt viel, voelde zijn ogen opeens vochtig worden.

13

Hoewel er vannacht een kletterend onweer, met veel geraas, regen en hier en daar zelfs grote hagelstenen, van de kust over het binnenland was getrokken, hing de hitte nog altijd loodzwaar in de lucht en beloofde het opnieuw een warme dag te worden. Hier en daar waren ontwortelde bomen op auto's terechtgekomen of was de bliksem ingeslagen, en de brandweer kon de oproepen om ondergelopen kelders leeg te pompen niet bijhouden. Woonwijken die goedkoop of illegaal waren aangelegd in het voorland van rivieren, stonden voor de zoveelste keer onder water. Fruittelers en landbouwers, die nog niet zo lang geleden hun voorraden hadden vernietigd om de prijzen van hun producten kunstmatig hoog te houden, klaagden nu steen en been, en eisten dat Europa de hittegolf zou erkennen als nationale ramp, zodat de geleden schade kon worden vergoed. De winkelprijs van groenten en fruit zou in ieder geval drastisch de hoogte in gaan.

In het station van Halle liepen de pendelaars elkaar, zoals iedere dag omstreeks dit vroege uur, voor de voeten en mopperden op de treinen die alweer vertraging hadden. Gelukkig was er iets wat de voorpagina van alle kranten had gehaald en waarover ze uitvoerig van gedachten konden wisselen. Vannacht was Louise Ceuppens, een vrouwelijke rechter van het Brusselse hof van assisen, bij haar thuiskomst met twee kogels in het hoofd afgemaakt door een man die haar de hele avond had staan opwachten. De moordenaar, die na de schietpartij zelf de politie had gebeld, had zijn vrouw en twee kinderen drie jaar geleden verloren, nadat een zwakbegaafde minderjarige jongen het huis waarin ze woonden met in benzine gedrenkte vodden in brand had gestoken. De volksjury kon het niet eens worden en na staking van de stemmen had de rechter de dader streng berispt en vervolgens vrijgesproken. Dat had aanvankelijk veel publieke verontwaardiging veroorzaakt, die daarna even vlug als een storm in een glas water was bedaard. Maar dus niet bij de enige overlevende van de brand, die al zijn opgekropte woede en verdriet in een 9mm-Beretta had gestopt.

Lydia Leysen, die jarenlang als verpleegster op een eerstehulpafdeling had gewerkt, maar daarna een opleiding als verloskundige had gevolgd, stond aan te schuiven voor de brug over het kanaal Brussel-Charleroi. Ze had de krant op haar stuur liggen en las het artikel over de moord, terwijl ze één oog op de weg hield. Toen het verkeer eindelijk weer op gang kwam, gooide ze de krant op de passagiersstoel, reed de brug over en draaide rechtsaf de Willamekaai op. Niet ver voorbij nummer 11 vond ze een vrije parkeerplaats waarin ze haar Smart City Coupé probleemloos kon manoeuvreren. Sinds ongeveer een maand kwam ze wekelijks aan huis bij Els Deweerdt, die een dezer dagen moest bevallen. Ze stak de straat over, waar ze in de schaduw kon lopen, liep naar het 'huis met het afdakje', zoals ze het voor zichzelf noemde, beklom het trapje en belde aan. De deur ging bijna meteen open. Het viel haar op dat Els Deweerdt er vermoeid en bleek uitzag. Ze had wallen onder haar ogen. Waarschijnlijk door tekort aan slaap wegens de aanhoudende hitte, waaronder stilaan zowat iedereen begon te lijden.

'Goeiemorgen. Hier zijn we weer!'
Els Deweerdt glimlachte flauwtjes en deed de deur verder open.

Lydia Leysen stond nog geen twee meter ver in de hal, toen iemand achter haar de deur hard dichtschopte. Het volgende moment voelde ze de loop van een pistool tegen haar rechterslaap.

Van Den Eede deed fluitend het raampje van zijn Range Rover omlaag en zwaaide naar Freddy, de dienstdoende agent, in zijn glazen hokje bij de ingang van de Géruzet. Die deed echter niet, zoals gewoonlijk, meteen de slagboom omhoog, maar kwam naar buiten met een envelop in zijn hand.

'Post voor u, commissaris.' Hij overhandigde Van Den Eede een rechthoekige dichtgekleefde omslag, waarop in beverige letters 'Comisaris Vandenedde' stond geschreven. 'Enfin, ik denk toch dat hij voor u is', zei de agent lachend.

Een adres was niet vermeld en er zat ook geen postzegel op. Van Den Eede draaide de envelop om, maar een afzender stond er evenmin.

'Wie heeft die afgegeven?'

Freddy haalde zijn schouders op. 'Geen idee. Hij stak in die oude stenen brievenbus daar aan de poort, die normaal niet meer wordt gebruikt. Alleen wanneer er te veel reclame in zit, maak ik ze af en toe eens leeg.'

'Die envelop kan er dus al langer dan vandaag in zitten?'

'Dat zou kunnen. Ik geloof dat ik er maandag of dinsdag nog eens in heb gekeken. Toen was hij er zeker niet bij.'

Van Den Eede leunde uit het raampje van zijn auto en keek naar de bewakingscamera die boven op het wachthuis stond en op de ingang was gericht.

De agent volgde zijn blik. 'De brievenbus zelf is van hieruit natuurlijk niet te zien', zei hij. 'Maar ik wil wel eens na-kijken of er toevallig iemand op staat met zo'n envelop in zijn hand.'

'Bedankt, Freddy.'

Waarna Van Den Eede wachtte tot de slagboom omhoog-ging.

Toen hij het FAST-kantoor binnenkwam, waren Olbrecht en Elias volop bezig twee extra bureaus te installeren.

'Goeiemorgen! Het begint hier goed vol te geraken, zo te zien.'

Tarik had zijn eigen laptop meegebracht en was die via een router op het internet aan het aansluiten. Van Den Eede hing zijn jas over de leuning van zijn stoel en vroeg of de observatie van het huis van Riet Donckers gisteren nog iets had opgeleverd.

'Van het huis niet, nee', zei Elias. 'Maar wel van hun vuil-niszak.'

'Hun vuilniszak?'

Elias keek naar Tarik, die zijn laptop dichtklapte en een plastic zakje uit zijn tas haalde, dat hij aan Van Den Eede gaf. Er zat een klein dun spuitje in met een korte naald.

'Zo hebben we er een paar tussen het afval gevonden.'

'Humuline Ultralong?' las Van Den Eede. 'Wat is dat?'

'Langwerkende insuline. Zoals we weten, heeft Eddy Donckers diabetes type 1 in de hoogste graad.'

Van Den Eede keek opnieuw naar het plastic zakje met de spuit. Elias en Tarik wisselden een blik. Ze wisten wat er ging komen.

'Hebt ge toelating gevraagd om die vuilniszak mee te ne-men?'

Elias schudde van nee.

'Dat is dus illegaal verkregen bewijsmateriaal.'

Het had meer als een vaststelling dan als een verwijt ge-klonken.

'Die handdoek bij de ouders van Benachir was dat eigenlijk ook', zei Olbrecht, in een poging zijn collega's te verdedigen.

'Wie zegt ons dat die spuitjes van Eddy zijn? Diabetes is erfelijk. Misschien heeft zijn zuster het ook.'

Tarik moest toegeven dat dat mogelijk was. 'Maar dan heeft ze toch niet dát spuitje gebruikt. Want daar staan Eddy's vingerafdrukken op...'

'En dat is nog niet alles', zei Elias. 'Het identificatienummer dat op die spuit staat, is afkomstig van een lot dat onlangs uit een apotheek in Diest werd gestolen. Heel lang zal hij er niet mee toekomen, want Donckers heeft verscheidene injecties per dag nodig.'

Van Den Eede keek zwijgend van Elias naar Tarik, die allebei geduldig zijn reactie stonden af te wachten. Hij legde het plastic zakje voorzichtig op zijn bureau en trommelde een paar keer nadenkend met zijn vingertoppen op het houten blad. Tot hij er opeens een klap op gaf, alsof hij een besluit had genomen.

'Goed gewerkt, mannen!'

Elias en Tarik reageerden opgelucht en sloegen hun handpalmen tegen elkaar. Olbrecht stak zijn duim op. Voor de eerste keer had Van Den Eede het gevoel dat ze een team begonnen te worden.

'Dat betekent natuurlijk niet dat hij daar nu nog zit.'

Elias zei dat ze meer hadden gedaan dan alleen observeren.

'We hebben ook met Riet Donckers gepraat, en ik heb eens rondgekeken in het privégedeelte van het huis.'

'Dan is ze dus verwittigd', zei Van Den Eede.

Deze keer klonk er wel iets van verwijt door in zijn stem.

'Ja, maar we zouden, hoe dan ook, te laat zijn gekomen. Haar broer is bij haar thuis geweest, dat weten we, maar ik denk niet dat hij er nu nog zit ondergedoken. Het leek alsof iemand alle moeite had gedaan om sporen uit te wissen. Waarom zouden ze dat doen, als Eddy Donckers daar nog altijd rondloopt?'

'Wat ik mij afvraag, is waarom ze haar broer niet meteen heeft aangegeven', zei Tarik.

'Waarschijnlijk uit schrik dat hij die erfeniskwestie aan de grote klok zou hangen', meende Elias.

Van Den Eede dacht even na, en zei toen dat hij, om op zeker te spelen, bij de onderzoeksrechter een huiszoekingsbevel zou aanvragen. 'Verwittig ondertussen de BRD[5] van Leuven, dat ze voor assistentie tegen tien uur naar het huis van Donckers komen.'

Hij greep naar de telefoon, bedacht zich toen en toetste niet het nummer van onderzoeksrechter Sandy Moerman, maar van procureur Bylemans in.

'Thierry? Mark Van Den Eede, hier.'

Blijkbaar begon Bylemans een hele uitleg te doen. Van Den Eede zei een paar keer beleefd 'jaja' en lachte mee toen dat van hem verwacht werd. Met zijn duim en vingers maakte hij naar de anderen, die geamuseerd stonden toe te kijken, het bekende tatergebaar.

'Waar ik eigenlijk voor bel, Thierry, ik heb dringend een huiszoekingsbevel nodig. Kunt gij er eens voor zorgen dat de onderzoeksrechter daar wat vaart achter zet...? Ja, dat snap ik, maar het is voor de woning van Riet Donckers, de zus van Eddy... Toch wel, denk eens na. Julien Lagasse, Jacques Chirac...' Hij knipoogde naar Elias. 'Díé Eddy Donckers, ja... Oké, bedankt, Thierry!' Hij hing hoofdschuddend op. 'Hij zal er *sito presto* voor zorgen.'

Terwijl ze op de fax met het huiszoekingsbevel wacht-

---

5 Bijzondere Recherche Dienst van de lokale politie.

ten, liet Van Den Eede aan Tarik de briefomslag zien die hij zojuist had ontvangen. 'Wilt gij hier eens naar kijken, Orhan? Iemand is die in de brievenbus van de Géruzet komen steken.'

Tarik trok nitril handschoenen aan voor hij de envelop aannam. Hij hield hem tegen het licht, waarbij een vierkant papiertje zichtbaar werd ter grootte van een Post-it-blaadje. Vervolgens bekeek hij aandachtig de voor- en achterkant van de omslag.

'Die zelfklevende enveloppen moesten ze verbieden', zei hij glimlachend. 'Daar blijven geen speekselsporen op achter.'

Hij sneed de omslag voorzichtig open aan de onderkant en haalde het briefje eruit. Er stond slechts één zin op: 'said benachir schuild boven de full moon.'

'We zoeken dus iemand die niet zonder fouten kan schrijven', merkte Elias op. 'Dat is al iets.'

'Als we daarop voort moeten gaan, dan is half Vlaanderen verdacht', zei Van Den Eede.

Tarik kende iemand die als grafoloog bij de Forensische Dienst werkte.

'Zal ik die hier eens naar laten kijken?'

Van Den Eede vond dat een goed idee. 'Weet iemand wat de Full Moon is?'

Elias tikte de naam bij Google in. Er verschenen bijna 15.000 vermeldingen. Nadat hij er 'Brussel' aan toe had gevoegd, bleven er nog 1276 over. Het merendeel waren links naar cafés, restaurants, massagesalons, escortebureaus, cd's, zelfs een seksfilm en twee muziekgroepen. Van Den Eede vroeg of er adressen bij waren van Marokkaanse oorsprong. Na filtering bleven er nog twee restaurants in de Madouwijk, één theehuis op het Schumanplein en een nachtwinkel in Schaarbeek over.

'De familie Benachir woont in Schaarbeek', zei Van Den Eede. Hij wees naar Olbrecht en Tarik. 'Ga daar dus eerst maar eens kijken.'

Tarik vroeg zich af of ze daarvoor het SIE niet moesten inschakelen.

Van Den Eede vond van niet. 'Voor een anonieme tip kunnen we moeilijk ineens de grote middelen inzetten. Als het vals alarm blijkt te zijn, dan is onze kans om de jongens van het SIE voor dezelfde zaak nog eens te gebruiken trouwens verkeken.'

'Hoezo?'

'Wettelijk gezien is het dan geen "tactische observatie met het oog op een arrestatie" meer.'

Het bevelschrift van de onderzoeksrechter kwam uit de faxmachine geschoven.

Van Den Eede wenkte Elias, terwijl hij zijn jas bij de kraag vastnam en achteloos over zijn linkerschouder sloeg. 'Kom, wij rijden naar Leuven.'

Terwijl ze met z'n vieren door de gang liepen, zei Tarik dat hij ook nog iets had voor Van Den Eede. Hij haalde een voorgedrukt formulier tevoorschijn, waarop met de hand allerlei vakjes waren ingevuld.

'Wat is dat?'

'Een bestek van de schade aan mijn auto. Ge weet wel, die affaire met die kassei.'

Van Den Eede nam het vel vluchtig door en fronste.' 382 euro? Dat is niet niks.'

'Tegen wie zegt ge 't', zei Tarik. Hij voegde er voorzichtig aan toe dat het eventueel ook zonder btw kon.

'Nu laat ge tenminste zien dat ge een echte Belg zijt!' riep Olbrecht.

'Ik zal maar doen of ik dat niet heb gehoord', zei Van Den Eede. Waarna hij het papier wegstak en Tarik beloofde om het er met Cogghe over te hebben.

Onderweg naar Leuven vertelde Van Den Eede over zijn verjaardagsgeschenk, dat hen trouwens half de nacht uit hun slaap had gehouden met zijn geblaf en gejank.

'We hebben zijn mandje dan maar bij ons op de slaapkamer gezet.'

'Gaat ge hem daarmee niet verwennen?'

'Dat is natuurlijk alleen maar in het begin, tot hij het gewend is bij ons', zei Van Den Eede. 'Als ze iemand z'n ademhaling horen, zouden ze zich geruster voelen in 't donker.'

'En heeft het geholpen?'

Van Den Eede keek monkelend opzij. 'Toch een paar uur...'

'Border collies zijn naar 't schijnt heel intelligente honden', zei Elias. 'Gaat ge hem als huisdier houden, of zijt ge er nog iets anders mee van plan?'

Van Den Eede hoopte dat hij de nodige tijd zou vinden om ermee aan schapendrijven te doen. Tenminste, als hij 'eye' had.

'Aai?'

'Daarmee bedoelen ze die starende, hypnotiserende blik op al wat beweegt of van de kudde afdwaalt', legde Van Den Eede uit. 'Er zijn borders die helemaal uit zichzelf een ontsnapt schaap terug gaan halen.'

'Dat is een beetje zoals wij.' Elias glimlachte. 'In ons beroep hebt ge ook "eye" nodig.'

Van Den Eede vond dat nog zo geen slechte vergelijking. 'En als dat schapendrijven niet lukt, dan misschien agility', zei hij. 'Een soort behendigheidssport met allerlei toestellen en hindernissen die ge samen met uw hond moet nemen. Zoiets als jumping bij de paarden. Het voordeel van schapendrijven is natuurlijk dat ge niet zelf mee moet lopen...'

Ze kwamen op de Koning Boudewijnlaan.

179

'Moet ik hier niet ergens afslaan?'

'Nog een paar kilometer, tot aan de Tervuursevest.'

Daarna bleef het een tijdje stil in de auto.

'Ik heb onlangs uw dossier eens ingekeken', begon Van Den Eede.

Wim Elias bleef recht voor zich uit kijken en zei dat hij niet anders had verwacht.

'Vreselijk wat er met uw vrouw is gebeurd.'

Elias knikte zwijgend.

'En ze hebben de chauffeur die dat ongeluk heeft veroorzaakt nooit gevonden?'

'Er is destijds wel een onderzoeksrechter aangesteld, maar ik geloof niet dat die zich heel moe heeft gemaakt.' Hij zweeg even. 'Het cynische is dat Sofie misschien nog had geleefd als die smeerlap geen vluchtmisdrijf had gepleegd.'

'Ze was dus niet op slag dood?'

Elias schudde zijn hoofd. 'Ze had een hersenletsel, en dan zijn de eerste minuten altijd de belangrijkste, zoals ge weet. Niemand weet wat ze eraan zou hebben overgehouden, maar tegen dat de hulpdiensten waren verwittigd, was het in ieder geval te laat.' Hij staarde door het zijraampje, en zei toen dat het eigenlijk ook een beetje zijn schuld was.

'Uw schuld? Hoezo?'

'We moesten die dag naar een communiefeestje van een nichtje van haar. Ik heb een hekel aan dat soort dingen. Dus toen ik op het laatste moment een oproep kreeg, kwam mij dat eigenlijk goed uit. Zij is dan maar alleen gereden, met haar eigen auto. We hebben er nog ruzie over gemaakt. Ze vond dat ik te veel met mijn werk bezig was en dat zij altijd op de tweede plaats kwam.' Hij streek even met zijn vingers langs zijn voorhoofd en zuchtte. 'Misschien was dat ook wel zo.'

Van Den Eede kreeg het onbehaaglijke gevoel dat Elias het

over hem en Linda had. Toen hij het SIE verliet, had hij zich voorgenomen om meer tijd bij zijn gezin door te brengen, maar voorlopig was daar niet veel van terechtgekomen. Wat als er vandaag of morgen iets met Linda zou gebeuren, of met Stijn? Zou hij zich dan ook schuldig voelen? Waarschijnlijk wel, ook al was dat zinloos en onredelijk.

'Dat dossier dat in de schuif van uw bureau ligt, en waar ge laatst in zat te kijken toen ik binnenkwam,' polste hij, 'gaat dat misschien daarover?'

Elias draaide bruusk zijn hoofd opzij en keek hem aan met een blik waarvan Van Den Eede een beetje schrok. Voor zover hij wist, was Wim een rustige, evenwichtige man. Maar de manier waarop hij nu naar hem keek, was ronduit agressief.

'Hebt gij in mijn bureau zitten snuffelen?'

'Nee. En ik hoop dat gij ook niks achter mijn rug zult doen.'

'Hoe bedoelt ge?'

Zoals hij het vroeg, kon Van Den Eede horen dat hij maar al te goed begreep wat hij bedoelde.

'Als wij een dossier behandelen, Wim, dan is dat als een team. Het FAST dient niet om het recht in eigen handen te nemen, en nog minder om privézaken op te lossen.'

Terwijl hij het zei, besefte hij dat zijn eigen motieven om er deel van uit te maken ook niet helemaal zuiver op de graat waren. Als hij eerlijk was en mocht kiezen tussen Eddy Donckers en Kurt Van Sande of Saïd Benachir, dan zou hij veel liever die laatsten opnieuw achter slot en grendel krijgen. Dat was hij verplicht aan Erik Rens.

'Bovendien is het niks voor ons, aangezien er nooit een veroordeling is geweest, zelfs niet bij verstek. Ik vraag me trouwens af hoe ge aan dat dossier zijt geraakt.'

'Aan dat licht ginder, moeten we rechtsaf draaien.' Elias

181

wees, waarna hij opnieuw zwijgend door het zijraampje begon te staren.

De Poststraat, die beneden in Sint-Joost-ten-Node begint en langzaam opklimt in de richting van Schaarbeek, lag in een verwaarloosde buurt. Het was een lange straat, met nogal wat dichtgetimmerde, vervallen huizen die werden afgewisseld met sociale woonblokken. Hier en daar stond een gebouw volledig weg te rotten. Aan sommige woningen kon je nog zien dat ze ooit architecturale betekenis hadden gehad. Maar die glorieperiode behoorde tot een ver verleden. De rijweg en de smalle stoep lagen vol brokstukken steen en afval, waaraan de straatbewoners, overwegend Marokkaanse families, zich niet leken te storen.

'Is dit nu wat ze een typische migrantenwijk noemen?' vroeg Tarik aan Olbrecht met een gezicht waaraan niet viel af te lezen welk gevoel of welke bedoeling er achter zijn vraag schuilging.

'En dat vraagt gij aan mij?'

Tarik keek hem van ter zijde met een scheef glimlachje aan.

'Gij hebt het niet zo voor moslims, hé?'

'Waarom zegt ge dat?'

'Als wij als team samen moeten werken, dan wil ik weten waar ik sta.'

Tegen zijn gewoonte in om alles er zomaar uit te flappen zoals het in hem opkwam, dacht Olbrecht ditmaal even na voordat hij antwoordde.

'Laat ik het zo zeggen', begon hij, terwijl hij een reepje Wrigley's Doublemint uit de zilverpapieren verpakking frutselde. 'Ik heb niks tegen moslims.' Hij stak de gom in zijn mond en kauwde er traag een paar keer op. 'Maar wél tegen de islam.'

Tarik knikte zwijgend, terwijl hij zijn ogen op de weg gericht hield.

Olbrecht presenteerde hem het pakje kauwgom. 'Ook een *tutterfrut*?'

Tarik trok er glimlachend een reepje uit. 'Bedankt.' Hij haalde er met één hand het papiertje af. 'Ook voor de *tutterfrut*.'

Ze reden langzaam door de straat op zoek naar de Full Moon. Af en toe moest Tarik uitwijken voor omgevallen vuilniszakken of andere rommel op de weg. Olbrecht, die met zijn elleboog door het open raampje leunde, strekte zijn arm en wees naar een roestig uithangbord, wat verderop in de straat.

'Daar moeten we zijn.'

Tarik parkeerde, met twee wielen op de stoep, vlak voor de nachtwinkel, waarvan de rolluiken naar beneden waren, en sloot zijn auto zorgvuldig af. Olbrecht liep naar de deur en zocht naar een bel, die er blijkbaar niet was. Hij begon met zijn vuist op het rolluik te kloppen, wat een hels lawaai maakte, en hield dat vol tot er op de eerste verdieping een raam openging en een Marokkaanse jongeman verdwaasd zijn hoofd naar buiten stak.

'Nous sommes fermé! T'as pas vu, non?'

'Police.' Olbrecht en Tarik toonden hun legitimatiekaart. 'Maak dat ge beneden zijt en opendoet.'

De jongeman keek op hen neer alsof ze tussen het afval vandaan waren gekropen. 'Pourquoi?'

'We kunnen u ook mee naar het bureau pakken, als ge dat liever hebt.'

De Marokkaan trok een grimas en sloot dan met een nijdige klap het raam.

'Wat als hij ervandoor gaat?' vroeg Tarik.

'Waarom zou hij dat doen? Hij weet dat we hier dan morgen terug staan.'

Met een ratelend geluid werd het aluminium rolluik opgetrokken. Door het vensterglas zagen ze hem staan. Hij droeg een wit overhemd, dat tot bijna halfweg zijn dijen hing, en een brede, overlangs gestreepte broek. Toen de deur openging, zagen ze dat hij blootsvoets was.

'Alors, qu'est que vous voulez?'

Tarik vroeg hoe hij heette.

'Ahmed El-Tazi.'

Waarna Olbrecht een foto van Saïd Benachir te voorschijn haalde. 'Kent u deze man?'

El-Tazi keek er even naar en schudde toen zijn hoofd.

'Nee? Kijk dan nog maar eens goed. Hij wordt gezocht voor gijzeling en moord.'

De man keek Olbrecht geschrokken aan. Tarik voegde er in het Marokkaans nog iets aan toe wat El-Tazi nog meer van streek leek te brengen. Hij vroeg aan Olbrecht of hij de foto nog eens mocht zien.

'Wat hebt ge gezegd?'

'Dat er strenge straffen staan op medeplichtigheid en het hinderen van een politieonderzoek.'

El-Tazi keek ondertussen ingespannen naar de foto. Toch leek hij maar geen beslissing te kunnen nemen.

'Hoe zit het, komt er nog iets van?' drong Olbrecht aan. 'Of zullen we zelf eens gaan kijken?'

El-Tazi gaf hem de foto terug en zei toen dat Benachir hier inderdaad had gelogeerd. 'Une seule nuit! C'est tout.'

Van die moord en zo wist hij niks. Saïd had hem gezegd dat hij was neergeschoten tijdens een straatgevecht met een groep skinheads, en niet naar huis durfde omdat hij vreesde dat ze ook zijn familie zouden bedreigen.

'En gij geloofde dat allemaal?'

El-Tazi maakte een hulpeloos gebaar. 'Pourquoi pas? Ça arrive, non?'

Tarik wilde weten waar hij Saïd van kende. Volgens El-Tazi waren het vooral hun vaders die al jarenlang met elkaar bevriend waren.

'Waar is hij nu?'

'Parti.'

'Naar waar?'

El-Tazi haalde zijn schouders op. 'Sais pas.'

Olbrecht, die het op zijn zenuwen kreeg, duwde hem opzij en stapte de winkel binnen, waar het naar overrijpe meloenen rook.

'Quelqu'un est venue le chercher.'

'Qui?'

'Une femme.'

'Quelle femme? Sa mère?'

'Non, non, une jeune femme!'

In de vroege ochtend, rond een uur of vijf, was hij wakker geworden van het geluid van de voordeur die open en dicht ging. Hij had door het raam van zijn slaapkamer gekeken en gezien hoe Saïd wankelend naar een wachtende auto liep. Van automerken wist hij helaas weinig of niets. Hij reed al zijn hele leven met een brommer. Maar het was in ieder geval 'une voiture de sport', en dat die geel was, wist hij ook nog. Tarik vroeg of hij de vrouw die achter het stuur zat, kon beschrijven. Maar daarvoor had hij haar niet goed genoeg gezien. Ze was slechts heel even uitgestapt om Saïd in de auto te helpen.

'Volgens mij liegt hij of het gedrukt staat', mompelde Olbrecht, terwijl hij op goed geluk een deur opentrok, die blijkbaar toegang tot de keuken gaf.

Er was nog wel één ding dat hij zich met zekerheid herinnerde, vervolgde El-Tazi: 'Elle était enceinte.'

Olbrecht keerde zich met een ruk om. 'Wat zegt ge?'

El-Tazi maakte met zijn hand een half cirkelvormige

beweging over zijn buik. 'Comment on dit ça en Flamand? Eh... met kind?'

Olbrecht liep naar de deur en trok Tarik met zich mee. 'Ik wíst het!' riep hij.

Tarik bekeek zijn opwinding met verbazing.

'Ik had godverdomme 50 euro kunnen verdienen', verduidelijkte Rob Olbrecht. 'Als de chef tenminste had willen wedden.'

14

Toen Van Den Eede en Elias bij het huis van Riet Donckers arriveerden, stond de combi van de lokale Leuvense politie hen al op te wachten. Ze waren met z'n vijven: vier agenten in uniform en één man in burger, die voor in de veertig was en een zuiders uiterlijk had. Hij stelde zich voor als inspecteur Mendossa.

Van Den Eede gaf hem een korte briefing, toonde een foto van Eddy Donckers, en zei dat hij de woning van onder tot boven doorzocht wilde hebben. 'Maar opgepast, hij is mogelijk gewapend.'

Nadat ze hadden aangebeld, was het deze keer een man die opendeed. Hij droeg een gestreept jasje met daaronder een donkerblauw overhemd waarvan de bovenste knoopjes openstonden, een witte broek en glanzend bruine designschoenen, ongetwijfeld van Italiaanse makelij en heel duur. Hij schrok toen hij de politiemacht voor de deur zag staan.

'Mijnheer De Volder?'

Hij knikte.

'Ik ben commissaris Van Den Eede, en dit is inspecteur Elias, die al eerder langs is geweest en met uw vrouw heeft gesproken.'

'Daar heb ik van gehoord, ja.'

'Dan weet u ook waarvoor wij hier zijn?'

Hij liet het huiszoekingsbevel zien.

'Ja, maar kan dat zomaar?' protesteerde De Volder. Hij keek op zijn horloge. 'Ik stond op het punt om te vertrekken. Om halfelf heb ik een belangrijke vergadering met de VRT.'

'Die zal dan moeten wachten', zei Van Den Eede. 'Dit is ook belangrijk.' Waarna hij gebaarde naar Mendossa dat het aan hen was.

De inspecteur wenkte zijn mannen, die achter hem aan naar binnen gingen.

De Volder maakte nogmaals bezwaar en zei dat hij eerst zijn advocaat wilde opbellen. Elias antwoordde dat ze hier niet in Amerika waren. Opeens klonk achter hen de stem van een vrouw, die vroeg wat hier gaande was.

'Allemaal de schuld van die stomme broer van u!' riep De Volder. 'Ze denken nog altijd dat hij hier bij ons in huis zit.'

Riet Donckers kwam erbij. 'U was hier gisteren toch ook al?' zei ze, toen ze Wim Elias zag staan. 'Maar dan met iemand anders. Een Marokkaan of een Turk, is het niet?'

Van Den Eede vroeg of ze binnen verder konden praten.

'Als het dan echt moet', verzuchtte De Volder.

Waarna hij naar zijn gsm greep en een nummer intoetste. Van Den Eede hoorde hem zeggen dat hij helaas niet op de vergadering aanwezig zou kunnen zijn, 'wegens dringende familieaangelegenheden'.

Elias gaf ditmaal de voorkeur aan de zithoek in plaats van de ongemakkelijke glazen stoelen. Riet Donckers zei dat ze er niks van begreep; ze had gisteren toch al gezegd dat ze alleen een paar keer telefonisch contact had gehad met haar broer, méér niet.

'Dat Eddy hier inderdaad niet welkom was, dat wil ik best geloven', zei Van Den Eede. 'Daar was ook een goeie reden voor.'

'Natuurlijk dat hij hier niet welkom was!' riep De Volder. 'Het is erg dat ik het moet zeggen, maar mijn schoonbroer is een crimineel! Ge denkt toch niet dat ik daarvoor mijn reputatie en die van mijn bedrijf op het spel ga zetten?'

'Maar dat was niet de enige reden dat ge hem liever niet zag komen, hé?' zei Elias.

De Volder keek hem niet-begrijpend aan. 'Hoe bedoelt ge?'

'Klopt het, mevrouw Donckers, dat uw ouders twee jaar geleden allebei zijn verongelukt?'

Riet hief traag haar hoofd op en zei amper verstaanbaar 'ja', alsof ze bang was het verkeerde antwoord te geven.

De Volder, die zich almaar meer opwond, kwam tussenbeide. 'Wat heeft dat in godsnaam met haar broer te maken?' Hij keek ongeduldig op zijn horloge.

'En is het ook juist dat u toen het beheer over het deel van de erfenis dat aan uw broer was toegewezen, heeft gevraagd én ook gekregen, zolang hij in de gevangenis zat?'

In plaats van te antwoorden keek ze paniekerig naar haar man, die blijkbaar voor het eerst ook van zijn stuk was gebracht.

'En wat dan nog?' zei hij ontwijkend. 'Dat is allemaal via onze advocaat gegaan, en wettelijk geregeld.'

Van Den Eede, die tevreden merkte dat de arrogante zelfverzekerdheid van De Volder barstjes begon te vertonen, vroeg hoe het tegenwoordig met het bedrijf ging. De Volder leek nu van de ene in de andere verbazing te vallen, en dat was ook de bedoeling.

'Waarom vraagt u dat?'

Van Den Eede glimlachte zwakjes. Dat De Volder zijn vragen met tegenvragen begon te beantwoorden, was alweer een teken van zijn groeiende vertwijfeling.

'Wij weten dat uw vrouw het aandeel van haar broer vorig

jaar in uw vennootschap heeft ondergebracht, en dat u er vervolgens een hypotheek op hebt genomen om uw bedrijfsschulden te kunnen aflossen.'

De nuchtere mededeling leek bij De Volder aan te komen als een vuistslag midden in zijn gezicht. Hij sloeg bleek uit en op zijn voorhoofd verschenen kleine, blinkende zweetdruppeltjes, die hij onopvallend probeerde weg te vegen.

'Of dát allemaal wel zo wettelijk was, doet er voorlopig niet toe', vervolgde Van Den Eede. 'Dat is onze winkel niet. U had er ongetwijfeld op gerekend dat uw schoonbroer nog wel een tijdje achter de tralies bleef zitten. Wat ging er door u heen toen u hoorde dat hij was ontsnapt?'

De Volder kneep zijn lippen stijf op elkaar. Het viel Van Den Eede op dat hij de blik van zijn vrouw ontweek.

'Was u niet bang dat hij naar hier zou komen om zijn deel van de erfenis op te eisen?'

'Ik zie niet in waarom. Juridisch heeft hij geen poot om op te staan. Hij is zelfs voor jaren zijn burgerrechten kwijt.'

'Misdadigers hebben doorgaans zo hun eigen manier om te krijgen wat ze willen', zei Van Den Eede. 'Heeft hij u of uw vrouw bedreigd? Is hij er met geld vandoor?'

'Hoe dikwijls moet ik het nog herhalen?' zei De Volder verveeld. 'Hij-is-hier-niet-geweest!'

Van Den Eede wendde zich nu tot de vrouw.

'Lijdt u aan diabetes, mevrouw Donckers?'

Riet keek Van Den Eede verbluft aan. 'Nee. Waarom vraagt u dat?'

Hij haalde het plastic zakje met daarin het lege spuitje uit zijn jas. 'Kunt u mij dan uitleggen hoe dit hier komt?'

'Wat is dat?'

'Een insulinespuit.'

Nico De Volder wilde weten waar ze die vandaan hadden. Van Den Eede wisselde even een blik met Elias, die zei dat ze die gisteren in de vuilniszak die voor hun deur stond, hadden gevonden.

De Volder ging verontwaardigd rechtop zitten. 'Dat is onwettelijk! U had niet het recht om dat te doen. Trouwens, wie zegt dat die vuilniszak van ons was?'

Van Den Eede gebaarde dat hij moest kalmeren. 'Technisch gezien heeft u misschien gelijk, mijnheer De Volder. Maar dat neemt niet weg dat we vingerafdrukken van Eddy Donckers op dit spuitje hebben gevonden. U heeft dus gelogen tegen ons.'

De Volder keek woedend in de richting van zijn vrouw, die haar ogen neersloeg. Hij hield vol dat dit 'onrechtmatig verkregen bewijs' was, dat door geen enkele rechter zou worden aanvaard.

Van Den Eede gaf hem gelijk. 'Tenzij we natuurlijk nog iets vinden.'

'Ik zou niet weten wat.'

Elias vroeg wat er met hun oude badkuip was gebeurd. De Volder fronste zijn wenkbrauwen. 'Wat is dat nu weer voor een vraag?'

'Geef gewoon antwoord.'

Volgens De Volder hadden ze die een paar dagen geleden naar het containerpark gebracht omdat er een scheur in zat.

Riet Donckers staarde afwezig naar buiten, alsof ze het gesprek niet meer volgde. De planten en bloemen in de tuin hingen er nog wat slapper dan gisteren bij, maar het gras zag er nog altijd even soepel en fris uit.

'Uw broer heeft serieus wat insuline nodig per dag. Hoe is hij daaraan geraakt?' vroeg Elias. 'Want die kunt ge normaal toch niet krijgen zonder voorschrift.'

Riet keek vragend naar haar man, alsof ze op zijn toestemming wachtte om te antwoorden.

'De apotheker die hier wat verder in de straat woont, is

een goeie vriend van ons. Hij vond het in orde dat ik het voorschrift later binnenbracht.'

De Volder liet zijn beide handen berustend op zijn knieen vallen en slaakte een diepe zucht. 'Luister, commissaris...' Hij leunde op zijn gemak achterover en glimlachte ontspannen. Zijn zelfverzekerdheid, die daarjuist aan het wankelen was gegaan, keerde terug. 'Mijn schoonbroer is hier inderdaad geweest, en ja, hij wilde zijn deel van de erfenis. Enfin, 't is te zeggen, de tegenwaarde ervan in geld dan.'

'Wanneer was dat?'

De Volder keek naar zijn vrouw. 'Begin vorige week?'

Riet knikte en zei dat hij ineens voor de deur stond. 'Ik schrok mij een ongeluk!'

'Hoe lang is hij gebleven?'

Riet en De Volder keken elkaar opnieuw even aan. 'Een dag of drie?' zei hij. 'Ja, tot woensdag, geloof ik.'

'Waarom is hij terug vertrokken?'

'Omdat hij had wat hij wilde, of toch bijna...'

'Ah? En waar kwam dat geld zo opeens vandaan?'

De Volder vouwde zijn handen samen en duwde de toppen van zijn tegen elkaar gedrukte wijsvingers tegen zijn kin. Met zijn hoofd lichtjes gebogen keek hij Van Den Eede van onder zijn wenkbrauwen aan. 'Een dubbele boekhouding is natuurlijk niet comme il faut, maar kan soms wel handig zijn...'

'Ge hebt uw schoonbroer dus uitbetaald met zwart geld?'

'Daar komt het eigenlijk op neer, ja.'

Elias wilde weten waar Eddy Donckers nu was.

De Volder haalde zijn vingers uit elkaar en hield zijn handpalmen in de hoogte, alsof hij zich overgaf. 'Geen idee. Dat heeft hij natuurlijk niet aan onze neus gehangen. Wij waren al blij dat hij vertrok.'

Inspecteur Mendossa kwam binnen met de mededeling dat de huiszoeking niets had opgeleverd, en vroeg of ze hier nog nodig waren. Van Den Eede bedankte hem en zijn mannen, en zei dat ze konden vertrekken. 'Wat had ik u gezegd?' zei De Volder glunderend. 'Die moeite had u zich kunnen besparen.'

Van Den Eede kon het niet laten om die tevreden grijns van zijn gezicht te vegen. 'Voor ons is de kous hiermee af, maar u begrijpt wel dat de BBI[6] u graag nog eens zal willen spreken. En die zaak met die erfenisrechten krijgt uiteraard ook nog een staartje.'

Nico De Volder verstrakte en keek vervolgens boos in de richting van zijn vrouw, alsof hij haar de schuld gaf van alles wat er was gebeurd.

Het verschil tussen de airconditioned woning van De Volder en de zwoele buitenlucht was zo groot dat het leek of ze van het ene op het andere moment in een stoombad werden ondergedompeld. Terwijl ze naar de Range Rover liepen, die ondertussen in de volle zon stond, begon de gsm van Van Den Eede te rinkelen.

Het was een zekere Daan Willems, die zich voorstelde als 'forensisch grafoloog' en collega van Orhan Tarik. 'Of moet ik ondertussen "ex-collega" zeggen?'

'Wij zijn in ieder geval blij met onze nieuwe aanwinst', zei Van Den Eede lachend. Waarna hij vroeg of de analyse van het anonieme briefje iets had opgeleverd.

'Misschien best dat ge daarvoor toch even tot hier komt', zei Willems. 'Dan kan ik het u tonen.'

'Werkt gij ook bij het labo?'

'Ja. Ge kunt mij vinden in het WTC, aan het Noordstation.'

---

6 Bijzondere Belastingsinspectie.

Van Den Eede keek op zijn horloge. Het was bijna half-twaalf. 'Rond een uur of één, is dat goed?'

'Wanneer ge wilt. Ik ben hier zeker nog tot vijf uur.'

Van Den Eede haalde zijn autosleutels uit zijn zak en gaf ze aan Elias. 'Ga al maar naar de auto. Ik kom direct.'

Hij stak schuin de straat over en liep naar het groenver-lichte apothekerskruis. Elias zag hem er binnengaan. Hij klikte de auto open, die net een bakoven leek, deed alle raam-pjes naar beneden, en ging toen op de stoep in de schaduw van een winkelluifel staan wachten. Nog geen twee minu-ten later zag hij Van Den Eede weer buitenkomen en op hem aflopen.

'Riet Donckers heeft gelogen. Ze is daar nooit insuline komen halen.'

'Waarom heeft ze dat dan gezegd?'

Van achter zijn zonnebril keek Van Den Eede naar de woning met annex bedrijf van het echtpaar Donckers. Hij schudde nadenkend zijn hoofd. 'Geen idee, Wim. Maar iets klopt daar niet.'

'Nee,' zei Elias, 'ik snap ook niet hoe ze hun gazon zo groen houden. Ge zoudt die van mij eens moeten zien. Een hooi-wei is er niks tegen!'

Ze stapten al lachend in en vertrokken opnieuw in de richting van Brussel.

15

Saïd Benachir lag languit, met ontbloot bovenlijf, op het tweepersoonsbed in de slaapkamer van Els Deweerdt. Ondanks de airco, die de temperatuur constant op 20 graden Celsius hield, sijpelde het zweet van zijn voorhoofd. Els veegde het weg met een nat washandje. Saïds linkerarm rustte op een hoofdkussen waarop een schone badhanddoek lag. De kogelwond vlak onder zijn schouder had al een tijdje niet meer gebloed, maar de huid eromheen was rood en gezwollen. In zijn rechterhand had hij zijn pistool vast, dat hij op Lydia Leysen gericht hield, die de wond eerst grondig had ontsmet en daarna met een laagje verdovende lidocaïnezalf had ingesmeerd. Els vroeg haar hoe erg het was. Volgens Lydia had hij geluk gehad en was het alleen maar een vleeswond, die echter wel was gaan ontsteken. Ze kon de kogel, die niet diep zat, soms zelfs voelen. Hij kon voorlopig dan ook beter blijven zitten.

'Die kogel moet eruit', zei Saïd met een hese stem, terwijl hij met moeite zijn pistool ophief en tegen haar hoofd drukte. 'Nu!'

Lydia Leysen kromp ineen, keek bang naar Els Deweerdt en herhaalde voor de zoveelste keer dat ze geen dokter was. 'Wat als ik per ongeluk een slagader of een zenuw raak?'

'Ge hebt toch lang genoeg in een ziekenhuis gewerkt om te weten wat ge doet!'

Lydia schudde zuchtend haar hoofd. 'Dat was iets anders. Hier hebt ge een chirurg voor nodig.'

Maar Saïd wilde van geen uitstel weten. Hoe langer hij met dat lood in zijn lijf rond bleef lopen, hoe erger de infectie zou worden.

'Vooruit, begin eraan!' zei hij hijgend. 'En geen stommiteiten. Of ge moogt een kogel uit uw eigen kop peuteren!'

De vroedvrouw keek met een onzekere blik naar het nachtkastje, waarop allerlei in plastic verpakt medisch materiaal lag. Terwijl ze een paar dunne latex handschoenen aantrok, vroeg ze aan Els waar ze die dingen allemaal vandaan had.

'Gewoon besteld via internet.'

Lydia haalde eerst een blinkend bistourimesje uit zijn steriele verpakking en daarna een klein metalen forcepstangetje, waarvan de uiteinden lichtjes waren verbogen. Vervolgens scheurde ze het papieren zakje open waarin de kompressen zaten. Toen ze het handvat van het chirurgisch mesje vastgreep, kon ze de ademhaling van Saïd Benachir horen versnellen. Zijn borstkas ging hijgend op en neer en zijn voorhoofd was kletsnat van het zweet. Ze vroeg hem om zo stil mogelijk te blijven liggen. Saïd klemde zijn tanden stevig op elkaar.

Lydia keek opnieuw naar Els Deweerdt. 'Met u alles oké?'

Els knikte, maar ze zag lijkbleek en ademde al even gejaagd als Benachir.

'Kunt gij zijn arm vasthouden?'

Els deed het, terwijl ze bemoedigend probeerde te glimlachen naar Saïd. De vroedvrouw bracht het mesje vlak boven het kleine, ronde kogelgaatje, waarvan de randen lichtjes naar binnen waren gevouwen, en legde haar gestrekte wijsvinger op de plaats waar het korte lemmet overging in het handvat. Haar hand trilde. Ze ademde diep in, hield de lucht in haar longen vast, plaatste de punt van de vlijmscherpe bistouri op Saïds arm en maakte, met een snelle beweging van haar pols, een oppervlakkige incisie. Eerst leek het alleen maar een dun rood streepje, maar vlak daarna vouwde de huid open als een glimlachend kindermondje en werd het bloederige weefsel eronder zichtbaar. Lydia duwde de mespunt er opnieuw in en begon voorzichtig dieper te snijden.

Uit de keel van Saïd steeg een dierlijk gegrom op.

Wat Olbrecht meteen opviel toen hij en Tarik uitstapten, was dat het water van het 'kolenafvoerkanaal' in Halle nog harder stonk dan vorige keer. Het tweede wat zijn aandacht trok, waren de gesloten gordijnen op de begane grond van het huis van Els Deweerdt.

'Waarschijnlijk tegen de warmte', meende Tarik.

'Of omdat ze niet thuis is', zei Olbrecht, nadat hij drie keer tevergeefs had aangebeld.

Ze deden enkele stappen achteruit en keken naar de ramen op de verdieping, waarachter evenmin beweging was te zien. In één raam zat een hor.

'Misschien ligt ze ondertussen in een of andere kraamkliniek?' vroeg Tarik zich af.

'Terwijl Benachir haar handje vasthoudt, zeker? Dat is nu godverdomme al de tweede keer dat we juist te laat komen!'

Enkele ogenblikken bleven ze besluiteloos op de stoep staan. Toen greep Olbrecht naar zijn gsm om Van Den Eede op te bellen, maar Tarik hield hem tegen.

'Als ze ervandoor zijn,' zei hij, 'dan toch niet met haar auto, denk ik.'

Hij wees naar de overkant van de straat. Daar stond een knalgele Alfa Romeo Spider Twin Spark. Het soort auto waar hij trouwens al zijn hele leven van droomde. Ze staken de weg over. Terwijl Tarik de nummerplaat doorgaf aan de verkeersdispatching, drukte Olbrecht de zijkanten van zijn handen tegen de ruit en loerde naar binnen. Op de autostoelen lag niets. In het opbergvakje onder de handrem merkte hij een zonnebril, een rolletje King-pepermuntjes en een leeg petflesje water op. Hij hoorde Tarik zeggen dat de auto wel degelijk stond ingeschreven op de naam en het adres van Els Deweerdt.

Toen Olbrecht opnieuw rechtop kwam, moest hij even met zijn ogen knipperen tegen het felle licht. Hij hield zijn rechterhand beschermend boven zijn ogen en bleef zo staan, als een indiaan die over de wijde vlakte tuurt.

'Wat is er?'

'Ik zag daarboven achter het raam precies iets bewegen!'

Tarik keerde zich nu ook om. 'Zeker de weerkaatsing van de zon op het glas.'

'Niks weerkaatsing. Ik zeg u dat ik iets zag bewegen', hield Olbrecht vol.

Toen hij in zijn haast de straat overstak, kwam hij bijna onder een Volkswagenbusje terecht, dat plotseling op de linkerrijbaan van achter een stilstaande vrachtwagen opdook die stenen aan het lossen was. De chauffeur, een struise veertiger met een schildersoverall aan en een petje op, claxonneerde als een bezopen voetbalsupporter met een toeter. Terwijl hij vertraagde, tikte hij tegen zijn voorhoofd en begon Olbrecht door het open raampje luidkeels uit te schelden voor alles wat lelijk was. Waarna hij zijn gaspedaal een paar keer dreigend indrukte, met veel gekraak schakelde en opnieuw optrok.

'Hebt ge dat gezien?' vroeg Olbrecht, terwijl hij verder de straat overstak.

'Ja', zei Tarik. 'Dat scheelde niet veel.'

'Ge moogt hier, verdomme, maar vijftig. Die reed minstens zeventig, en dan nog aan de verkeerde kant!'

'Ge hebt gelijk', zei Tarik.

'Als ge 't maar weet!'

'Ik zag daarboven juist ook iets bewegen.' Hij wees naar het venster links van de erker.

Olbrecht liep naar het benedenraam en drukte zijn gezicht ertegen, in de hoop een spleet tussen de overgordijnen te vinden waardoor hij naar binnen kon kijken. Maar die was er niet. 'Wat nu? De chef verwittigen?'

Olbrecht deed enkele stappen terug, keek speurend langs de gevel omhoog en probeerde met zijn vingertoppen te voelen hoeveel houvast de voegen tussen de stenen boden. 'Op minder dan twee minuten ben ik binnen langs dat vliegenraam.'

'Ge zult nogal bekijks hebben.'

Het werd inderdaad almaar drukker op de Willamekaai.

'Trouwens, als Benachir in huis is, dan staat hij u met zijn pistool op te wachten tegen dat ge boven zijt.'

Olbrecht keek naar het appartementsgebouw rechts van de woning van Els Deweerdt, dat met zijn drie verdiepingen net iets hoger was. 'Misschien kan ik langs de achterkant van dat gebouw op het dak geraken.'

'En dan? Wat zijt ge daarmee?'

'Er is daarbinnen veel indirecte verlichting. Ik ben er zo goed als zeker van dat die van een glazen koepel komt. Hebt gij toevallig gerief in uw auto liggen?'

Tarik knikte en rende naar zijn wagen, die aan het begin van de straat geparkeerd stond. Uit de kofferruimte haalde hij een klein, plat gereedschapskistje, waarmee hij zich terug naar Olbrecht spoedde, die het aan zijn broekriem vastmaakte.

'Ik geef wel een seintje wanneer ik boven ben. Houdt gij ondertussen de voordeur in 't oog?'

'En wat als hij langs achteren probeert te ontsnappen?'

'Daar is alleen een klein tuintje met een hoge muur errond', zei Olbrecht. 'Het zou me verwonderen dat iemand met een kogel in zijn schouder daarover geraakt.'

Hij liep verder de straat in, tot waar er een doorgang was die naar de achterkant van het gebouw leidde. Hij speurde naar een brandladder, die er, zoals gewoonlijk, niet was. Over de volledige breedte van de appartementen waren garages gebouwd. Het was voor Olbrecht een klein kunstje om zich daar, via een kleine vuilniscontainer, bovenop te hijsen. Vervolgens stond hij voor een muur in gevelsteen van naar schatting een vijftal meter hoog. Voor een niet-getrainde waarnemer leek dit een loodrecht vlak. Maar voor Olbrecht waren die paar millimeters ruimte die de voegen tussen de stenen boden voldoende om zich aan op te trekken. Hij had ooit al gladdere wanden beklommen. Als het moest kon hij zich met twee vingers omhoogtrekken, terwijl de pink van zijn andere hand volstond om zich in evenwicht te houden. Het kwam er alleen op aan dicht genoeg tegen de muur aan te kleven. De zolen van zijn schoenen boden genoeg wrijving om niet te schuiven. De eerste meters gingen moeiteloos. Daarna werd het iets moeilijker, door het mos dat tussen de voegen was gegroeid en dat hij telkens moest verwijderen voordat hij zijn vingerkootjes kon plaatsen.

Opeens hoorde hij onder zich enkele opgewonden stemmetjes. Er stonden twee jongetjes van een jaar of zeven, acht bewonderend naar hem te kijken. Hij knipoogde naar hen en bewoog, bij wijze van groet, zijn vingers, alsof hij er een roffel mee op de muur sloeg.

Een van de jongens vroeg of hij Spiderman was.

Olbrecht antwoordde lachend van ja. 'Maar ssst, aan niemand voortvertellen, hé!'

De jongetjes schudden beiden met open mond van nee, keken elkaar vervolgens met grote verbaasde ogen aan, en zetten het toen op een lopen.

Olbrecht glimlachte, maar bedacht dat hij zich zou moeten haasten, voordat alle kinderen van de buurt zich daarbeneden verzamelden om hem aan het werk te zien. Nadat hij zijn handen nog een paar keer naar rechts had verplaatst, kon hij zich vastklampen aan de dakrand van het huis van Els Deweerdt. Wat hij had vermoed, klopte: in het midden van het platte dak was een grote, ronde koepel. Nadat hij zijn voeten stapje voor stapje hoger had geschoven, strekte hij zijn benen, terwijl hij zich met beide armen omhoog trok. Het volgende moment stond hij op het dak, waarvan de roofing zo heet was dat zijn schoenen erin weg leken te zinken.

16

'Ik dacht dat grafologen vooral probeerden om iemands karaktereigenschappen af te leiden uit zijn handschrift', zei Van Den Eede.

Daan Willems, een kleine magere vijftiger met een rond brilletje op zijn neus, een borstelige grijze snor en een hoofd vol bruine ouderdomsvlekken, waarop hier en daar nog een verdwaald haartje achter was gebleven, knikte monkelend. 'Dat is ook zo', zei hij. 'Maar aangezien er in België nog altijd geen erkende opleiding voor schriftvergelijkend onderzoek bestaat, moeten wij ons helaas wel grafologen noemen.' Hij nam zijn brilletje van zijn neus, ademde een paar keer op het linkerglas en begon dat te poetsen met zijn zakdoek. 'Zelfs Estland heeft zo'n instituut. Maar wij dus niet.' Hij hield zijn bril op armlengte voor zijn gezicht en kneep één oog dicht. Vervolgens ademde hij op het rechterglas en wreef dat op. 'Al in 1994 hebben ze er in Londen tijdens een internationaal congres op aangedrongen om geen grafologen meer aan te stellen als gerechtsdeskundigen, juist omdat ze er niet voor zijn opgeleid en geregeld serieuze fouten maken. Bijna alle Europese landen zijn daar dan ook mee gestopt. Alleen de rechtbanken in België doen alsof hun neus bloedt.' Weer hield hij zijn bril voor zijn gezicht, maar nu kneep hij het andere oog dicht. 'Ge hebt dus geluk dat ik lid ben van de ex-gerechtelijke politie, afdeling Laboratorium', zei hij met een scheef glimlachje. 'Wij hebben inder-tijd een opleiding gehad in algemeen sporenonderzoek, inclusief schriftexpertise.' Hij plaatste zijn bril zorgvuldig terug op zijn neus.

'Van mij zult ge dus niet te horen krij-gen hoe de schrijver van dit briefje' – hij wees naar het blaad-je dat hij van Tarik had gekregen – 'zich voelde of wat hij dacht toen hij dit opschreef.'

Van Den Eede en Elias knikten glimlachend.

'Maar, zoals ik al zei, officieel zijn wij dus nog altijd gra-fologen...'

'Weeral iets bijgeleerd', zei Van Den Eede.

'Ja en nee', vervolgde Elias. 'Dat de rechters in dit land zich als arrogante, omhooggevallen amateurs gedragen, die denken dat ze alles beter weten, dat is natuurlijk niks nieuws.'

Ze schoten alle drie in de lach. Waarna Willems zijn keel schraapte en ter zake kwam door het briefje tussen duim en wijsvinger te nemen.

'Bon. Er vielen mij direct een paar dingen op', begon hij. 'Ten eerste de eigenaardige hellingshoek van het hand-schrift.'

Hij legde het blaadje opnieuw neer en trok een vergroot-glas dat op een buigzame houder was gemonteerd, naar zich toe.

'Kijk...' Hij wees, terwijl hij een meetlatje onder het hand-schrift schoof. 'Als dit de ingebeelde schrijflijn is, dan ziet ge met het blote oog dat de letters naar links overhellen. Ja?'

Van Den Eede en Elias knikten instemmend.

'Ten tweede de vlakindeling, zoals wij dat noemen.' Hij duwde het vergrootglas opzij. 'Als ge de linker marge met de rechter vergelijkt, wat ziet ge dan?'

Van Den Eede boog zich over het papier en keek aandachtig. 'Dat die kleiner is', antwoordde hij, met een gevoel alsof hij terug in de klas zat en werd overhoord.

'Juist.' Willems trok het vergrootglas opnieuw dichterbij. 'En kijk nu eens goed naar de kwaliteit van de lijnen.'

'Misschien een beetje beverig?' gokte Elias.

'"Onvast" is in dit geval een beter woord. Dat komt vooral door de zwakke pendruk. Degene die dit op papier heeft gezet, is niet gewend om veel te schrijven.' Hij griste het blaadje van onder het vergrootglas en hield het in de hoogte. 'Valt er u nog iets op?'

Van Den Eede en Elias staarden geconcentreerd naar de tekst.

'Ik heb het nu niet over vormkenmerken', zei Willems, 'maar over de spelling, en dan bedoel ik niet die dt-fout.'

'Er zijn geen hoofdletters', zei Van Den Eede. 'Alles wordt met een kleine letter geschreven.'

Daan Willems legde het papiertje terug op zijn bureau en gaf er met zijn volle handpalm een klap op, terwijl hij tevreden achteroverleunde. 'Conclusie, mijne heren?' riep hij.

Van Den Eede en Elias keken elkaar zijdelings aan, maar blijkbaar was het een retorische vraag geweest, want Willems gaf zelf het antwoord.

'Deze zin is niet geschreven door een westerling, maar door iemand die gewoon is van rechts naar links te schrijven én in een taal die, in tegenstelling tot het Latijnse schrift, geen hoofdletters kent.' Hij pauzeerde even. 'Met andere woorden: door iemand die normaal Arabisch schrijft. En vóór ge het vraagt: volgens mij is het een vrouw.'

17

Nadat Olbrecht de schroeven had uitgeboord waarmee de koepel van plexiglas op het dak was bevestigd, kon hij hem zonder al te veel moeite van zijn plaats duwen tot er een opening ontstond waar hij makkelijk doorheen kon. Tijdens zijn undercoverperiode was hij meer dan eens op pad gegaan met echte inbrekers, meestal voormalige Oostblokkers, die op bestelling stalen en van wie hij veel had opgestoken. Hij had ingebroken in huizen, waarbij de cilinders vakkundig uit het slot werden gehaald of de deur, zonder sporen na te laten, werd geopend met behulp van een klophamer. Ook hoe je een auto openkreeg zonder dat het alarm afging, was voor hem geen geheim meer. Tijdens een gewaagde inbraak bij een joodse diamantair – de misdadigers vertrouwden hem inmiddels voldoende om hem het plan te laten uittekenen – was de hele bende in één keer opgerold.

Toch was het daarna nog bijna misgegaan. Hun advocaten hadden de vrijspraak geëist omdat het, volgens hen, om uitlokking van criminele feiten ging, en de rechter was hen daarin gevolgd. Nadat het parket in beroep was gegaan tegen die uitspraak, die voor veel publiek ongenoegen had gezorgd, werden ze uiteindelijk toch nog veroordeeld tot celstraffen van respectievelijk vier en zes jaar. Degenen met het minst aantal jaren, liepen waarschijnlijk al weer vrij rond.

Olbrecht schatte de afstand van het dak tot de houten vloer onder hem hooguit een meter of drie. Hij nam zijn mobieltje en drukte de snelkeuzetoets voor het nummer van Tarik in. Na twee keer bellen, nam die aan.

'Ik ben boven. Hoe zit het daarbeneden?'

'Alles rustig hier. Achter het raam is geen beweging meer te zien.'

'Oké, dan ga ik naar binnen.'

'Zouden we niet beter eerst de chef opbellen?'

'Waarom? Die zit waarschijnlijk nog met Wim in Leuven. Als we daarop moeten wachten.'

'Laat ons dan tenminste vragen wat we moeten doen.'

'Ik zeg u toch juist wat ik ga doen!'

Opeens hoorde hij uit het huis een luide gil klinken, die afkomstig moest zijn van een man.

'Wat was dat?' riep Tarik geschrokken. 'Hallo, Rob? Waart gij dat?'

'Blijf waar ge zijt. Ik ga kijken.'

Tarik vond dat hij dat beter niet kon doen, maar merkte toen dat Olbrecht de verbinding had verbroken. Zuchtend stak hij zijn gsm weg.

Olbrecht liet zich achterwaarts door het gat zakken en hield zich met beide handen vast aan de polyester opstand van de lichtkoepel. De plankenvloer onder hem zag er stevig genoeg uit. Hij hoopte dat de rubberen zolen van zijn sportschoenen het neerkomen voldoende zouden dempen. Net toen hij los wilde laten, hoorde hij een deur opengaan, gevolgd door voetstappen op de overloop. Olbrecht begon zich al op te trekken, voor het geval degene die daar liep de trap zou opkomen, maar stopte daarmee toen er op de verdieping onder hem een tweede deur werd geopend. Waarschijnlijk die van de badkamer, want even later was er geruis van stromend water.

Plotseling weergalmde een schel, metalig lawaai van iets wat op steen viel en daar rinkelend rond bleef tollen. Alsof iemand hard op een crash-cimbaal had geslagen. Olbrecht aarzelde geen moment en liet zich vallen. Terwijl de herrie beneden hem wegstierf, kwam hij soepel en zacht neer. Hij hoorde een vrouw ongerust vragen wat er gaande was. Een barse mannenstem riep haar bevelend terug. Was dat Benachir? Vanuit de badkamer antwoordde een tweede vrouw dat alles oké was. Olbrecht verschool zich achter de zware, houten trapleuning en wachtte af. Even later zag hij Els Deweerdt, met haar opbollende buik, op de overloop verschijnen. Ze bewoog met schuifelende stapjes. In haar handen hield ze een blinkende roestvrijstalen kom vast, bijna tot de rand gevuld met dampend water, die ze moeizaam in evenwicht probeerde te houden. Over haar rechterarm hing een gevouwen handdoek. Olbrecht vond dat ze er allesbehalve goed uitzag. Ze had dikke wallen onder haar ogen en een verbeten uitdrukking om haar lippen, alsof ze pijn moest verbijten. Hij vroeg zich af wie die tweede vrouw kon zijn. Afgaand op de manier waarop ze door Benachir werd toegesnauwd, betwijfelde hij of ze hier uit vrije wil was. Hielden ze misschien een dokter gegijzeld?

Nadat Els Deweerdt in een kamer was verdwenen, hoorde hij eerst gedempte stemmen, daarna een dof gekreun. De gil daarstraks, het warme water, de propere doek... Alles wees erop dat de gewonde Saïd Benachir daar in die kamer door iemand werd verzorgd. Voorzichtig begon Olbrecht naar beneden te sluipen. Zijn 9mm-Baby Glock hield hij schietklaar met half gestrekte armen voor zich uit. De treden waren gemaakt van dikke oude treinbiels die makkelijk zijn gewicht droegen zonder te kraken. Op de overloop bleef hij staan. Even overwoog hij om de kamerdeur, die op een kier stond, open te trappen. Maar dat idee liet hij meteen weer varen. Er zaten daarbinnen twee vrouwen, van wie één hoogzwanger, en een gewapende gangster.

Hij daalde de volgende trap af, tot op de begane grond, waar hij in de ovale hal met de marmeren vloer kwam. Nadat hij zich ervan had vergewist dat iedereen nog altijd in de kamer was, haastte hij zich naar de voordeur en draaide voorzichtig de sleutel om die in het slot stak. Ondanks de gevaarlijke situatie kon hij een glimlach niet onderdrukken toen hij de verbazing op het gezicht van Orhan Tarik zag.

Terwijl Van Den Eede de Range Rover door het drukke verkeer op de Generaal Jacqueslaan loodste, keek hij af en toe opzij naar Elias, die zijn gsm tegen zijn oor hield.
'Nog altijd niks?'
Elias schudde van nee, terwijl hij zijn oproep beëindigde.
'Geen één van de twee die aanneemt.'
'Waar zijn die godverdomme mee bezig?' vroeg Van Den Eede geërgerd en ongerust tegelijk.
Zijn eigen gsm begon te rinkelen. Hij drukte de toets van zijn oortje in, dat via bluetooth met zijn mobiel was verbonden. 'Met Van Den Eede.'
Het was Freddy, die vanuit de Géruzet belde.
'Daar zijn we juist naar op weg', zei de commissaris.
Freddy had de beelden die de voorbije dagen waren geregistreerd door de bewakingscamera 'in vogelvlucht' bekeken, zoals hij zei, maar had daarop niemand gezien die een envelop vasthad.
'Stond er toevallig geen moslimvrouw op?' informeerde Van Den Eede.
'Ik heb er wel een paar met een doek op hun kop zien passeren, ja.'

'Waren er ook bij die een chador droegen?'

'Een wát?'

'Zo'n zwart kleed tot op de grond', verduidelijkte Van Den Eede.

'Ah, van die tante nonnekes!' Freddy lachte. 'Ja, zo waren er ook een paar bij.'

'Zoudt ge alleen die beelden voor ons eens kunnen opzoeken?'

Het gelach aan de andere kant van de lijn verstomde. 'Dat is natuurlijk niet zo simpel wat ge daar vraagt, commissaris', zei Freddy. 'Daarvoor zou ik alles nog eens opnieuw moeten bekijken.'

'Hebt ge dan geen aantekeningen gemaakt?'

'Eigenlijk niet, nee. Alleen uitkijken naar iemand met een envelop, hadt ge toch gezegd...'

Van Den Eede schudde zuchtend zijn hoofd. 'Zoudt ge dat dan nog eens willen doen, Freddy? Maar deze keer mét de tijdscode van de band erbij. En liefst zo rap mogelijk.'

Hij verbrak de bluetoothverbinding. 'Ga met zoiets naar de oorlog. Stomme kloot.'

Wim Elias vroeg of hij aan een bepaalde moslimvrouw dacht.

'Herinnert gij u nog wat er in Benachir zijn pedigree stond over zijn nichtje, Yamina of Yasmina?'

Elias dacht na. 'Dat minderjarig meisje dat door hem zou zijn verkracht, daarna van leugens werd beschuldigd door haar eigen vader en vervolgens tegen haar goesting – of, wie weet, misschien wel voor straf? – werd uitgehuwelijkt aan een Marokkaan die haar grootvader kon zijn.'

Van Den Eede knikte.

'Dat kind is dus drie keer slachtoffer geworden. Haar leven werd verknoeid nog vóór het goed en wel was begonnen. En allemaal door de schuld van Saïd. Zoudt gij in zo'n geval niet op wraak zinnen?'

'Ge denkt dus dat zíj hem heeft verraden?'

Van Den Eedes mondhoeken gingen naar beneden, terwijl hij fronste. 'Ze had er in ieder geval een goeie reden voor.' Ze moesten stoppen achter een rij auto's die stond te wachten voor een rood licht.

'Zoek straks eens uit waar ze woont.'

Het licht sprong op groen. De rij kwam langzaam weer op gang.

'Maar probeer eerst nog eens of ge dat koppel kunt bereiken.'

Op het nachtkastje naast het bed waarin Saïd Benachir lag, stond een zilverkleurig schaaltje waarin een bloederige kogel lag. Lydia Leysen was bezig een drukverband aan te leggen rond de schouder en bovenarm van Saïd, die nog altijd zijn pistool vasthad. Els Deweerdt zat, achterovergeleund en met gespreide benen, op de zijkant van het bed en ademde zwaar hijgend. Af en toe greep ze naar haar buik, alsof ze plotselinge pijnscheuten kreeg.

Terwijl de vroedvrouw het laatste stuk van het verband doormidden scheurde en beide uiteinden voorzichtig rond Saïds arm draaide, keek ze bezorgd naar de zwangere vrouw die met haar rug naar haar toe zat.

'Lydia?' vroeg deze zwakjes.

'Ja, wat is er, Els?'

'Ik denk dat het vruchtwater is gebroken en de weeën zijn begonnen...' Er klonk angst in haar stem.

Lydia keek geschrokken op van haar werk. 'Nu al? Dat is een week te vroeg!' Ze knoopte vlug de twee stukken verband aan elkaar en liep om het bed heen. Op het tapijt was een donkere vlek te zien, die langzaam groter werd.

Els Deweerdt keek haar bang afwachtend aan. 'Wat moet er nu gebeuren?'

'Gaan liggen, en vooral rustig blijven.'

Ze hielp Els om zich uit te strekken op het bed, trok vervolgens haar jurk tot boven haar heupen en begon voorzichtig met beide handen haar buik te betasten, van boven naar beneden, en weer naar boven. Op haar gezicht verscheen een bezorgde uitdrukking, die ook Els Deweerdt niet ontging.

'Is er iets mis?'

Lydia antwoordde niet meteen, maar bleef voelen en tasten. 'Ik ben bijna zeker dat het kindje in stuit ligt. Op zich is dat niet abnormaal. De meeste baby's draaien zich vanzelf tegen dat hun tijd er is. Maar bij een vroeggeboorte kan dat wel problemen geven.'

'Wat voor problemen?' vroeg Saïd achterdochtig.

Hij hield nog altijd zijn pistool op de vroedvrouw gericht, wat haar in deze situatie opeens belachelijk leek.

'Zoudt ge niet beter dat pistool wegdoen? Ge ligt hier naast een vrouw die moet bevallen.'

'Ik vroeg, wat voor problemen!' herhaalde Saïd, maar nu op een dreigende toon.

'Een kind in stuitligging betekent altijd een risico. De kans dat er tijdens de geboorte iets misgaat, is groot. Els moet zo rap mogelijk naar een kraamkliniek.'

Saïd vloog met een grimas overeind. 'Iedereen blijft hier! Verstaan!' Hij stond te wankelen op zijn benen.

Els probeerde hem ervan te overtuigen dat hij haar moest laten gaan.

Saïd vroeg hoe ze in die kliniek dacht te komen.

'Lydia kan mij toch brengen. Ik ben er zeker van dat ze over u zal zwijgen. Hé, Lydia?'

Saïd maakte een snuivend geluid. 'Denkt gij dat ik achterlijk ben?'

Els Deweerdt slaakte een kreet en greep naar haar buik,

terwijl ze haar hoofd krampachtig achterover hield. De vroedvrouw trok de slip van Els naar beneden en deed haar benen van elkaar. Ze stond weer op, liep naar de stoel waarover haar jas hing, en haalde een gsm uit haar zak.

'Wat zijt ge van plan?' Hij hield zijn pistool nu met gestrekte arm op haar gericht. Zijn hand beefde.

'Een ambulance bellen', zei Lydia Leysen vastbesloten. Maar nog voordat ze een toets had ingedrukt, kwam Saïd op haar afgestapt. Hij rukte de gsm uit haar hand en smeet hem kapot tegen de muur.

Els begon te huilen en smeekte Saïd om haar te laten gaan. 'Het is toch ook uw kind! Of zijt ge dat vergeten?'

Lydia keek verbaasd naar Els Deweerdt. 'Is híj de vader?' vroeg ze ongelovig.

Ze zag de klap niet aankomen. De kolf van het pistool raakte de zijkant van haar hoofd. Lydia verloor haar evenwicht en kon zich nog net aan de stoel vastgrijpen.

'Zijt gij nu helemaal zot geworden?' riep Els met overslaande stem. 'Straks is er niemand meer om mij te helpen!' Waarna ze opnieuw begon te huilen.

Lydia kwam kreunend overeind gekropen, terwijl ze naar de pijnlijke plek op haar linkerslaap tastte. Toen ze haar vingers bekeek, hing er bloed aan.

Vanuit het niets klonk een Arabisch deuntje, dat almaar luider werd. Het was de gsm van Saïd. De gangster keek eerst naar het nummer op het display voordat hij de oproep aannam.

'Met Saïd.'

Terwijl hij luisterde, veranderde de uitdrukking op zijn gezicht.

'Bedankt, Ahmed', zei hij afgemeten. 'Barak Allah', voegde hij er wat vriendelijker aan toe.

Waarna hij de verbinding verbrak en zich nors naar Els

keerde, die ophield met wenen en verbaasd vroeg wat er scheelde.

'Dat was Ahmed El-Tazi. De politie is daarstraks bij hem geweest. Iemand heeft mij verraden.'

Els staarde hem niet-begrijpend aan. 'Wie?' Toen ze zijn wantrouwige blik zag, deed ze moeite om wat meer rechtop te zitten. 'Ge denkt toch niet dat ik het was?'

'Wie anders wist dat ik daar zat?'

'Dat zult gij beter weten dan ik', protesteerde Els zwakjes. 'Als ik het was geweest, waarom zou ik u daar dan zijn komen weghalen?'

Benachir leek nu weer te twijfelen en vroeg of de flikken ook hier bij haar thuis waren geweest. Els Deweerdt liet zich weer achteroverzakken en trok met moeite een hoek van het laken over haar naakte onderbuik. Ze keek naar de vroedvrouw, die op de stoel was gaan zitten en haar zakdoek tegen haar voorhoofd hield. 'Waarom vraagt ge dat?'

'Ja of nee?' riep Saïd ongeduldig.

Els kromp geschrokken ineen en schudde van nee.

'Ge liegt!' brulde hij, terwijl hij haar pols vastgreep. 'Smerige teef!'

'Ze wilden alleen weten of ik nog contact met u heb gehad', jammerde Els.

'En wat hebt ge gezegd?'

'Niks. Dat zweer ik.'

Benachir liet haar arm los en liep als een gekooid dier nerveus de kamer op en neer. Opeens bleef hij staan en keerde zich naar de vroedvrouw. 'Zijt gij met de auto?'

Lydia, die haar zakdoek tegen haar hoofd gedrukt hield, knikte.

Saïd keek nadenkend door het raam, dat op de ommuurde tuin uitgaf, maar leek die mogelijkheid al vlug weer te verwerpen. Hij gebaarde met zijn pistool naar de deur en snauwde tot de vroedvrouw dat ze mee moest komen.

Els Deweerdt vroeg verschrikt wat hij ging doen.

'Ge denkt toch niet dat ik hier ga zitten wachten tot de flikken er zijn?'

'En ik dan? Wat gaat er met mij gebeuren?'

Voor het eerst keek Saïd haar wat bezorgd aan. 'Ge begrijpt toch wel dat ik u, in die toestand, niet mee kan nemen?'

Els verborg haar gezicht in haar handen en begon met schokjes te huilen.

Saïd haalde zuchtend de gsm die hij daarstraks van haar had afgenomen uit zijn broekzak en zei dat hij die boven aan de trap achter zou laten, zodat ze zelf een ambulance kon bellen zodra hij hier weg was. Waarna hij gebaarde dat de vroedvrouw hem voor moest gaan.

Ze opende de deur en ging naar buiten. Ze had nog maar enkele stappen gezet of ze bleef geschrokken staan.

Saïd porde haar aan om verder te gaan. Maar toen hij op de gang kwam, stond ook hij plotseling oog in oog met Olbrecht en Tarik, die vanaf de trap hun Glock op hem richtten.

'Politie! Wapen op de grond! Nú!'

Saïd sprong vliegensvlug achteruit, terwijl hij een paar keer lukraak in de richting van de trap vuurde. De oorverdovende knallen weerkaatsten tegen de muren als loden ballen in een flipperkast. Lydia Leysen stond, met haar handen tegen haar oren gedrukt, hysterisch te krijsen.

Toen het hoofd van Olbrecht en Tarik weer van achter de smeedijzeren trapleuning verscheen, was Benachir al in de slaapkamer verdwenen. Terwijl Tarik hem dekking gaf, liep Olbrecht naar Lydia Leysen en trok haar haastig met zich mee.

'Ik heb het!' riep Wim Elias van achter zijn computer. 'Yamina Tahiri en haar man wonen op de Anderlechtsesteenweg.' Uit de printer schoof een foto. 'En zo ziet ze eruit.'

Van Den Eede bekeek het blad op armlengte van zijn gezicht. Hij was dringend aan een leesbril toe. Yamina droeg een helblauwe hoofddoek die de helft van haar voorhoofd bedekte en overging in een lange sjaal, die ze sierlijk rondom haar schouders had gedrapeerd. Ze had grote, donkere ogen met lange zwarte wimpers. Om haar lippen speelde een wat verlegen, maar vertederende glimlach.

'Een mooi meisje. Waar komt die foto vandaan?'

'Blijkbaar een schoolfoto die iemand op het internet heeft gezet, en die daarna een eigen leven is gaan leiden. Hij stond op de website van een winkel die chadors en hoofddoeken verkoopt.'

Van Den Eede vouwde het blad dicht en stak het in de binnenzak van zijn jas.

'Dan gaan we ons licht maar eens opsteken in de Anderlechtsesteenweg.'

Toen ze bij de slagboom kwamen, begon Freddy enthousiast te wuiven. Hij sprong overeind, trok de deur van zijn wachthuisje open en liep naar de Range Rover. Elias deed het raampje omlaag.

Freddy stak zijn hoofd naar binnen en zei opgewekt dat hij zo goed als halfweg was met die videobanden. 'Tot hier toe heb ik al vier van die zwartrokken zien passeren.'

Van Den Eede haalde de geprinte foto uit zijn binnenzak en toonde hem aan Freddy. 'Was die erbij?'

Freddy floot bewonderend. 'Nee. Die zou ik mij wel herinneren. Maar als ge wilt, kunt ge naar de anderen komen kijken.'

'Straks', zei Van Den Eede, terwijl hij het blad opnieuw dichtvouwde. 'We zijn nogal gehaast.'

De ontgoocheling op Freddy's gezicht kon niet groter zijn.

'Geef ons een seintje wanneer ge alles hebt bekeken. Oké?'

'Zoals ge wilt, commissaris', zei Freddy slapjes, waarna hij op de ouderwetse manier salueerde en naar binnen liep.

Ze waren bijna bij de Naamsepoort, toen de gsm van Van Den Eede een berichtsignaal liet horen. Hij nam zijn mobieltje, opende het sms'je en toonde het display, dat moeilijk leesbaar was door het zonlicht, aan Elias.

'Hier, leest gij maar.'

Elias hield zijn hand boven het kleine beeldschermpje. 'Godverdomme!'

Van Den Eede keek geschrokken opzij. 'Nieuws van Rob en Tarik?'

'Target in huis Els D. Instructies?' las Elias hardop.

'Antwoord dat ze stand-by moeten blijven tot wij daar zijn.'

Ondertussen veranderde hij van baanvak en volgde nu de wegwijzer naar de E19, richting Bergen-Charleroi.

Elias vroeg of ze toch niet beter het SIE op de hoogte konden stellen, 'voor het geval dat'.

Van Den Eede leek eerst nog te twijfelen, maar schudde toen resoluut van nee. 'Dit lossen we zélf op, Wim!'

Terwijl hij dat zei, steeg vanuit zijn maag een misselijkmakend gevoel op, dat zich tintelend over de rest van zijn lichaam verspreidde tot in zijn vingertoppen en hem ijl in het hoofd maakte. Hij kreeg het benauwd en zijn hart begon te bonzen. Het was een vreemde gewaarwording die hij de jongste tijd al een paar keer had gehad. Hij vermoedde dat het symptomen van hyperventilatie waren. Toen hij nog commandant van het SIE was, had hij daar nooit last van gehad. Kunnen omgaan met stress en adrenaline maakte

216

deel uit van de dagelijkse training. Negentig procent van de kandidaten slaagde trouwens niet voor de toelatingstests door een gebrek aan koelbloedigheid.

Van Den Eede zoog zijn longen tot barstens toe vol lucht, die hij vervolgens vanuit zijn middenrif zo traag mogelijk weer uitblies. Het was een techniek die hij vroeger tijdens de schietoefeningen had geleerd. Al na een paar keer voelde hij de benauwdheid en de hartkloppingen verminderen. Hij keek opnieuw even opzij om te zien of Elias iets had gemerkt van zijn plotselinge flauwte, maar die zat in gedachten verzonken voor zich uit te staren. Natuurlijk maakte hij zich ook ongerust. Het FAST stond op het punt zijn eerste arrestatie te verrichten. Straks zouden ze waarschijnlijk oog in oog staan met de kompaan van Kurt Van Sande, van wie nog altijd ieder spoor ontbrak. Van Den Eede kon het niet helpen dat hij een soort déjà-vugevoel kreeg. Alleen: deze keer mocht er niets misgaan.

In de woning van Els Deweerdt was de toestand ondertussen weinig veranderd. Terwijl Olbrecht vanaf de trap de slaapkamerdeur in het oog hield, was Tarik met Lydia Leysen, die compleet over haar toeren was, de straat op gegaan. De wond aan haar hoofd bloedde niet meer en leek nogal mee te vallen. Toen Tarik hoorde wat er met Els Deweerdt aan de hand was, had hij meteen een ambulance gebeld, en hij had er nadrukkelijk bij gezegd dat ze in de buurt van het station alleen hun zwaailicht mochten gebruiken en op de hoek van de straat op instructies moesten wachten. Hij wilde niet het risico lopen dat Benachir in paniek zou raken bij het horen van een naderende sirene.

Lydia kon maar niet begrijpen dat Benachir Els zoiets kon aandoen. 'De moeder van zijn eigen kind!'

Tarik keek haar ongelovig aan. 'Heeft hij dat gezegd?'

'Nee, zij.'

'Wanneer?'

'Daarjuist.' Lydia keek angstig naar het huis aan de overkant. Aan niets was te zien wat er zich achter de gevel van die oude herenwoning afspeelde.

Tariks gsm begon te rinkelen. Het was Olbrecht, die fluisterend informeerde wie die vrouw was die ze zojuist uit de klauwen van Benachir hadden gered.

'Een vroedvrouw die kwam kijken hoe het met Els Deweerdt was.'

'Heeft ze iets verteld wat ons kan helpen?'

'Genoeg om te weten dat Els daar dringend weg moet. Normaal moest ze pas eind volgende week bevallen, maar haar weeën zijn al begonnen. En zonder hulp zou het wel eens lelijk mis kunnen gaan, omdat de baby blijkbaar verkeerd ligt. Er is een ambulance onderweg.'

Olbrecht zei dat hij Els inderdaad af en toe klaaglijk kon horen kreunen.

'En wilt ge nog eens iets weten? Volgens de vroedvrouw zou ze hebben gezegd dat Benachir de vader is.'

Hij hoorde Olbrecht gedempt vloeken. 'Toch spijtig dat de chef niet wilde wedden...'

'Ik ben er anders niet zo zeker van dat ge zoudt gewonnen hebben', zei hij. 'Misschien zei ze dat alleen maar omdat ze hoopt dat hij haar niks zal doen als hij dénkt dat het kind van hem is?'

Olbrecht vond dat bullshit. 'Waarom is ze hem dan deze morgen uit die nachtwinkel gaan halen en zit hij nu in haar huis?'

Het was een argument waar Tarik niet meteen iets tegen in kon brengen. 'Misschien omdat ze hem, ondanks alles, écht graag ziet...' probeerde hij.

Aan de andere kant klonk een sarcastisch lachje.

'Criminelen hebben soms een eigenaardige aantrekkings-kracht op vrouwen.'

'Zeker daarom dat ze hem geen enkele keer is gaan bezoeken toen hij in den bak zat?'

'Ik bedoel maar', zei Tarik, maar hij maakte zijn zin niet af. Over de brug kwam een ambulance aangereden. 'De ambulance is er.'

Op de hoek van de straat bleef de wagen staan, zoals Tarik had gevraagd. De verpleger die naast de chauffeur zat, stapte uit en keek zoekend in hun richting.

Tarik zwaaide naar hem en vroeg Olbrecht om aan de lijn te blijven. Hij stuurde Lydia naar de ziekenwagen om haar hoofd te laten verzorgen, en drukte haar op het hart dat ze daar moest blijven. 'Brengt gij die mensen op de hoogte van wat hier gaande is?'

Lydia knikte. Ze leek opgelucht dat ze hier weg kon.

Tarik drukte de gsm terug tegen zijn oor. 'Rob? Ik kom terug naar binnen.'

Hij verbrak de verbinding voordat Olbrecht kon protesteren.

18

Antoine Libert, die zijn eigen gsm al een hele tijd geleden weg had gegooid, besefte dat hij een risico liep door die van zijn dode belager te blijven gebruiken. Maar opnieuw had hij niet het geduld om door de bossen en over de steile Crêtes tot in het centrum van Rochehaut te lopen. Lang kon hij hier trouwens toch niet meer blijven. Als ze het mobieltje van die smeerlap traceerden, iets wat vroeg of laat ongetwijfeld gebeurde, dan zou hij al in de Dominicaanse Republiek zitten. De voorbije maanden had hij alles nauwkeurig voorbereid. De valse documenten, die hem veel geld hadden gekost, lagen klaar en hij had een optie genomen op een huis in de buurt van Punta Cana. Tot nu toe was zo goed als alles volgens plan verlopen. De toekomst zag er schitterend uit. En dan gebeurt er opeens iets wat niemand kon voorzien.

Met lood in de schoenen toetste hij het nummer van Vanessa in, en wachtte. Sinds eergisteren had hij niet meer met haar gesproken. Het duurde een eeuwigheid voordat ze opnam. Toen ze haar naam zei, klonk haar stem heel zwak, alsof ze ergens op een verlaten plek aan het andere eind van de wereld zat. Ze begon onmiddellijk te huilen toen ze hoorde dat hij het was. Hij probeerde haar een paar keer te onderbreken, maar het huilen hield niet op. Het leek of hij niet meer tot haar doordrong.

'Stop nu toch eens en zeg wat er is gebeurd!' riep hij ongeduldig.

Maar natuurlijk kende hij het antwoord al. Snikkend en haperend vertelde ze dat ze de hele nacht naast zijn bedje had gezeten. In de vroege ochtend, net toen de eerste zonnestralen de kamer binnenvielen, had hij nog eenmaal zijn ogen geopend en flauwtjes naar haar geglimlacht. Even had ze zelfs gedacht dat hij zich beter voelde. Hoe onnozel kan een mens zijn. Toen was hij opeens gestopt met ademen. Zomaar, van het ene op het andere moment. Zijn hoofdje was traag opzij gezakt op het kussen, terwijl het licht uit zijn ogen verdween. Hij had haar aangestaard met een blik die ze haar hele leven niet zou kunnen vergeten. Waarna ze opnieuw begon te snikken.

Libert stond daar midden in de open vlakte in het bos en keek naar de blauwe hemel, waarin geen wolkje te zien was. Natuurlijk moest hij nu iets voelen: verdriet, woede, wanhoop, onmacht, opstandigheid... Maar het leek wel of de woorden die via een ingewikkeld netwerk van frequentiebanden, zenders en ontvangers in zijn hersenen waren binnengedrongen, hem hadden verdoofd.

Langzaam liet Antoine Libert zijn hoofd weer zakken. Aan de rand van het bos stond een ree. Haar twee grote oren staken recht omhoog en met haar koolzwarte ogen keek ze hem bewegingloos aan. Vanuit de verte hoorde hij zijn naam roepen. Opeens realiseerde hij zich dat hij de gsm nog altijd tegen zijn oor hield.

'Wanneer wordt hij begraven?' mompelde hij.

Er zat een soort echo op de verbinding, waardoor hij zichzelf zijn vraag gedeeltelijk hoorde herhalen.

'Maandag', snikte Vanessa. 'Om halfelf, in de Kapellekerk.'

Hij knikte zwijgend, alsof ze hem kon zien.

'Komt ge?'

Antoine Libert staarde naar de grond en zuchtte. 'Ge weet dat dat niet kan, Vanessa.' Hij vermoedde dat zij nu ook in stilte haar hoofd op en neer bewoog. 'Ik bel later nog terug', zei hij, en hij schakelde de gsm uit. Toen hij weer opkeek, was de ree verdwenen. Hij hief zijn hoofd opnieuw op naar de blauwe hemel, kneep zijn ogen dicht en balde zijn handen tot vuisten. Hij kon het bloed in zijn slapen voelen kloppen. Het gebrul dat niet alleen uit zijn keel, maar uit zijn hele lijf leek te komen, klonk als dat van een dodelijk gewonde tijger. Toen hij zijn longen leeg had geschreeuwd, liep hij langzaam in de richting van de chalet.

In de woning hing de weeïge geur van verrotting. Hij haalde het zwarte koffertje onder de losliggende plank vandaan, zocht zijn spullen bijeen en stopte ze in zijn leren schoudertas. Vervolgens ging hij terug naar buiten en legde alles tegen de gemetselde waterput. Hij liep naar de achterkant van het houten huis, trok de deur van het berghok open en haalde er een jerrycan gevuld met benzine uit. Daarna liep hij dezelfde weg terug. De inhoud van de jerrycan verdeelde hij over de verschillende kamers. De laatste liters benzine goot hij uit over het levenloze lichaam dat op het bed in de kinderslaapkamer lag. Hij liet de lege jerrycan daar achter en ging terug naar buiten. Op het kleine terras klikte hij zijn Zippo-aansteker open, 'the Eternal Flame since 1932', vooral bekend geworden door de Amerikaanse soldaten in Vietnam, en smeet die door de open deur naar binnen.

Whoegh! Het klonk alsof iemand met kracht vanuit zijn middenrif alle lucht uit zijn longen naar buiten perste. De vlammen hadden een duizelingwekkend hemelsblauwe kleur met franjes van oranje en rood. De hitte was op het terras te voelen. Libert haalde de gsm waarmee hij zo-even nog had gebeld uit zijn zak en wierp die naar binnen. Daarna liep hij naar de uitgedroogde waterput en keek van daar naar de oplichtende gloed achter de ramen, die even later met een doffe knal kapotsprongen, en een donkergrijze rookwolk lieten ontsnappen, die al vlug tot boven de boomtoppen kringelde. Hij gooide zijn tas over zijn schouder, greep het koffertje bij het handvat en verdween in het bos, zonder ook maar één keer om te kijken.

19

Terwijl Van Den Eede de witte Range Rover een paar meter voor het huis van Els Deweerdt parkeerde, sms'te Elias aan Olbrecht dat ze waren gearriveerd. Hij had het berichtje nog maar net verstuurd of zijn mobieltje begon te rinkelen. Het was Tarik, die liet weten dat de situatie muurvast zat. Hij had contact gemaakt met target en geprobeerd op hem in te praten, zodat hij zich zou overgeven. Maar daar had Benachir geen oren naar. Hij eiste maar één ding: een vluchtauto.

'Hij wordt al wat bescheidener', zei Van Den Eede. 'Vorige keer was het een helikopter...' Waarna hij vroeg hoe het met Els Deweerdt was.

'Niet al te best, vrees ik. We horen haar soms hard schreeuwen.'

'Deweerdt moet daar weg. Zeg tegen Rob dat we ook naar binnen komen.'

Ze staken samen de straat over, duwden de aangezette deur open en kwamen in de koele ovale hal met de marmeren tegelvloer. Elias zette grote ogen op toen hij dat allemaal zag. Geluidloos beklommen ze de trap, tot op de tweede verdieping. Toen ze bijna boven waren, zagen ze Olbrecht met getrokken wapen op één van de treden zitten.

Bij wijze van groet stak hij zijn duim op. 'Kom erbij zitten.'

Tarik stond wat verderop op de gang en haalde zijn schouders op, een beetje verontschuldigend, leek het wel, omdat zijn pogingen om Benachir naar buiten te krijgen tot nu toe niets hadden uitgehaald.

'Nog iets wat we moeten weten voor ik met hem probeer te praten?' vroeg Van Den Eede.

'Ja', zei Olbrecht grijnzend. 'Als gij hadt willen wedden, dan was ik nu 50 euro rijker geweest.'

Van Den Eede keek hem fronsend aan. 'Bedoelt ge dat die kleine tóch van Saïd is?'

'Als we de moeder mogen geloven tenminste.'

'Eergisteren was hij nog van een Franse modefotograaf', zei Van Den Eede. 'Zou ze het eigenlijk zelf wel juist weten?'

'Ge zegt daar al zoiets', viel Elias hem bij. Zijn gezicht stond ernstig. 'Stel dat ze tegen Benachir heeft gelogen over zijn vaderschap en dat die daar seffens een blanke baby ziet geboren worden.'

'Áls hij geboren wordt', zei Tarik, terwijl hij dichterbij kwam. 'Volgens de vroedvrouw, die aan 't einde van de straat in een ambulance zit, is het een stuitligging.'

Van Den Eede keek bezorgd naar de deur van de slaapkamer. Hij haalde zijn Glock tevoorschijn en gaf die aan Elias.

'Zoudt ge dat wel doen, Mark?'

Van Den Eede knikte. 'Ja, Wim.'

Hij liep in de richting van de deur, waarachter het voorlopig stil was.

'Benachir...?' Hij hoorde even wat gestommel. 'Saïd? Ik ben commissaris Mark Van Den Eede, van het FAST. Kunnen wij eens praten?'

'Er valt niks te zeggen', antwoordde Benachir. 'Ge weet wat ik wil.'

Van Den Eede haalde zijn autosleutels uit zijn zak en

rammelde ermee. 'Mijn auto staat hier vlak voor geparkeerd', zei hij. 'Ge hoeft maar in te stappen.'

Deze keer bleef het stil.

'Er is wel één voorwaarde.'

'Ik stel hier de voorwaarden!' riep Saïd. 'Of hadt ge dat nog niet door?'

'Els gaat niet met u mee', ging Van Den Eede vastberaden verder. 'Zij moet zo rap mogelijk naar een kraamkliniek, waar ze veilig kan bevallen van uw kind.'

In de slaapkamer klonk een bitter lachje. 'Waarom zou ik iemand sparen die mij heeft verraden?'

Van Den Eede vroeg waarom hij dacht dat Els dat had gedaan.

'Wie anders? Zij was de enige die wist waar ik zat.'

'Wij denken dat het uw nicht is geweest', zei Van Den Eede rustig. 'Yamina Tahiri.'

'Yamina?' Het klonk oprecht verbaasd. 'Hoe komt ge daarbij?'

'We hebben in de kazerne inderdaad een briefje gekregen waarop uw onderduikadres stond, dat is waar. Maar dat komt van iemand die gewend is om Arabisch te schrijven.'

Er kwam geen reactie.

'Hoe ze te weten is gekomen waar ge zat, dat weet ik niet', vervolgde Van Den Eede. 'Maar dat Yamina u niet bepaald gunstig gezind is, dat weet ik wel.'

'Ge liegt!' riep Saïd. 'Ik heb die hoer al jaren niet meer gezien.'

'Els is het in ieder geval niet geweest', herhaalde Van Den Eede.

Weer bleef het stil.

'Luister, Saïd, ik heb een voorstel.' Achter de deur hoorde hij Els Deweerdt klagerig kreunen. 'Gij laat Els gaan, en ik neem haar plaats in.'

'Vergeet het.'

'Ik rijd u zelfs naar waar ge maar wilt.'

Er kwam geen reactie. Dacht Benachir na over wat hij had gezegd? Opeens klonk er een luide gil, die overging in een klagend geluid.

Van Den Eede klopte op de gesloten deur. 'Wat gebeurt daar?'

Els riep in paniek dat de bevalling was begonnen en dat ze hulp nodig had. Van Den Eede keek naar zijn mannen, die nog altijd afwachtend aan de trap stonden. Had hij een fout gemaakt door het SIE er niet bij te betrekken? Wat als het daarbinnen verkeerd afliep met Els of met haar kind? Hij tastte naar zijn gsm, toetste het adresboek open en scrolde tot aan de naam Stef Michielsen, die hem als commandant bij het Speciaal Interventie Eskadron was opgevolgd. Maar voordat hij het nummer kon bellen, begon zijn gsm te rinkelen. Het geluid werd waarschijnlijk overstemd door een nieuwe doordringende kreet van Els, want Benachir reageerde er niet op. Van Den Eede deed enkele stappen weg van de deur voordat hij het mobieltje tegen zijn oor drukte.

'Commissaris? 't Is de Freddy hier.'

'Nu niet, Freddy. Ik ben bezig.'

'Ik wou alleen maar zeggen dat ik alles opnieuw heb bekeken', verontschuldigde Freddy zich. 'Er staat nog één vrouw met zo'n lang zwart kleed op.'

Van achter de slaapkamerdeur klonk een volgende gil. Van Den Eede wilde de verbinding verbreken, maar bedacht zich. 'Het meisje van die foto?'

'Haar gezicht heb ik niet kunnen zien, commissaris, maar zij was het zeker niet. Het zag er als een al wat oudere vrouw uit. Ze liep een beetje krom.'

'Krom? Hoe bedoelt ge?'

'Welja, dat ze mankte.'

Van Den Eede voelde zijn hart even overslaan. Kon het waar zijn wat hij dacht? 'Bedankt, Freddy. Ge hebt van mij nog een pint te goed.' Hij beëindigde het gesprek en gaf zijn autosleutels aan Elias. 'Maak dat ge naar Schaarbeek rijdt.'

'Schaarbeek? Wat moet ik daar gaan doen?'

'Moeder Benachir ophalen. En deze keer zónder haar man.' Hij keerde zich naar Tarik. 'Loop effe mee met Wim en haal de *bélier* en een SF-granaat[7] uit de koffer voor het geval we die nodig hebben.' Elias aarzelde nog, wachtend op meer uitleg. 'Komaan, jongens, spoed u! En, Wim, gebruik het zwaailicht.'

Zonder verdere vragen te stellen liepen ze de trap af.

'Denkt ge nu echt dat die kerel naar zijn moeder gaat luisteren?' vroeg Olbrecht droogjes.

'Als ik gelijk heb,' zei Van Den Eede, 'dan denk ik van wel, ja. Ik hoop alleen maar dat ze op tijd terug zijn.' Hij keek met een zorgelijke blik in de richting van de slaapkamerdeur. 'Vóór we een inval moeten doen.'

Els Deweerdt zat, steunend op haar handen en knieën, op het bed. Haar buik hing tot op de matras. Het was een bijna obsceen gezicht zoals ze daar met gespreide benen kreunend zat te persen. Ze smeekte Benachir om de vroedvrouw op te bellen, maar volgens hem was dat niet nodig. Bijna alle Marokkaanse vrouwen op het platteland bevielen op die manier. Het was trouwens niet de eerste keer dat hij een geboorte meemaakte. Toen een van zijn zussen moest bevallen, was hij daar ook bij geweest. Hij zou Els alle hulp geven die ze nodig had om hun zoon gezond en wel ter wereld te brengen.

---

7 Sound & Flash-granaat.

'Zoon?' herhaalde Els, terwijl ze met een pijnlijk gezicht, dat glom van het zweet, haar hoofd naar hem omkeerde. 'Wie zegt dat het een jongen is?' Daar was Saïd zeker van. Hij had zelfs al een naam voor hem: Azim. Dat betekende 'sterke, machtige heerser'. Azim Benachir!

Terwijl de weeën in hevigheid toenamen en elkaar almaar vlugger opvolgden, deed Els nog eens een wanhopige poging om hem over te halen haar naar het ziekenhuis te laten gaan. Of begreep hij dan niet dat de baby te vroeg kwam en moest worden gedraaid? Volgens Saïd moest de natuur zijn gang kunnen gaan. Insjallah. Als Allah het wilde, hadden ze niets te vrezen en zou alles goed komen. Hij legde zijn pistool naast zich op het bed en begon met slepende, monotone klanken in het Arabisch te neuriën, terwijl hij met trage bewegingen van zijn rechterhand de gespannen buik van Els begon te masseren.

Wat hij deed, leek in ieder geval effect te hebben, want Els werd rustiger en slaagde erin zich te concentreren op wat er hier en nu met haar lichaam aan het gebeuren was. De paniek die haar al uren de adem afsneed en misselijk van angst maakte, begon langzaam zijn greep te verliezen. Het zou allemaal goed aflopen, Saïd wist wat hij deed. De natuur moest inderdaad op haar beloop worden gelaten. Kwam het door het vreemde, bijna bezwerende lied dat hij zong, of was het zijn strelende hand die haar opeens weer vertrouwen gaf? Ze zou dit kind gezond ter wereld brengen en koesteren met alle warmte en liefde die ze in zich had. En Saïd zou ook van zijn zoon houden en hem nooit kwaad kunnen doen. Daar was ze van overtuigd.

Het zingen en masseren hielden gelijktijdig op.

'Waarom stopt ge?'

'Ge zijt mij nooit komen bezoeken in de gevangenis', zei hij. 'Waarom niet?'

Ze stopte met persen en ademde een paar keer diep in en uit. 'Omdat ik het niet zou hebben kunnen verdragen om u achter tralies te zien zitten, en te weten dat het voor jaren was', zei ze. 'Ik was bang. En laf.'

Achter haar bleef het stil. Er kwam een nieuwe wee opzetten. Een vlijmscherpe dolk die van binnenuit haar ingewanden openreet. Ze wierp grommend haar hoofd weer in haar nek en beet op haar tanden. Saïds hand gleed zachtjes over haar huid en opnieuw klonk zijn monotoon, hypnotiserend lied. Ondanks de pijn die haar verscheurde, moest ze glimlachen. Alles zou goed komen. Nog even doorzetten, en ze zou een huilende baby in haar armen houden.

Van Den Eede keek op zijn horloge. Er waren bijna veertig minuten voorbij sinds Elias was vertrokken. 'Waar blijven ze nu toch? Van hier naar Schaarbeek en terug, dat is hooguit... hoeveel? Veertig, vijftig kilometer?'

'Zoiets', knikte Olbrecht. 'Misschien doet vader Mohammed weer moeilijk?'

'Youssef', zei Tarik. 'Hij heet Youssef.'

Olbrecht glimlachte scheefjes en haalde onverschillig zijn schouders op.

'Bel hem op, Orhan', zei Van Den Eede. 'Vraag waarom het zo lang duurt.'

Van Den Eede wilde niet dat de anderen er iets van merkten, maar moest voor zichzelf toegeven dat hij nerveus werd. Was het wel zo verstandig geweest om het SIE erbuiten te houden? Als er nu iets misging, zou alle verantwoordelijkheid op zijn schouders terechtkomen. Misschien kon het zelfs het einde van het FAST betekenen.

'Hij draait juist de Ninoofsesteenweg op', zei Tarik, terwijl hij zijn gsm wegstak. 'Nog een paar kilometer.'

'Is moeder Benachir erbij?'

Tarik knikte. Van Den Eede hoopte maar dat hij zich niet had vergist en dat het allemaal niet voor niks was geweest.

Als Saïds moeder haar zoon er niet van zou kunnen overtuigen om zich geweldloos over te geven, dan bleef er maar één mogelijkheid over: een inval, met alle risico's van dien. Opeens hoorden ze Els weer gillen. Maar nog harder klonk de stem van Benachir die in het Marokkaans begon te razen en te tieren. Het gezicht van Tarik werd doodernstig.

'Wat is dat allemaal?'

'Hij roept dat ze een bedriegster is, een smerige hoer die niet verdient te leven.'

Van Den Eede trok zijn Glock.

'Dat heeft hier lang genoeg geduurd. Pak den *bélier*, Rob. En gij 't vuurwerk, Orhan.'

In de slaapkamer ging het woedende geschreeuw van Benachir gewoon door. Er klonk gestommel en daarna het geluid van glas dat aan scherven vloog. Van Den Eede en Tarik namen hun posities, links en rechts van de deur in, terwijl Olbrecht er ongeveer een meter voor ging staan, klaar om het slot in te beuken.

'Op drie', mompelde Van Den Eede, waarna hij begon af te tellen.

Toen hij bij twee kwam, hoorden ze beneden in de hal voetstappen. Van Den Eede liep naar de trapleuning en zag moeder Benachir, ondersteund door Elias, de eerste treden beklimmen. Achter de deur was het geraas ondertussen stilgevallen, waardoor het gekreun van Els weer op de voorgrond kwam.

'Dat staat mij niks aan', zei Olbrecht. 'Ik hoorde hem liever brullen.'

Moeder Benachir was ondertussen, met de hulp van Elias, op de overloop aangekomen.

Van Den Eede liep naar de deur en gaf er een paar voorzichtige klopjes op. 'Alles oké daarbinnen?'

Er kwam geen antwoord, alleen het zacht klagende geluid van Els, die inmiddels stilaan uitgeput moest zijn. 'Saïd? Er is hier iemand voor u. Uw moeder...'

Nog altijd bleef het stil. Elias en moeder Benachir beklommen moeizaam het laatste stuk trap. Ze konden haar horen hijgen van de inspanning. Op de gang bleef ze even staan om op adem te komen. Ze keek bedrukt en haar ogen waren rood van het huilen. Tarik liep op haar toe en fluisterde iets in het Marokkaans. Ze keek hem dankbaar aan en knikte. Tussen hem en Elias in liep ze in één keer het laatste stuk. Van Den Eede voelde opeens medelijden met haar. Hij keek vragend naar Wim Elias, die bevestigde dat hij haar onderweg van alles op de hoogte had gebracht.

Moeder Benachir ging tot vlak bij de deur, waarop ze haar rechterhand legde en sprak toen de naam van haar zoon uit. Ze deed dat zo zacht dat Van Den Eede betwijfelde of hij haar kon horen. Blijkbaar wel, want hij antwoordde iets in het Marokkaans, waarna zijn moeder op hem in begon te praten. Ook al begreep hij er geen woord van, toch kon Van Den Eede horen dat ze al haar overtuigingskracht gebruikte opdat hij zich over zou geven. Maar hij besefte ook dat daar meer voor nodig zou zijn.

'Vertel het hem', zei hij tegen moeder Benachir, die eerst deed alsof ze niet wist waarover hij het had. 'Voordat er nog meer erge dingen gebeuren.'

Moeder Benachir keek hem verdrietig aan. Van Den Eede kon zien dat ze begreep waarover hij het had, maar zich scheen af te vragen hoe hij dat te weten was gekomen.

'Ge moet het hem vertellen', drong Van Den Eede aan. 'Naar u zal hij luisteren.'

Ze knikte gelaten, keerde haar hoofd weer naar de gesloten deur en begon in het Marokkaans te praten. Terwijl ze sprak, werd de verbazing op het gezicht van Tarik almaar groter.

'Waarover heeft ze het?' vroeg Olbrecht nieuwsgierig. Hij stond nog altijd met de zware metalen staaf in zijn handen.

'Zíj heeft dat briefje geschreven, waarin zijn onderduikadres stond', vertaalde Tarik, alsof hij het zelf amper kon geloven. 'Omdat ze niet wilde dat hij zichzelf of andere mensen nog meer in gevaar zou brengen.'

Olbrecht keek verwonderd naar Van Den Eede. 'En gij wist dat?' Er lag een ondertoon van verwijt in zijn vraag.

'Na dat telefoontje van Freddy zonet had ik een sterk vermoeden', zei Van Den Eede ontwijkend.

Moeder Benachir was inmiddels gestopt met praten en keek nu bang-afwachtend naar Van Den Eede, die haar bedankte met een hoofdknikje. In de slaapkamer was het stil geworden. Zelfs het hijgen en kreunen van Els Deweerdt was opgehouden. Iedereen stond een beetje beduusd naar de deur te kijken.

Olbrecht verbrak als eerste de stilte. 'Gaat dat hier nog lang duren? Want dat ding in mijn handen begint verdomd door te wegen.'

Voordat Van Den Eede kon antwoorden, klonk er een oorverdovende explosie. Moeder Benachir gilde met overslaande stem de naam van haar zoon, terwijl ze machteloos met haar vuisten op de deur bonkte. Van Den Eede greep opnieuw naar zijn Glock en riep naar Olbrecht dat hij de deur moest inbeuken. Het slot begaf het met een krakend geluid. Olbrecht stampte de deur verder open. Van Den Eede, gedekt door Tarik, sprong naar binnen met zijn wapen in de aanslag. Wat hij daar aantrof, benam hem even de adem.

Saïd Benachir lag op zijn rug, met zijn ogen ver opengesperd, op de grond. De achterste helft van zijn schedel was weg. Rondom hem lagen stukjes van zijn uiteengespatte hersenen. Het bloed droop letterlijk van de muur. Het leek of iemand in blinde woede een pot rode verf tegen de wand had gesmeten. 'Weeral een smeerlap minder', hoorde hij Rob Olbrecht achter zich mompelen.

Els Deweerdt lag, ook op haar rug, met gespreide benen op het bed. Haar gezicht had een grauwe kleur en haar mond ging mechanisch open en dicht, als van een vis op het droge die in doodsangst naar zuurstof hapt. Tussen haar gebruinde, met bloed en slijm besmeurde dijen waren de blanke afhangende beentjes van een halfgeboren baby te zien.

Van Den Eede keek zwijgend toe terwijl Els Deweerdt, met een zuurstofmasker voor haar mond en de naald van een infuus in haar arm, voorzichtig in de ambulance werd geschoven. Hij hoorde Elias aan de verpleger vragen of ze het zou halen. Volgens hem had ze veel bloed verloren en was haar toestand zorgwekkend.

'En de baby?'

De verpleger haalde onzeker zijn schouders op. Meer dan een halfuur was de vroedvrouw in de slaapkamer met Els bezig geweest. Ze was erin geslaagd de boreling uit de baarmoeder te bevrijden, maar of het kindje daarbij letsels had opgelopen, was nog onduidelijk. De kans op een blijvende hersenbeschadiging door zuurstoftekort was bij een stuitbevalling tamelijk groot. Moeder Benachir zat op een stoel wezenloos voor zich uit te staren. Iemand had haar een kalmerend middel toegediend. Voor de deur van Els Deweerdt waren inmiddels heel wat nieuwsgierigen samengestroomd. Reikhalzend keken ze toe terwijl leden van het parket en in het wit geklede medewerkers van de Technische Recherche in en uit de woning liepen.

Ook procureur Thierry Bylemans en hoofdcommissaris Wilfried Cogghe waren ter plaatse gekomen. Ze kwamen beiden uit de woning in de richting van Van Den Eede gelopen. Bylemans drukte hem hartelijk de hand. Cogghe knikte alleen maar stuurs.

'Ik zou zeggen: opgeruimd staat netjes', grapte Bylemans. 'Als 't daarbinnen tenminste niet zo'n ravage was.'

'Was dat niet meer iets voor de mannen van het SIE geweest?' zei Cogghe.

Het klonk niet als een vraag.

'Sorry, maar ge weet wat ik van die cowboys denk, hé Wilfried', zei Bylemans. 'Ik vind dat de Mark dat goed heeft opgelost.'

Cogghe dacht daar blijkbaar anders over. Hij keek met gefronste wenkbrauwen naar Van Den Eede. Het was duidelijk dat hij zich inhield voor Bylemans.

'Ik wil vandaag nog een verslag', zei hij. 'En maandagmorgen verwacht ik u op mijn bureau.'

Hij gaf Bylemans een hand en ging met stijve passen naar zijn auto. Uit het huis van Els Deweerdt werd door twee begrafenisondernemers een zinken kist naar buiten gedragen, waarop het zonlicht flikkerend weerkaatste.

'Niks van aantrekken, Mark', zei de procureur sussend. 'Als het erop aankomt, zal ik u wel dekken. Ge hebt gij dat goed gedaan, dat meen ik echt.'

Van Den Eede slaakte een diepe zucht. 'Misschien', zei hij, terwijl hij toekeek hoe de twee mannen in het zwart de doodskist in de lijkwagen schoven. 'Weet ge wat mij nog het meeste dwarszit?'

'Dat hij er niet wat vroeger een eind aan heeft gemaakt?' zei Bylemans grijnzend.

Van Den Eede glimlachte beleefd. Ondanks zijn smakeloze grapjes was de procureur al met al geen kwaaie kerel.

Mogelijk was het zijn manier om met de gruwelen van zijn beroep om te gaan.

'Nee', zei Van Den Eede. 'Wat mij vooral stoort, is dat Benachir in zekere zin toch nog aan zijn straf is ontsnapt...'

Bylemans bekeek hem enkele ogenblikken alsof het om een pointe ging die hij niet snapte, maar schoot toen hardop in de lach.

'En ik die dacht dat gij geen zin voor humor had!' riep hij. Waarna hij Van Den Eede een amicaal schouderklopje gaf en grinnikend zijn auto openklikte.

20

Donkere wolken stapelden zich op boven de Parel van Brabant. Ondanks het dreigende onweer had Van Den Eede zijn gore-tex wandelschoenen aangetrokken en hij was met Stijn en Joppe de kasseiweg overgestoken en naar de Tommenmolen gelopen, een van de vier beschermde watermolens op het grondgebied van Grimbergen. Vandaar waren ze in de tegenovergestelde richting, via een smal zandweggetje dat de hele tijd de loop van de Maalbeek volgde, naar de ingang van het natuurgebied gewandeld. Hoewel honden aan de riem moesten worden gehouden, liet Van Den Eede Joppe vrij rondlopen. Dat wandelpaden uitsluitend waren voorbehouden aan fietsers, joggers en wandelaars, vond hij onzin. Af en toe bleef de puppy snuffelend achter, maar wanneer Van Den Eede zich dan achter een struik of boom verborg, in plaats van hem te roepen, kwam hij paniekerig aangehold op zoek naar zijn baasje, die hij vervolgens enthousiast kwispelend begroette, alsof ze elkaar dagenlang niet hadden gezien.

Toen ze voorbij een wei wandelden waarin enkele schapen stonden te grazen, boog Joppe zijn kop en strekte zijn hals totdat die in het verlengde van zijn rug lag. De houding, waarin hij een tijdje onbeweeglijk bleef staan, drukte een en al concentratie uit. Daarna liet hij zich traag door zijn poten zakken en ging liggen, met de kop tussen zijn voorpoten, terwijl hij de schapen bleef fixeren. Geen seconde verloor hij de dieren, die onrustig in zijn richting keken, uit het oog. Had Joppe 'eye'?

Van Den Eede vroeg zich af hoe het kwam dat almaar meer mensen hun huisdier ergens als afval dumpten. Waren we in een wegwerpmaatschappij terechtgekomen, waarin men zich zonder scrupules ontdeed van alles wat niet meer bruikbaar was? In de korte periode dat hij als diensthoofd bij de lokale recherche van Meise had gewerkt, waren er geregeld honden en katten op het bureau binnengebracht. Bij sommige was de tatoeage met een of ander voorwerp uit hun oor geschraapt en één keer had hij het zelfs meegemaakt dat een hond een ontstoken snijwond in zijn hals had, waar ooit zijn chip had gezeten. En dat waren dan nog de gelukzakken die naar een asiel gingen, in de hoop dat een nieuwe eigenaar zich over hen wilde ontfermen. Ongewenste huisdieren werden ook wel eens verdronken of vastgebonden aan bomen en compleet uitgemergeld aangetroffen. Van Den Eede herinnerde zich dat hij ooit een cultuurfilosoof had horen verklaren dat de graad van civilisatie van een volk viel af te lezen uit de manier waarop men met dieren omging. Als dat klopte, dan was het met de westerse beschaving niet al te best gesteld. Om nog maar te zwijgen over hoe mensen elkáár behandelden.

Tijdens zijn loopbaan had hij de afschuwelijkste dingen gezien en meegemaakt. De menselijke wreedheid kende blijkbaar geen grenzen, net als de vindingrijkheid waarmee men elkaar naar het leven stond. De meesten van zijn collega's werden na verloop van tijd ofwel cynisch, ofwel sarcastisch. Misschien was dat de enige manier om het vol te houden. De ergsten waren echter degenen die uiteindelijk niks meer voelden en toch, als een zielloze robot, hun werk bleven doen.

Van Den Eede merkte opeens dat het deze keer niet Joppe, maar Stijn was die bleef treuzelen. Met een ernstig gezicht en in zijn linkerhand een afgewaaide tak stond hij op het houten bruggetje dat ze zojuist waren gepasseerd naar het dreigende wolkendek te kijken.

'Pas maar op!' waarschuwde hij. 'Want het weer is geverpest! Seffens komt klank- en lichtspel, mét of zonder nattigheid!'

'Juist daarom dat ge maar beter door kunt stappen', zei Van Den Eede. 'Misschien kunnen we dan in de Liermolen nog rap iets gaan drinken vóór we naar huis rijden.'

Stijn leek daar echter zo zijn twijfels over te hebben.

'Als wanneer ik te veel drink, heb ik altijd last met mijn uiteinde.'

'Uw wát?'

Hij priemde met zijn wijsvinger tussen zijn benen. 'Mijn fliet. Die moet dan veels te hard werken!'

'Eén glas, dat zal toch geen kwaad kunnen, zeker?'

Stijn antwoordde niet, maar keek opnieuw peinzend naar de dichtgeslibde hemel.

'Jaja,' mijmerde hij, 'de wolken is zwanger van de regen... Straks komt vurig werk! Die Frank Deboosere héb mij weer goed laten liggen gehad!'

Joppe kwam aanzeulen met een tak die zo groot was dat hij hem amper tussen zijn tanden kon klemmen en gedeeltelijk over de grond voortsleepte. Hij gromde van inspanning. Het was zo'n komisch gezicht dat zelfs Stijn erom moest lachen.

'Die Joppe! Die doe zo gek dat hij zot wordt!'

Van Den Eede bleef staan en keek naar zijn zoon, die daar, net als zijn hond, enthousiast met een tak stond te zwaaien. Mogelijk hadden ze wel meer gemeen. Hij had zich al vaak afgevraagd hoe Stijn, met zijn beschadigde hersenen, de wereld zag, net zoals hij graag eens door de ogen van een dier had gekeken. Ongetwijfeld zagen zij de dingen heel anders. Misschien zelfs wel beter. 'Wij zien de wereld niet zoals hij is, maar zoals wíj zijn', dat was iets wat hij lang geleden ergens had gelezen, en nooit meer was vergeten. Hoe zag de wereld van het soort mensen eruit waarmee hij al bijna de helft van zijn leven professioneel te maken had? Waarom had Saïd Benachir zich gisteren een kogel door zijn kop gejaagd? Was het omdat het kind dat hij zag geboren worden geen bruine huidskleur had? Kon hij de gedachte niet verdragen dat zijn eigen moeder hem had verraden? Of wilde hij niet opnieuw achter de tralies belanden? Het waren vragen die vroeger nooit bij Van Den Eede waren opgekomen en die hij zich eigenlijk ook niet mocht stellen. Van de drie dossiers die het FAST momenteel actief in behandeling had, was er één afgerond. Maar hij vond het allesbehalve een succes. Ze hadden Benachir niet kunnen arresteren. Hij was hen door de vingers geglipt. Zelfs bij het SIE hadden ze een zaak die zo afliep nooit als een geslaagde operatie beschouwd.

Gelukkig was het voor Els Deweerdt en haar baby allemaal goed afgelopen. Zij had een gezond meisje ter wereld gebracht, dat voorlopig nog geen naam had. En evenmin een vader. Later op de avond had hij de jonge moeder nog even gesproken. Toen hij vroeg waarom ze Saïd bij zich in huis had gehaald, had ze beschaamd haar ogen neergeslagen en was gaan snikken. Dat ze dubbel spel had gespeeld, was overduidelijk. Had ze gehoopt dat Saïd haar zou vergeven? Of was ze er echt van overtuigd geweest dat híj haar zwanger had gemaakt, en niet die modefotograaf met wie ze een avontuurtje had beleefd? Van Den Eede had uiteindelijk niet verder aangedrongen, en zijn verslag voor Cogghe afgerond. Daarna had hij het in het postvakje van de hoofdcommissaris gedeponeerd en was naar huis gereden.

Hij werd bruusk uit zijn gepeins opgeschrikt door een felle lichtflits, die meteen werd gevolgd door een luide donderslag, die de Maalbeekvallei als een bulderende lawine overspoelde. Het volgende moment begon het te stortregenen. Joppe begon angstig te janken en kwam op Van Den Eede afgelopen. Stijn stond met opgeheven hoofd naar het voorspelde 'klank- en lichtspel' te kijken, terwijl hij op het bruggetje, aan de oever van de vijver, met gestrekte arm de tak hoog boven zich uit stak. Hij leek wel het Vrijheidsbeeld.

In het kleine café van de Liermolen, waarin het Museum voor Oudere Technieken was ondergebracht, zaten nog een paar uitgeregende wandelaars te bekomen van de korte, maar hevige stortbui. Achter de toog stond een rondborstige brunette een Grimbergen Tripel uit te schenken. Toen ze Van Den Eede zag, keek ze aangenaam verrast.

'Wie we hier hebben, de Mark! Dat is lang geleden.'

'Veel te lang', beaamde Van Den Eede.

Vroeger waren ze hier met het SIE vaak iets komen drinken, meestal na een training op het Grimbergse vliegveldje, waar ze wel eens een kaper of terrorist 'onschadelijk' moesten maken. Sinds de dood van Erik Rens was hij hier echter niet meer binnen geweest.

'Kent ge mijn zoon, Stijn?'

'Natuurlijk. Die is hier al geweest met zijn moeder. Hé, Stijn?' zei Martine. 'Alles oké?'

'Tamelijk tot goed', antwoordde hij zonder haar aan te kijken, terwijl hij zijn hand schommelend heen en weer bewoog. 'De regen is alsof een serieuze spelbreker! Mijn gezindte gaat zwaar daarvan achteruit!'

Martine keek even naar Van Den Eede, blijkbaar niet goed wetend waarover Stijn het had.

'Hij bedoelt dat hij liever mooi weer heeft.' Hij knipoogde.

'Wie niet?' zei Martine. 'Maar ge weet wat ze zeggen, Stijn, na regen komt zonneschijn! En 't rijmt nog ook.'

'Ah, ja?' antwoordde hij zonder veel enthousiasme. Hij liep naar het raam en keek speurend naar de dichte wolkenmassa. 'Heb ze ook gezegd wanneer?'

Joppe stond nieuwsgierig aan een tafelpoot te snuffelen. Hoewel hij al tamelijk zindelijk was, hield Van Den Eede hem toch maar in het oog.

'Ik wist niet dat gij een hond hadt.'

'Nog maar een paar dagen', zei Van Den Eede.

'Dat is toch zo'n schapendrijver, hé?'

Hij knikte. 'Een Border collie.'

'Wat een schattig beestje!' zei ze, terwijl ze een dienblad met vier glazen abdijbier naar een tafeltje bracht, waaraan evenveel mannen zaten te kaarten. Toen ze terugkwam, aaide ze Joppe even over zijn natte kop. 'En wat mag het voor jullie zijn?'

Stijn vroeg een 'colalola', maar dan zonder rietje, want dat was iets voor kinderen, terwijl hij toch al in zijn 'purperteit' was.

Martine glimlachte geamuseerd.

'En voor mij zoals gewoonlijk', zei Van Den Eede, benieuwd of ze het zich na al die tijd nog zou herinneren.

Ze tapte een blonde van het vat en verdween toen even in de keuken. Toen ze terugkwam, had ze een schoteltje gemarineerde sardientjes vast, dat ze voor Van Den Eede op tafel zette.

'Ge dacht toch niet dat ik het vergeten was? Uw mannen moesten er altijd mee lachen. "De Mark met zijn vettige sardientjes"!'

Hij glimlachte terug, maar voelde tegelijk de melancholie komen aansluipen.

Martine kreeg een spijtige uitdrukking op haar gezicht.

'Ik heb ervan gehoord', zei ze. 'Echt zonde, nog zo jong.'

Van Den Eede knikte zwijgend.

Ze gaf hem een bemoedigend klopje op zijn schouder vóór ze terug naar de toog liep. 'Laat het smaken, commissaris.'

21

Aan de lucht was geen wolkje meer te zien en de thermometer in de Range Rover wees al 20 graden aan. Het beloofde opnieuw een snikhete dag te worden. Van Den Eede reed naar gebouw A, parkeerde zijn witte terreinwagen naast de Saab 9-3 cabriolet van hoofdcommissaris Cogghe en ging naar binnen. De verfgeur die vorige keer in de traphal hing, was verdwenen. Hij liep met twee treden tegelijk de trap op, bleef staan voor de deur met het gegraveerde naambordje, strekte zijn rug en klopte aan.

Het kantoor van de hoofdcommissaris was airconditioned. Hij zelf zat, onberispelijk in uniform, achter zijn bureau een document te lezen. Van Den Eede merkte dat het zijn verslag over de zaak-Benachir was. Cogghe wees zwijgend naar een stoel zonder van zijn blad op te kijken. Van Den Eede ging zitten, ontspande zich en wachtte. Als Cogghe meende dat hij hem kon imponeren of nerveus kon maken met dit soort bazige arrogantie, dan vergiste hij zich. Van Den Eede drukte stiekem de chronometer van zijn horloge in en gokte op anderhalve minuut. Na ongeveer zestig seconden nam Cogghe zijn leesbrilletje af en leunde traag achterover in zijn managersfauteuil met verende rugleuning. Hij nam het verslag opnieuw vast en keek er nog even naar, alsof hij iets wilde verifiëren, al kon hij dat waarschijnlijk niet eens lezen zonder bril. Daarna gooide hij het document met een nonchalante beweging terug op zijn bureau, zuchtte, vouwde zijn handen samen onder zijn kin en keek zijn commissaris van onder zijn wenkbrauwen aan. Van Den Eede klokte af op 1.37 – de tijd die een overste nodig dacht te hebben om zijn ondergeschikte te vernederen.

'Ge hebt veel geluk gehad, Van Den Eede', zei Cogghe.

'Geluk, directeur? Hoezo?' Hij was niet plan om het zijn superieur makkelijk te maken.

'Dat die juffrouw Deweerdt en haar kleine het er levend van af hebben gebracht, en dat ze geen klacht indient.'

'Over de medische kant van de zaak kan ik natuurlijk niet oordelen', zei Van Den Eede. 'En ik zie niet in waarom ze een klacht zou indienen, want politioneel was alles onder controle.'

'Vindt gij dat?'

'U blijkbaar niet.'

'Ge zijt commandant van het SIE geweest. Die mannen zijn erop getraind om met zoiets om te gaan, dat weet gij beter dan ik. Waarom hebt ge uw vroegere eenheid niet verwittigd?'

'Omdat ik vond dat het niet nodig was', zei Van Den Eede droogjes. 'Het FAST is professioneel genoeg om zoiets af te handelen. POSA-teams mogen we trouwens amper gebruiken, dat heeft Cauwenberghs zelf gezegd. We móéten dus wel zelf onze eigen arrestaties verrichten', besloot hij met een ironisch ondertoontje, dat Cogghe duidelijk niet ontging.

De hoofdcommissaris begon ongeduldig in het dossiermapje te rommelen en haalde er een gerechtsfoto uit van de dode Benachir.

'Noemt gij dat een arrestatie?'

Van Den Eede ging wat verzitten en antwoordde dat hij

de zelfmoord van Benachir natuurlijk betreurde, maar dat zoiets nooit kon worden voorzien of uitgesloten.

'Als ge dan toch per se alles zelf wilde doen, waarom hebt ge hem dan niet al veel eerder uitgeschakeld of op zijn minst geneutraliseerd?'

'Omdat dat te riskant was voor de gijzelaars.'

'Wat zoudt ge gedaan hebben als hij ermee had gedreigd eerst die twee vrouwen af te knallen, voordat hij zichzelf een kogel door zijn kop joeg?'

'We stonden op ieder moment klaar om die slaapkamer binnen te vallen', zei Van Den Eede. 'Dat staat trouwens ook zo in mijn verslag.'

Cogghe bleef erbij dat ze de hulp van het SIE hadden moeten inroepen of de eenheid op zijn minst stand-by hadden moeten houden. Maar toen Van Den Eede zag dat hij de foto weer in het mapje stak, dat hij daarna dichtklapte en voor zich uit schoof, was hij gerustgesteld. De hoofdcommissaris had hem gewoon even willen tonen wie hier de baas was. Een veelvoorkomend verschijnsel binnen de politie, vooral sinds de fusie, die heel wat voormalige rijkswachters nog altijd niet goed hadden verteerd.

'Hoe zit het ondertussen met Eddy Donckers?' vroeg Cogghe, nu iets vriendelijker. 'Komt er al wat schot in die zaak?'

'We weten dat hij contact met zijn zus in Leuven heeft gezocht en daar zelfs een tijdje zat ondergedoken. Maar daar houdt het spoor voorlopig op.' Over het geknoei met de erfenis besloot hij nog te zwijgen.

'Denkt ge dat hij nog in het land is?'

'Daar ben ik bijna zeker van.'

'Ge weet dat het dossier-Donckers prioriteit heeft?'

Van Den Eede knikte.

'En dat zijn arrestatie ook een eh...' – Cogghe tuitte zuinigjes zijn lippen, terwijl hij met zijn middelvinger een stofje van het bureau veegde – '...zekere *politieke* betekenis heeft?'

Van Den Eede knikte opnieuw.

'Voor het FAST zelf zou het trouwens ook niet slecht zijn dat die zaak zo vlug mogelijk wordt opgelost. Want zoals ge waarschijnlijk wel weet, zijn er binnen het korps nog altijd mensen die zo hun twijfels hebben over het nut van uw eenheid en ze liefst zo rap mogelijk weer zouden opdoeken.'

Van Den Eede vroeg zich af of Cogghe ook tot die categorie behoorde. 'Daar ben ik mij van bewust, directeur', zei hij. 'En ik verzeker u dat we doen wat we kunnen, ondanks de beperkte manschappen en middelen waarover we beschikken.'

'Geef ons Donckers', zei Cogghe. 'Wat mij betreft dood of levend,' voegde hij er met een grimmig lachje aan toe, 'en ik beloof dat ik hogerop een goed woordje voor u zal doen.'

Van Den Eede walgde van dit soort deals, maar kon voorlopig weinig anders doen dan meespelen. Als ze aan de top besloten om de druppelende geldkraan helemaal dicht te draaien, was het afgelopen met het FAST, nog voordat het team ook maar iets had kunnen bewijzen.

'Dat zou ik natuurlijk op prijs stellen', zei Van Den Eede afgemeten. Het waren woorden die een vieze smaak in zijn mond nalieten.

'Ik zie dat we mekaar begrijpen', besloot Cogghe het gesprek. 'Dat doet mij oprecht plezier.' Hij duwde zich met beide armen overeind uit zijn dure leren fauteuil en keek Van Den Eede opnieuw strak aan. 'Vanaf nu wil ik dat ge me op de hoogte houdt van álles wat er gebeurt. Dat hoeft daarom niet altijd een uitgebreid schriftelijk verslag te zijn. Op tijd een telefoontje of een mailtje kan al veel misverstanden uit de wereld helpen. Als ik maar weet waarmee ge bezig zijt. *Compris?*'

Volgens Van Den Eede, die zich verschrikkelijk stoorde aan het patroniserende toontje van zijn overste, mocht hij daarop rekenen. Hij haalde een opgevouwen papiertje uit zijn binnenzak.

'Nog één ding, directeur. Ik heb hier een bestek van de schade die aan de auto van een van mijn mannen werd aangericht tijdens de diensturen.'

'Sorry, Van Den Eede. Daar is geen geld voor. Ik dacht dat dat duidelijk was.'

'Ja, maar ik hoopte dat u hiervoor een uitzondering wilde maken', drong Van Den Eede aan. 'Het gaat om een privéwagen die uit noodzaak voor opdrachten wordt gebruikt, omdat we nog geen dienstwagens hebben, en die tijdens een interventie werd beschadigd.'

De hoofdcommissaris nam duidelijk tegen zijn zin het papiertje aan en keek er vluchtig op. Zijn blik bleef onder aan het blad bij de vetjes gedrukte totaalsom hangen.

'382 euro?' Hij keek Van Den Eede geschrokken aan. 'Wat heeft die aangevangen? Een rally gereden?'

'Ze hebben zijn auto met stenen bekogeld.'

Cogghe keek alsof hij het bedrag uit eigen zak zou moeten betalen. 'Bon', verzuchtte hij, 'terwijl hij de schadeclaim voor zich op het bureau legde. 'Ik zal zien wat ik kan doen.'

'Bedankt.'

Ze schudden elkaar de hand. Nog voordat Van Den Eede de deur van het kantoor achter zich dichttrok, had Cogghe het documentje al tot een prop verfrommeld, die hij achteloos in de papiermand onder zijn bureau smeet.

Toen hij gebouw R binnenkwam, botste hij bijna op Tarik en Olbrecht, die lachend en pratend de trap afkwamen.

'Goeiemorgen, chef!'

Van Den Eede vroeg waar ze naartoe gingen.

'In Leuven een paar containerparken bezoeken', antwoordde Olbrecht.

'En wat denken de heren daar te vinden?'

Olbrecht haalde een papier uit zijn broekzak en vouwde het open. Het was een geprinte plattegrond van de stad Leuven, waarop één zwart kruisje stond, en drie rode.

'Kijk.' Hij wees. 'Hier is de Tiensestraat, waar Donckers en De Volder wonen. In Leuven zijn er drie containerparken. Eentje ten noorden, hier op de Aarschotsesteenweg, een tweede dat wat oostelijker ligt, op de Diestsesteenweg, en een derde ten zuiden van de stad, op Grauwmeer. Maar dat is al tamelijk ver van hun huis. Dus dat houden we voor het laatst.'

Van Den Eede, die al meteen doorhad wat ze van plan waren, keek bedenkelijk, ook al appreciëerde hij het dat zijn mannen graag het initiatief namen. 'Ge gelooft toch niet dat die badkuip daar nog altijd ergens ligt? Die is al lang opgehaald en door de schouw van een verbrandingsoven gevlogen.'

'Normaal wel,' zei Tarik, 'maar blijkbaar is er in Leuven al anderhalve week een staking bij het personeel van de containerparken aan de gang, iets in verband met een nieuwe cao waar ze niet mee akkoord gaan.'

'Als De Volder zijn kuip daarnaartoe heeft gebracht, zoals hij beweerde, dan is de kans dus groot dat die daar nog altijd ligt', meende Olbrecht.

'Zijn de containerparken niet gesloten op maandag?'

Olbrecht en Tarik wisselden een blik van verstandhouding.

'Ja, maar we hebben daarjuist een afspraak gemaakt met het hoofd van de Technische Dienst', zei Olbrecht, waarna hij op zijn horloge keek. 'Trouwens, als we op tijd willen zijn, dan moeten we nu wel vertrekken.'

Van Den Eede schudde geamuseerd zijn hoofd. 'Vooruit, maak dat ge weg zijt.'

Olbrecht liep meteen naar zijn Harley, maar Tarik bleef treuzelen.

'Hebt ge al met de grote baas gesproken over die schade aan mijn auto?'

'Nog geen vijf minuten geleden.'

'En, wat zei hij?'

'Hij zou zien wat hij kon doen', imiteerde Van Den Eede het minzame toontje van Cogghe. 'Maar ik zou er toch niet te veel op rekenen als ik u was.'

'Nee', verzuchtte Tarik. 'Dat had ik al begrepen.'

Op het moment dat Van Den Eede het kantoor binnenkwam, rondde Wim Elias juist een telefoongesprek af. Op zijn bureau lag een geprinte pasfoto van een vrouw met daarnaast een aantal persoonsgegevens. Hij nam het blad tussen duim en wijsvinger en gaf het aan Van Den Eede, die naar zijn leesbrilletje greep. Op het zwart-witfotootje stond een jonge vrouw met kort, lichtkleurig haar.

'Vanessa Michiels? Wie is dat?'

'Toen ik daarjuist nog eens in de ANG keek, zag ik dat er een update van Kurt Van Sande zijn pedigree was. Blijkbaar heeft hij een tijd met haar samengewoond in Sint-Gillis. Ze heeft, of liever had,' onderbrak hij zichzelf, 'een zoontje dat weliswaar háár naam draagt, maar dat werd geboren toen ze nog met Van Sande was. Aangezien hij ook daarna bij haar is gebleven, is de kans dus groot dat hij de vader is.'

'Hád een zoontje, zegt ge?'

'Die jongen is een paar dagen geleden gestorven aan een ongeneeslijke, agressieve hersentumor. Hij wordt deze voormiddag begraven.'

Van Den Eede keek opnieuw naar de pasfoto, aandachtiger nu. 'Weet ge toevallig ook waar en wanneer?'

Elias knikte. 'Om halfelf, in de Kapellekerk.'

Van Den Eede keek op zijn horloge. Het was kwart voor tien. 'Komaan. We gaan naar de Marollen!'

Toen ze bijna vijf kilometer verder de afslag naar de Boulevard de Waterloo namen, vroeg Elias of Van Den Eede werkelijk geloofde dat Van Sande zo stom zou zijn om naar de begrafenis te komen. Als hij het al wist.

Van Den Eede gaf toe dat de kans klein was. 'Maar ik hoop dat er zelfs in de grootste crimineel toch ergens iets goeds zit.' Hij keek even glimlachend opzij naar Elias. 'Kinderen en vrouwen, dat zijn hun zwakke plekken. Misschien kunnen wij daar vandaag van profiteren.'

Op de rotonde namen ze de tweede afslag, naar de Wynantsstraat, die vlak achter het Justitiepaleis loopt. Wegens werkzaamheden in de Hoogstraat moesten ze de Rue de la Rasière inslaan. Ze kwamen bij de cafés De Skieven Architec en Au Mouton Bleu, op de hoek van het Vossenplein, dat een lappendeken van kleuren was. Vooral Marokkanen, Turken en Afrikanen hadden er hun kraampjes neergezet en verkochten er de meest uiteenlopende dingen. Oude kerkstoelen, kitscherige schilderijtjes, exotisch houtsnijwerk, fauteuils, horloges, protserige spiegels, vergeelde boeken en oude tijdschriften, halssnoeren, grammofoons en 33-toerenplaten, zijden sjaaltjes, gipsen beeldjes, tapijten in alle mogelijke kleuren en vormen, transistorradio's en televisies met bolle beeldbuizen, houten en plastic speelgoed, tot zelfs een verroeste grasmachine zonder motor. De meeste spullen waren slordig bijeengepropt in kartonnen dozen waar ooit bananen in hadden gezeten, of lagen gewoon verspreid op de kasseien of op een zeildoek. Het was één gigantische, maar gezellige rommelhoop bij elkaar. De terrasjes rondom de vlooienmarkt zaten vol koffie- en theedrinkende migranten die druk met elkaar in gesprek waren. Blanken waren hier amper te zien, op enkele toeristen na, die gretig foto's namen. Van Den Eede vloekte omdat ze in een straat met eenrichtingsverkeer terecht waren gekomen. Tenzij ze een grote omweg maakten, zat er niets anders op dan de Range Rover in een zijstraatje te parkeren en te voet via de lange, rechte Blaesstraat naar de Kapellemarkt te lopen. Ook hier had je het ene na het andere tweedehands- en rommelwinkeltje. Er was er zelfs een bij waar ze draaimolentjes met houten paarden en ander afgedankt kermismateriaal verkochten.

Toen ze bij de Kapellekerk kwamen, vlak bij de spoorlijn en een met graffiti beschilderde ramp voor rollerskaters, zagen ze al volop mensen naar binnen gaan. Het was tien over tien.

'Wat doen wij?' vroeg Elias. 'Ook naar binnen?'

'Nog niet', zei Van Den Eede. 'Eerst gaan we daar nog rap iets drinken.'

Hij wees naar Les Brigittines, een 'bistrot-resto' vlak tegenover de ingang van de kerk, vanwaar ze een prima uitzicht hadden op de mensen die de trappen van de hoofdingang beklommen. Tussen hen in lag een foto van Kurt Van Sande. Als hij al kwam opdagen, dan zou hij er wellicht heel anders uitzien. Daarom nam Elias foto's van iedereen die er ook maar enigszins op leek. Dat waren er voorlopig maar weinig. Om 10.25 uur stonden ze weer buiten op de stoep.

'Het zou natuurlijk kunnen dat hij langs een zijdeur naar binnen is gegaan', zei Elias, maar erg overtuigend klonk het niet.

Ze staken de straat over en beklommen de trappen naar de hoofdingang. In de kerk was het aangenaam koel. De kleine lijkkist stond links, vlak bij een graftombe in zwart marmer. Helemaal boven aan het grafmonument hing een witmarmeren skelet, gehuld in een doek. Het doodshoofd keek met grijnzende mond en donkere, holle ogen neer op de eenvoudige kist. Het had iets lugubers, vond Van Den Eede. Wat verderop stonden drie mannen en twee vrouwen. Een van hen herkende hij als Vanessa Michiels. Ze was helemaal in het zwart gekleed en droeg een donkere zonnebril, die haar ogen verborg. Van Den Eede, gevolgd door Elias, ging het rijtje af en wenste iedereen innige deelneming. Toen hij tegenover Vanessa Michiels stond, merkte hij pas hoe bleek ze was. Haar hand voelde slap aan. Ze zei niets terug, knikte alleen maar zwakjes toen hij haar condoleerde. De kerk zat niet eens voor de helft vol. Drie rijen stoelen werden ingenomen door kinderen, waarschijnlijk klasgenootjes van de overleden jongen. Op de eerste rij zaten enkele oudere mensen. Van Den Eede nam achteraan in de linkerbeuk plaats, Elias aan de overkant, zodat ze straks tijdens de offerande de naar hun plaats terugkerende aanwezigen goed zouden kunnen observeren. Toen zette het orgel in en werd de lijkkist door twee mannen, met trage stappen, op het ritme van Johan Pachelbels canon, vooral bekend van het hitje 'Rain and Tears' van Aphrodite's Child, naar het altaar gedragen. Achter hem kwamen de vijf mensen die de condoleanties in ontvangst hadden genomen. Naast Vanessa Michiels liep een jongeman die haar ondersteunde. Van Den Eede had inderdaad de indruk dat ze heel onvast ging, en vermoedde dat ze een kalmeringsmiddel had ingenomen. Onwillekeurig dacht hij aan de nis met het Onze-Lieve-Vrouwebeeld, die hij zojuist was gepasseerd en waar een bordje stond met 'Nuestra Señora de la Soledad'.[8]

Van Den Eede bekeek aandachtig de achterhoofden van de mannen die hij van hieruit kon zien. Was een van hen de moordenaar van Erik Rens? Als hij eerlijk was, moest hij

---

8 Onze-Lieve-Vrouw van de Eenzaamheid.

toegeven dat het idee dat Kurt Van Sande zich mogelijk in deze ruimte bevond, hem nerveus maakte. Hij begon pilaren en vervolgens heiligenbeelden te tellen. Daarna ramen en nissen. Nadat hij die allemaal had gehad, concentreerde hij zich op de pompeuze biechtstoel vol exotische motieven. Er zaten zelfs palmbomen in verweven. Tijdens de homilie richtte hij zijn aandacht op wat de priester vertelde. Die sprak woorden van troost tot de familie, en dan vooral 'de zwaar getroffen moeder van Joeri'. Over de vader werd echter met geen woord gerept, alsof hij dood was of niet bestond.

Toen was eindelijk het moment aangebroken om de dode jongen te gaan groeten. Eerst was het de beurt aan zijn moeder, die ook nu weer door dezelfde man werd ondersteund. Aan de overkant zat Elias onbeweeglijk naar het treurige tafereel te kijken. Was hij in gedachten bij zijn vrouw? De in het zwart geklede medewerkers van de begrafenisondernemer lieten vervolgens rij voor rij door de middengang lopen. Sommigen bleven even bij de kist staan en bogen eerbiedig het hoofd, anderen maakten een kruisteken of liepen gewoon traag verder. Van Den Eede bekeek met onopvallende aandacht iedere man die via de zijbeuk naar zijn plaats terugkeerde. Op het moment dat zijn rij bijna aan de beurt was, keek hij even naar Wim Elias, die traag zijn hoofd schudde. Van Den Eede schoof als laatste mee aan om de lijkkist te gaan groeten. Er lag één witte roos op. Met zijn handen samengevouwen op zijn buik bleef hij enkele seconden staan en boog eerbiedig zijn hoofd. Vervolgens legde hij een euro in het geldmandje en nam een bidprentje in ontvangst, dat hij meteen in het borstzakje van zijn overhemd stopte. Terwijl hij door de zijgang terugliep, kon hij het niet laten om de aanwezigen links en rechts van hem nog eens goed te bekijken, ook al wist hij dat het zinloos was. Van Sande had het niet aangedurfd om naar de begrafenis van zijn eigen zoon te komen. Van Den Eede en Elias gingen niet terug op hun stoel zitten, maar verlieten, samen met nog een vijftal andere mensen, de kerk.

'Het zou natuurlijk te schoon zijn geweest om waar te zijn', zei Elias, toen ze weer op de zonnige trappen stonden.

Van Den Eede zette zijn zonnebril op en haalde het bidprentje tevoorschijn. Er stond een foto van een lachende jongen met donkerbruin haar op. Was het inbeelding of leek hij echt een beetje op Van Sande? Bijna kreeg hij medelijden met de gezochte gangster die geen afscheid van zijn eigen kind had kunnen nemen, niet in het ziekenhuis, en evenmin op de uitvaart. Maar wanneer hij aan de dode ogen van Erik Rens dacht, en aan Hannes Van Opstal, verdween dat gevoel weer meteen.

'Praten we vandaag nog met Vanessa Michiels?' vroeg Elias.

Volgens Van Den Eede had dat weinig zin. 'Laat haar eerst maar een beetje bekomen. Maar vraag wel haar telefoon- en gsm-verkeer op. Ge weet maar nooit.'

Op dat moment begon zijn eigen mobieltje te rinkelen.

Het was Olbrecht, die met nauwelijks bedwongen enthousiasme meedeelde dat ze zo goed als zeker de verdwenen badkuip hadden gevonden. 'Ze hadden ze verdomme toch naar Grauwmeer gebracht. Wedden dat ze dat niet voor niks hebben gedaan?'

'Ge weet toch dat ik niet wed', zei Van Den Eede, terwijl hij naar Elias knipoogde.

Tarik zou de kuip naar het NICC[9] laten overbrengen. Van Den Eede sprak af om elkaar daar te ontmoeten.

De badkuip stond op een tafel in een van de laboratoriums waar Orhan Tarik tot voor kort had gewerkt. Ramen waren

---

9 Nationaal Instituut voor Criminalistiek en Criminologie.

er niet en de muren, de vloer en het plafond waren allemaal donkerkleurig. Van Den Eede had de indruk dat hij in een rouwkapel binnenkwam. Misschien deed de vorm van de kuip hem daarom aan een sarcofaag denken. Tarik was bezig een of andere vloeistof toe te voegen aan een kolf waarin een waterige oplossing zat.

'Het was niks te vroeg', zei Olbrecht. 'Als we tot morgen hadden gewacht, dan was de hele container opgeladen en naar de verbrandingsoven afgevoerd.'

Van Den Eede kwam dichterbij en keek in de kuip, die er niet eens zo vies uitzag, ook al had hij dagenlang in de openlucht gelegen. 'Hoe weten we dat deze uit de badkamer van De Volder komt?'

'Omdat de gemeentearbeider die toen dienst had hem op foto heeft herkend', zei Olbrecht. 'Er worden niet iedere dag badkuipen binnengebracht.'

'Ik zie nochtans nergens een barst in het glazuur.'

'Dat kan dus maar één ding betekenen', meende Olbrecht. 'Dat Riet Donckers heeft gelogen.'

Van Den Eede keek opnieuw in de badkuip. 'Waarom zou ze dat doen? Denkt ge dat haar broer werd vermoord en dat zijn lijk hierin heeft gelegen?'

'Dat zullen we direct weten', antwoordde Tarik. 'Tenminste als er bloed aan te pas is gekomen.' In zijn hand had hij een verstuiver vast. 'Hier zit een mengsel in van luminol, natriumcarbonaat, gedestilleerd water en peroxide.'

Zoals hij daar stond in zijn laboratoriumjas, zag hij er opeens heel anders uit. Een beetje als een betweterige professor, vond Van Den Eede.

'Het lijkt misschien gemakkelijk om bloedsporen te doen verdwijnen,' vervolgde Tarik, 'maar ook al hebt ge nog zo veel en zo hard geschrobd, nooit krijgt ge alles helemaal weg.'

Hij boog zich over de rand van het bad en vroeg aan

Olbrecht om het licht te doven, waarna er nog maar alleen een klein lampje bleef branden. Net voldoende om elkaar te kunnen zien.

'Al van chemoluminescentie gehoord?' vroeg hij aan Van Den Eede.

'Ik weet dat die stof die ge daar vast hebt, reageert op bloedsporen. Maar vraag me niet hoe het juist in zijn werk gaat.'

'De hemoglobine in bloed werkt als katalysator in op luminol. Het resultaat daarvan zult ge hopelijk direct zien.'

Tarik begon de randen van het bad, vanaf het hoofdeinde, met de klok mee te besproeien. Toen hij de andere kant had bereikt, viel er nog altijd geen enkele reactie te bespeuren. Van Den Eede keek even naar Olbrecht, die gespannen iedere beweging van Tarik volgde. Op het moment dat hij bijna rond was, lichtte er opeens een blauwe schijn op, die gedurende enkele seconden sterker werd en dan langzaam weer uitdoofde.

'Bingo!'

Tarik verstoof de luminol nu langs de wand in een rechte lijn naar beneden. Op het glazuur verschenen dikke, blauwe strepen. Nog voordat hij de onderkant van het ligbad had bereikt, hield hij ermee op.

'Oké', zei Van Den Eede. 'We weten nu dat er bloedsporen op dat bad zitten, én dat iemand veel moeite heeft gedaan om die te doen verdwijnen. Maar kunt ge ook bewijzen dat ze van Eddy Donckers zijn?'

'Daarom dat ik hier stop', zei Tarik. 'Want luminol breekt DNA af. Maar aan de dikte van die strepen te zien, moet er op de bodem van dat bad serieus wat bloed hebben gelegen.'

'Zal ik dan nu het licht maar terug aandoen?' vroeg Olbrecht.

Nog voordat hij de schakelaar had ingedrukt, wist Van Den Eede al dat zijn inspecteur daar met een brede glimlach op zijn gezicht stond.

22

Net toen Van Den Eede wilde aanbellen, ging de deur van Expert Vision open en werden twee mannen, gekleed in gestreepte Armani-pakken en met bruinleren Italiaanse designschoenen, uitgeleide gedaan door Nico De Volder. 'Hier zijn uw volgende klanten al!' riep een van hen naar De Volder, terwijl hij glimlachend zijn Versace-zonnebril uit zijn overhemdzakje haalde, nonchalant openplooide en op zijn neus zette.

De Volder glimlachte flauwtjes terug, waarna hij beide mannen stevig de hand drukte en zei dat hij hun de offerte, zoals afgesproken, vóór het einde van de week zou bezorgen. Hij wachtte tot zijn twee bezoekers in hun BMW-cabrio waren gestapt, voordat hij zich tot Van Den Eede en Elias wendde.

'Wat nu weer? Ik dacht dat wij vorige keer alles al hadden besproken?'

Van Den Eede knikte. 'Wij ook, maar ondertussen zijn er een paar nieuwe feiten opgedoken, waarover we het graag eens met u zouden hebben. Mogen wij even binnenkomen?'

Nico De Volder keek op zijn horloge en zei dat hij over een halfuur dringend naar een klant moest.

'Als u vanavond liever tot bij ons op het bureau in Brussel komt, dan is dat voor ons ook goed', zei Elias. 'Aan u de keuze.'

De Volder bekeek hem met een sarcastische grijns en deed toen zuchtend een stap opzij. 'Twintig minuten', zei hij. 'Meer tijd heb ik niet.'

Terwijl ze door de lange gang liepen, vroeg Van Den Eede of mevrouw De Volder ook thuis was.

'De laatste keer dat ik keek nog wel', antwoordde De Volder, zonder enige zweem van spot.

Aan de lift sloegen ze links af, waarna ze langs de rode muren met ingelijste natuurfoto's naar de woonkamer gingen.

Riet Donckers lag languit op een sofa. Ze rookte een sigaret in een zilverkleurig mondstuk, terwijl ze verveeld door een modetijdschrift bladerde. Naast haar stond een smal, langwerpig glas, gevuld met ijsblokjes en een gifgroen drankje. Aan haar wazige blik te zien was het vanmiddag niet haar eerste.

'De politie wil ons nog wat vragen stellen', zei De Volder. 'Al zou ik niet weten wat er nog te zeggen valt.'

Riet Donckers haalde haar fraaie benen van de bank, ging overeind zitten en wreef met haar vingers door haar haar. 'Als het weer over mijn broer gaat,' begon ze, 'dan vrees ik ook dat we u teleur zullen moeten stellen. Sinds hij zijn geld is komen ophalen, hebben we van hem niks meer gehoord of gezien. Gelukkig maar.'

'Na ons gesprek van vorige keer ben ik met uw bevriende apotheker, hier wat verder in de straat, gaan praten', zei Van Den Eede. 'U weet wel, die waar u die insuline voor uw broer zou zijn gaan halen.'

Riet Donckers keek alsof ze moeite had om het zich te herinneren. Ze deed haar best om te blijven glimlachen, waardoor de uitdrukking op haar gezicht alleen maar nog meer spanning verraadde.

'Vreemd genoeg wist hij van niets.'

'Dat is inderdaad vreemd', zei Riet, terwijl ze haar sigaret zorgvuldig uitdrukte in een zware stenen asbak.

De Volder vond daar niets vreemds aan. 'Integendeel. Of denkt ge dat die man zomaar gaat toegeven dat hij ons iets heeft verkocht zonder voorschrift? Hij heeft dat alleen maar gedaan om ons te helpen. Ge gaat hem daarvoor toch zeker niet in de problemen brengen?'

'Weet u nog hoeveel spuiten er in die verpakking zaten?' vroeg Elias aan Riet.

Ze haalde nadenkend haar schouders op. 'Geen idee. Vier of vijf misschien?'

'U bent dus maar één keer bij die bevriende apotheker langs geweest?'

Riet knikte onzeker van ja.

'Of bent u nog via een andere weg aan insuline geraakt?'

Ze keek naar haar man, van wie ze blijkbaar hulp verwachtte.

'Waarom zou ze dat hebben gedaan?' vroeg De Volder. 'We hebben toch al gezegd dat Donckers hier maar enkele dagen is gebleven. En wat mij betreft, waren er dat een paar te veel.'

'Tot ge hem zijn geld hebt gegeven?' drong Elias aan.

De Volder knikte. 'Hoe hij daarna aan zijn insuline is geraakt, dat is zijn probleem. Als ik u was, zou ik eens navragen of er in de buurt geen inbraken bij apothekers zijn geweest.'

Op dat moment klonk een ringtone die het irriterende gedreun van elektronische housemuziek imiteerde. De Volder haalde zijn gsm uit zijn broekzak, keek even naar het display en weigerde vervolgens de oproep.

'Waar kwam dat zwart geld waarmee u hem heeft betaald eigenlijk vandaan?' vroeg Van Den Eede. 'Heeft u een geheime bankrekening?'

'Nee. Dat lag in mijn kluis.'

'Zo veel?'

De Volder keek alsof hij daar zelf niets aan kon doen.

'Klopt het dat uw zaak vorig jaar bijna failliet was?'

'Wie heeft dat gezegd?'

'Ja of nee?'

'Failliet is veel gezegd', corrigeerde De Volder. 'We hadden een tijdelijk liquiditeitsprobleem. Dat is niks abnormaals. Er zijn wel meer bedrijven die daar op een bepaald moment mee te maken krijgen.'

'Dat zal wel', zei Elias. 'Maar in uw geval was de bank blijkbaar niet bereid om voor een oplossing te zorgen. Hoe kwam dat?'

De Volder wuifde de vraag onverschillig weg. 'Banken zijn een beetje zoals de politie.' Hij grijnsde. 'Ze zijn er nooit als ge ze nodig hebt.'

Van Den Eede gunde hem glimlachend dat flauwe grapje. 'Toch vraag ik mij af', zei hij, 'waarom u dat zwart geld niet hebt gebruikt om uw financiële problemen op te lossen, in plaats van het deel van de erfenis van uw schoonbroer als onderpand te gebruiken.'

'Omdat ik op dat moment niet zo veel in mijn kluis had liggen', antwoordde De Volder zonder aarzelen. 'Zo simpel is dat.'

Van Den Eede wendde zich nu tot Riet Donckers, die net haar glas aan haar lippen zette. 'Wie heeft u het beheer over het legaat van uw broer gegeven?'

Ze nam een grote slok voordat ze antwoordde.

'De notaris. Wie anders?'

'Kon dat zomaar? Het is toch niet omdat uw broer in de gevangenis zat, dat u met zijn erfdeel kon doen wat u wilde. Of wel?'

'Natuurlijk niet', kwam De Volder tussenbeide. 'Het enige wat mijn vrouw heeft gedaan, is de erfenis van haar broer zo goed mogelijk beheren. Wat is daar verkeerd aan?'

'Het ging wel iets verder dan alleen maar beheren', vond Elias. 'U heeft zijn deel gebruikt als onderpand om uw schulden af te lossen.'

De Volder gaf toe dat daar misschien enig risico mee gemoeid was.

'Maar tegen de tijd dat hij zijn straf had uitgezeten, zou de hypotheek op die gronden al lang zijn afgelost en zou er geen haan meer naar hebben gekraaid.'

Er viel een stilte. Riet greep naar een dun plastic staafje, waarmee ze langzaam in haar drank begon te roeren. De ijsblokjes maakten een helder klingelend geluid.

'Bon. Als dat alles was?' zei De Volder, terwijl hij aanstalten maakte om overeind te komen.

Van Den Eede bleef rustig zitten en vroeg naar welk containerpark De Volder zijn badkuip had gebracht. Hij merkte dat zijn vraag hem in verwarring bracht. De manier waarop hij mensen verhoorde, had al meerderen van zijn collega's de wenkbrauwen doen fronsen. Ze vonden dat hij te veel van de hak op de tak sprong, wat niet volgens het boekje was. Maar daar had hij zich nooit iets van aangetrokken. Hij was ervan overtuigd dat hij vaak meer en betere resultaten behaalde wanneer hij zijn vragen niet in een logische volgorde stelde, waardoor de ondervraagden minder kans hadden om hun antwoord voor te bereiden. Het was zoals bij schaakspelen, wanneer je de tegenstander uit evenwicht probeert te krijgen door een onverwachte zet te doen.

De Volder keek hem inderdaad verbaasd aan en liet zich terugzakken op zijn stoel. 'Waarom vraagt ge dat?'

'Er zijn er drie in Leuven', ging Van Den Eede geduldig verder. 'Twee hier vlakbij en eentje een eind weg.'

'Ge zijt blijkbaar goed op de hoogte.'

'Wilt u alstublieft antwoord geven.'

De Volder fronste zijn wenkbrauwen en stak zijn onderlip naar voren, alsof hij diep nadacht. 'Sorry, maar ik zou het echt niet meer weten', zei hij. 'Ik zie ook niet in wat uw vraag met Eddy Donckers heeft te maken.'

'We weten dat u voor het verste heeft gekozen', vervolgde Van Den Eede. 'Hoe kwam dat?'

Riet had zich van het gesprek afgewend, alsof het haar niet meer interesseerde, en staarde afwezig door de grote glazen schuifdeuren naar het kleine, ommuurde tuintje.

'Ik begrijp niet wat ge bedoelt', zei De Volder. 'Als ik naar Grauwmeer ben gereden, dan was dat waarschijnlijk omdat ik daar toevallig passeerde. Of omdat de andere waren gesloten. Weet ik veel.'

'Dus niet omdat de containers er een dag vroeger dan op de andere twee stortplaatsen worden opgehaald?' vroeg Elias.

De Volder bekeek beide speurders met een laatdunkend glimlachje. 'Dat is het eerste wat ik daarvan hoor. Het interesseert mij trouwens geen barst wat er met dat afval gebeurt, en nog minder wanneer.'

'Volgens mij wist u anders heel goed dat Grauwmeer een dag vroeger wordt geruimd', zei Van Den Eede. Hij pauzeerde even en voegde er toen terloops aan toe: 'Normaal toch.'

Riet Donckers keek hem geschrokken aan. 'Wat bedoelt ge daarmee?' zei ze met een breekbare stem.

'U wist dus niet dat een deel van het gemeentepersoneel vorige week in staking was?' vroeg hij. 'Onder wie de arbeiders op Grauwmeer.'

Riet Donckers schudde traag haar hoofd, terwijl de uitdrukking op haar gezicht een merkwaardige verandering onderging. Het leek of iemand haar zojuist had verteld dat ze ongeneeslijk ziek was en nog maar enkele maanden te leven had. Hoewel ze nog altijd naar Van Den Eede keek, werd haar blik troebel en was het alsof ze dwars door hem heen staarde.

Nico De Volder gaf ogenschijnlijk geen krimp. Van Den Eede besloot de duimschroeven nog wat verder aan te draaien.

'De opzichter kon zich u anders nog goed herinneren. Hij heeft zelfs mee geholpen om de badkuip uit te laden en in de container voor groot afval te gooien. Hij vond het eigenlijk zonde van het bad, dat er volgens hem als nieuw uitzag.'

Riet keek paniekerig naar haar man, die halsstarrig bleef zwijgen.

'Als ik mij goed herinner,' zei Elias, 'heeft u mij vorige keer verteld dat er een grote scheur in het glazuur zat, en dat u daarom een nieuwe kuip wilde laten installeren.'

Riet Donckers knikte stijfjes.

'Daar was echter niks van te merken.'

'Dus was het ons bad niet', concludeerde De Volder. Ook al hield hij zijn gezicht perfect in de plooi, er klonk een ondertoon van opluchting in zijn stem.

'We hebben er wel iets anders in gevonden', ging Van Den Eede verder, waarna hij opnieuw een pauze inlaste, die voor Riet Donckers een eindeloze kwelling leek. 'U houdt het niet voor mogelijk wat ze tegenwoordig allemaal kunnen in onderzoekslaboratoriums. Wist u dat er bijvoorbeeld een middeltje bestaat waarmee bloedsporen opnieuw zichtbaar kunnen worden gemaakt, ook al heeft iemand nog zo hard zijn best gedaan om ze met borstel en zeep weg te schrobben? Zelfs bloed dat tot driehonderdduizend keer is verdund, kan ermee worden opgespoord.'

Riets onderlip begon te trillen. Ze zag eruit alsof ze ieder moment in tranen kon uitbarsten en kneep haar handen krampachtig samen in haar schoot. Van Den Eede begreep dat haar zenuwen op het punt stonden het te begeven. Blijkbaar had ook Nico De Volder dat gezien. Plotseling sprong hij overeind en riep dat het nu genoeg was geweest. Die komedie had al veel te lang geduurd. Als ze hem of zijn vrouw van iets wilden beschuldigen, dan moesten ze dat nu doen. Anders konden ze maar beter meteen ophoepelen.

Van Den Eede was niet in het minst onder de indruk van zijn uitval en keek hem rustig aan. Nico De Volder was bezig zijn laatste troefkaarten uit te spelen.

'Voorlopig kunnen we nog niets bewijzen', zei hij. 'Lang zal dat echter niet meer duren. We verwachten de uitslag van de DNA-analyse heel binnenkort.' Hij keek nu naar Riet Donckers. 'Maar ik denk dat we allemaal wel weten van wie dat bloed is dat we in uw badkuip hebben gevonden. Het zou dan ook beter voor u zijn als u ons nu zou vertellen hoe dat daar is gekomen.'

Riet staarde vol afgrijzen naar de vloer, alsof datgene wat zich in de badkamer had afgespeeld daar met een beamer op werd geprojecteerd.

'Wij kunnen dan in ons verslag noteren dat u goed hebt meegewerkt, en zoiets maakt altijd een positieve indruk op een onderzoeksrechter', ging Van Den Eede verder.

Meer dwang zou ongetwijfeld een omgekeerd effect hebben. Riet Donckers stond op 'breken' en hij wilde niet dat ze zou dichtklappen. Opeens sloeg ze haar handen voor haar gezicht en begon met schokkende schouders te snikken. Waarschijnlijk vreesde ook haar man dat die emotionele ontlading de voorbode van een openbare biecht of een bekentenis was. Hij liep naar de bar en schonk zichzelf een dubbele whisky in, waarvan hij meteen een grote slok nam.

'Oké,' knikte hij, 'als ik u eerlijk vertel wat er is gebeurd, belooft ge ons dan verder gerust te laten?'

'Wij beloven niks', zei Van Den Eede met een meewarig glimlachje.

Riet verborg haar gezicht nog altijd in haar handen, maar het schokken en snikken werd minder hevig.

De Volder zette zijn glas weer aan zijn lippen en sloeg het in één keer achterover. Hij trok een grimas en zette het lege glas met een klap op het barkastje neer. 'Eddy Donckers had die avond nogal wat gedronken', begon hij. 'Hij is waarschijnlijk uitgeschoven of gestruikeld en met zijn zatte kop op de rand van het bad gevallen. Toen Riet hem daar vond, was hij bewusteloos. Hij had inderdaad serieus wat bloed verloren, maar ik verzeker u dat hij nog ademde.' De Volder keek van Van Den Eede naar Elias, alsof hij er zeker van wilde zijn dat die laatste woorden wel goed tot hen door waren gedrongen. 'Hij had een gekloven wenkbrauw en zoiets bloedt altijd hard, zoals ge weet. Vraag me niet waarom, maar we hebben die smeerlap verzorgd en als een klein, verwend kind in bed gestopt. Nadat hij 's anderendaags zijn roes had uitgeslapen, had hij alleen wat koppijn, meer niet. Ik heb hem zijn geld gegeven en hij is nog diezelfde dag vertrokken. Dat was...' – hij dacht even na – '...vorige week woensdag.' Hij greep opnieuw naar de whiskyfles, vulde zijn glas bij en nam een royale slok. 'Voilà, nu weet ge evenveel als wij.'

Van Den Eede moest toegeven dat De Volder vindingrijk was als het erop aankwam.

'En daarvoor hebt ge heel uw bad uitgebroken?'

'Denkt ge dat wij niet wisten dat er hier vroeg of laat politie aan de deur zou staan, op zoek naar sporen van Eddy Donckers?'

'Ook al zou ik het liever anders zien,' zei Van Den Eede, 'het is nog altijd niet verboden om onderdak te verschaffen aan familieleden. U en uw vrouw riskeerden dus eigenlijk weinig of niets als wij uw schoonbroer hier hadden aangetroffen.'

'Dat kan best zijn', antwoordde De Volder. 'Maar ondertussen zit ge ons wel van van alles en nog wat te beschuldigen.'

'Wij beschuldigen u voorlopig van niets', zei Van Den Eede.

'Wat denkt ge dat mijn klanten ervan zouden vinden als er van heel die affaire iets zou uitlekken in de pers? Ik zie de titels in de gazetten al.' Hij maakte met zijn duimen en wijsvingers een grote denkbeeldige rechthoek. '"Produtiehuis verbergt opgespoorde gangster"! Ik geloof nooit dat al die grote bedrijven of de openbare omroep daar hard mee zouden kunnen lachen.'

'Om nog maar te zwijgen van dat gesjoemel met die erfenis en al dat zwart geld', merkte Elias droogjes op.

De Volder keek hem vuil aan, maar sprak hem niet tegen.

'Er is natuurlijk nog een andere mogelijkheid', zei Van Den Eede. Om het effect van zijn opmerking zo groot mogelijk te maken, sprak hij niet verder.

Deze keer was het Nico De Volder die als eerste onder de spanning bezweek. 'En die is?'

'Eigenlijk zijn er meerdere mogelijkheden', vervolgde Van Den Eede. 'Misschien is Eddy Donckers inderdaad uitgeschoven in de badkamer, zoals u zegt, maar heeft hij zijn ongelukkige val niet overleefd. Of, wat ook kan, hij is helemaal niet gevallen, maar iemand heeft hem een klop op zijn hoofd gegeven.' Hij keek eerst naar Riet. 'Na zijn dood is zijn deel van de erfenis van u.' Daarna naar De Volder. 'En uw zwart geld kon rustig in de kluis blijven liggen.'

'Maar', voegde Elias eraan toe, 'in beide gevallen zat ge natuurlijk wel met een lijk in huis.'

Opeens klonk een kokhalzend geluid. Riet Donckers drukte haar hand tegen haar mond en liep voorovergeboven naar de deur. Maar nog voordat ze die had bereikt, begon ze luidruchtig te kotsen. Het braaksel spatte naar alle kanten uiteen op de vloer, en een zurige geur verspreidde zich door de kamer. Nico De Volder verdween vloekend in de keuken en kwam terug met een dweil en een emmer water, die hij zwijgend naast zijn vrouw neerzette. Waarna hij opnieuw plaatsnam. Elias en Van Den Eede keken elkaar veelbetekenend aan. Riet, die hijgend met één hand op de tafel leunde, greep moeizaam naar de dweil, gooide die over het braaksel en begon beschaamd het hele boeltje samen te vegen. Daarna dompelde ze de doek onder in de emmer, wrong hem met twee handen uit en begon opnieuw. Elias liep naar het dubbele raam dat uitgaf op de tuin, en begon het open te schuiven om wat frisse lucht binnen te laten. Maar Riet riep met een schorre stem dat hij het dicht moest laten.

'Voor de airco', verduidelijkte Nico De Volder. 'Mijn vrouw kan niet goed tegen de warmte. Ze krijgt daar migraine van.'

Van Den Eede vroeg zich af waar haar bruine huidskleur dan vandaan kwam. Die leek in ieder geval niet uit een potje te komen.

Terwijl Elias het raam weer dichtschoof, keek hij naar de droge, verslenste bloemen en struiken in de tuin. Vreemd dat iemand iedere dag zijn gazon sproeit, maar de borders erlangs vergeet. Onwillekeurig speurde hij naar plekken in het zand die een andere kleur hadden of onlangs waren omgewoeld. Hij kon er echter geen vinden. Ook het gazon vertoonde nergens sporen van graafwerk. Het lag er zo keurig als een pasgemaaid voetbalveld bij.

Terwijl Riet met emmer en dweil naar de keuken ging, kwam De Volder terug op de 'idiote beschuldigingen' van Van Den Eede.

'Alles is gegaan zoals ik het daarjuist heb verteld', hield hij vol. Tijdens de onverwachte onderbreking had hij zich blijkbaar herpakt. 'Eddy Donckers is met zijn strontzatte kop op de rand van het bad gevallen, wij hebben hem verzorgd en 's anderendaags is hij het met mijn geld afgebold. Einde van het verhaal.' Hij maakte met zijn beide handen een resolute beweging. 'Als ge 't niet gelooft, dan is dat uw zaak.' Hij voegde er nog aan toe dat het dan wel aan hen was om het tegendeel te bewijzen.

Ondertussen was Riet opnieuw de kamer binnengekomen. Ze liet zich voorzichtig op een stoel zakken en staarde met fletse ogen naar de natte plek op de vloer.

'Mogen wij even in uw kluis kijken?' vroeg Van Den Eede.

'Waarom? Dat hebben ze nog maar pas tijdens die huiszoeking gedaan.'

'U mag natuurlijk weigeren', zei Van Den Eede, terwijl hij naar zijn gsm greep. 'Tot ik een nieuw huiszoekingsbevel heb aangevraagd. En lang zal dat niet duren.'

Nico De Volder keek hen beurtelings aan en maakte toen een uitnodigend gebaar in de richting van de wenteltrap. 'Zoals ge wilt. Mijn bureau is boven.'

Toen ze de smalle trap hadden beklommen, was het alsof ze in een soort terrarium terechtkwamen. Aan weerszijden van de schaarsverlichte gang stonden glazen bakken waarin allerlei reptielen en schildpadden zaten. Op het eerste gezicht leken het opgezette exemplaren te zijn.

'Zijn die echt?' vroeg Elias, terwijl hij verbaasd bleef staan kijken.

De Volder, die gewoon door was gelopen, keerde zich om en keek hem aan alsof hij niet begreep waarover hij het had. Hij vroeg Elias wat hij er zelf van dacht. 'Vergeet niet dat het hier een productiehuis is', voegde hij er aan toe. 'Schijn en werkelijkheid liggen hier heel dicht bij mekaar.'

Toen Elias zich wat meer vooroverboog, zag hij de bolle oogjes van een van die voorhistorische hagedissen schichtig heen en weer bewegen. Het donkergrijze dier was ongeveer dertig centimeter lang en had een lange nek en een geschubde staart.

'Een uit de hand gelopen passie', zei De Volder, terwijl hij dichterbij kwam. 'Die daar, dat is een dwergvaraan. Tamelijk zeldzaam en niet gemakkelijk te houden in gevangenschap. En ginder zit een kameleon.'

Pas toen zag Van Den Eede het bruingele exemplaar dat zich onbeweeglijk achter een bebladerde tak schuilhield. In de volgende bakken zaten kleine schildpadden, waarvan de meeste zich half hadden ingegraven. Een was met trage kauwbewegingen een blaadje sla aan het verorberen. De laatste bak was de kleinste van allemaal, vrij smal, maar tamelijk diep en voor de helft gevuld met iets wat er als turf uitzag. Toen Elias en Van Den Eede met hun gezicht vlak bij het glas kwamen, op zoek naar de bewoner van het terrarium, deinsden ze allebei geschrokken achteruit. Helemaal achteraan, in een hoekje, zat een reusachtige spin. Ze was overwegend bedekt met zwarte haren, behalve aan de poten, die bruinrood en oranje waren.

'Dit is een Mexicaanse roodknievogelspin', zei De Volder. 'Enkele jaren geleden nog met uitsterven bedreigd, maar ondertussen is er in Europa en in de Verenigde Staten zo veel mee gekweekt dat het bijna een huisdier is geworden.'

'Geef mij toch maar een hond of een kat', zei Van Den Eede, die zijn afkeer moeilijk kon verbergen.

'Het is wat ze een bombardeerspin noemen', ging De Volder verder. 'Ze heeft brandharen die loskomen wanneer ze zich bedreigd voelt. Een nest processierupsen is er niks tegen. Ze durft ook wel eens bijten, maar veel pijnlijker dan een wespensteek is dat niet. Tenzij ge er natuurlijk allergisch aan zijt. Dan kan het wel eens verkeerd aflopen. Er zijn gevallen bekend van grote dieren en zelfs mensen die het niet hebben overleefd.'

Naast de spin lag een halfopgegeten muis.

'Dit is een vrouwtje', zei De Volder. 'Die kunnen gemakkelijk twintig jaar of ouder worden.'

Van Den Eede kreeg opeens een onbehaaglijk gevoel. Dat kwam niet door de vogelspin, maar door de ontspannen glimlach waarmee Nico De Volder dit allemaal stond te vertellen en naar de deur aan het einde van de gang wees. Voor Van Den Eede hoefde het niet meer om in de kluis te kijken. Hij wist nu al dat ze er niks belastends in zouden vinden.

In het kantoor stonden, net zoals in de woonkamer, overwegend glazen meubels. Zelfs het bureau was van glas.

'Zoals ge ziet, is dit – letterlijk én figuurlijk – een open huis', zei De Volder met een zelfvoldaan gezicht.

'Behalve dan uw kluis, neem ik aan', zei Elias.

De Volder liet zich niet van zijn stuk brengen door die opmerking en bekeek Elias met een geamuseerde glimlach. Vervolgens haalde hij een rechthoekig doek van de muur, waarop in profiel, tegen een purperen achtergrond een man in geel T-shirt en met een enorme vetkuif voor een microfoon stond.

'Niet bijster origineel, ik weet het', zei hij.

'Ik veronderstel niet dat ge het over het schilderij zelf hebt?' merkte Van Den Eede op.

'Nee', antwoordde De Volder. 'Dat is een Herman Brood. Die heb ik nog niet lang geleden op een veiling op de kop getikt, als investering.'

'Dan hebt ge veel geluk gehad', zei Elias.

De Volder keek hem niet-begrijpend aan, terwijl hij het schilderij voorzichtig op de grond zette.

'Omdat Brood onlangs van het Hilton is gesprongen.' Elias keek geamuseerd naar Van Den Eede. 'Van een investering gesproken...'

De Volder negeerde de opmerking en tikte de code van de muurkluis op een elektronisch cijferslot in. Er klonk een korte zoemtoon en het deurtje klikte open. In de kluis lagen een paar vierkante en rechthoekige doosjes, waarin juwelen en sieraden bleken te zitten. Er was ook een duur Rolexhorloge bij, dat nog aan de vader van Riet had toebehoord. Verder nog enkele staatsbons en obligaties. Van Den Eede had niet veel anders verwacht.

Nico De Volder vroeg met gespeelde ernst of er nog iets was wat ze wilden zien, nu ze toch hier waren. Van Den Eede schudde van nee en bedankte hem. Met een klik werd het deurtje opnieuw gesloten, waarna De Volder met uiterste precisie het doek terug op zijn plaats hing.

Ze waren bijna alle terraria gepasseerd, toen Van Den Eede een ingeving kreeg. Ook later zou hij zich niet precies kunnen herinneren waardoor het kwam dat hij opeens was blijven staan en op zijn schreden was teruggekeerd. Was het iets wat De Volder had gezegd? Iets in zijn houding wat hem had gealarmeerd, of een bepaalde nuance in zijn stem? Van Den Eede besefte dat hij mogelijk op het punt stond zich onsterfelijk belachelijk te maken, maar wist ook dat het voor een politieman van groot belang was om in zijn intuïtie te blijven geloven. Zo'n gevoel dat, zonder woorden, schijnbaar uit het niets, de kop opsteekt en, zoals een nachtelijke droom, verborgen tekens en waarschuwingen bevat. Vlak voor de glazen kast met daarin de vogelspin bleef hij staan.

Nico De Volder, die hem achterna was gekomen, keek hem verbaasd aan. Ook Wim Elias leek niet te begrijpen wat zijn chef bezielde.

'Ze heeft blijkbaar indruk op u gemaakt', zei De Volder, in een poging om luchtig te klinken.

'Wilt u die spin er even uit halen?' vroeg Van Den Eede.

De Volder fronste zijn wenkbrauwen en maakte toen een geluid dat het midden hield tussen een zenuwkuchje en een onzeker lachje. 'Als het is om ze wat beter te bekijken, dan kan ik gerust wat meer licht maken', zei hij, terwijl hij al naar een draaischakelaar reikte waarmee hij de lichtsterkte kon regelen.

'Niet nodig', vond Van Den Eede. 'Het gaat mij niet om de spin.'

De adamsappel van De Volder ging op en neer, alsof hij iets vies moest doorslikken. 'Ik heb daarstraks toch uitgelegd dat die spin niet ongevaarlijk is, en dat een beet ervan...'

'Ge gaat mij toch niet wijsmaken dat ge die bakken nooit ververst of onderhoudt?' onderbrak Van Den Eede hem. 'Wat doet ge dan met die dieren?'

'Meestal laat ik daar iemand voor komen', antwoordde De Volder. 'Iemand die er verstand van heeft.'

'Ik dacht dat het een passie van u was', zei Elias. 'Dan zoudt ge toch denken dat ge er zelf meer dan genoeg over weet.'

Nico De Volder twijfelde nog even, maar haalde toen het bovenste glas van het terrarium en zette dat voorzichtig op de grond. 'Ik vind dit wel allemaal erg ver gaan', bromde hij. 'En als ik dan nog wist waarom.'

Langzaam naderde hij met zijn linkerhand de vogelspin, die rustig bleef zitten. Toen Van Den Eede zag dat De Volder zijn hand, met de palm omhoog, over de grondlaag behoedzaam in de richting van het dier verschoof, tot zijn pink de lange, behaarde voorpoten raakte, liep er onwillekeurig een rilling langs zijn rug. Vervolgens bracht De Volder zijn tweede hand in de bak en raakte met zijn wijsvinger voorzichtig een van de achterpoten aan. De spin reageerde meteen en kroop met een snelle beweging naar voren, tot op de uitgestrekte linkerhand van De Volder. Traag haalde hij het afzichtelijk mooie diertje uit de glazen bak. Het bleef de hele tijd rustig op zijn hand zitten. Toen hij weer helemaal rechtop stond, strekte De Volder zijn arm in de richting van Van Den Eede.

'Wilt ge ze misschien eens aaien?'

Van Den Eede had al zijn zelfbeheersing nodig om geen stap achteruit te doen. Hij keek in de bak en vroeg of er nog meer spinnen in zaten. Nico De Volder schudde van nee. Van Den Eede boog zich op zijn beurt voorover en begon in de losse ondergrond te woelen. Eerst aarzelend met een paar vingers, daarna met zijn volle hand. Toen hij bijna tot aan zijn pols in de turflaag zat, hield hij plotseling op met graven. Hij keek naar De Volder die daar nog altijd met de roerloze vogelspin in zijn hand stond.

'Wat is dat wat ik hier voel? Een handvat of zoiets?'

'Dat is van het luik langswaar we de vervuilde ondergrond weghalen.'

Van Den Eede grabbelde nog wat dieper. Voorzichtig begon hij aan het handvat te trekken. In het begin was er nog wat weerstand, maar toen scheurde de turflaag open en stond hij met een lichtgrijs metalen koffertje in zijn hand.

'Slim bedacht, dat moet ik toegeven', zei hij glimlachend. 'En even efficiënt als de duurste kluis.'

De blik waarmee Nico De Volder hem aankeek, kreeg iets onheilspellends.

'Zit hier misschien het geld in dat ge zogezegd aan Eddy Donckers hebt gegeven?'

Op het moment dat Van Den Eede wilde proberen of hij het deksel openkreeg, gebeurde er iets waarop hij noch Elias bedacht was. Nico De Volder gooide de vogelspin naar Van Den Eede, die van het schrikken het koffertje liet vallen. Hij voelde de spin zich aan hem vastklampen en vervolgens in de richting van zijn linkerschouder kruipen. Van Den Eede greep zijn overhemd met beide handen vast en probeerde het dier los te schudden. Maar dat hielp niets. Elias wikkelde vliegensvlug zijn zakdoek rond zijn hand en gaf de vogelspin een korte, maar stevige tik tegen haar achterlijf. Het

beestje, dat waarschijnlijk evenveel of zelfs meer angst uit-
stond dan de twee politiemannen, viel met een droog plofje
op de vloer en kroop met een ongelooflijke snelheid verder
de gang in tot op het donkerste plekje. Van Den Eede keek
zijn hoofdinspecteur opgelucht aan. Pas toen merkten ze
dat De Volder er met het geldkoffertje vandoor was.

Toen ze de wenteltrap kwamen afgestormd, zagen ze dat
het schuifraam naar de tuin openstond. Riet Donckers lag
uitgestrekt op de fauteuil en bedekte haar ogen met haar
linkerarm. Naast haar lag een Xanax-strip, waaraan twee pil-
len van één milligram ontbraken.

Terwijl Elias de tuin in liep, keek Van Den Eede of alles in
orde was met Riet. Ze zag er versuft uit, maar ademde rustig
en haar hartslag was regelmatig. Hij liep naar Elias, die zich
op het muurtje had gehesen en ingespannen rondkeek. Van
Nico De Volder viel echter geen spoor meer te bekennen.
Van Den Eede greep naar zijn gsm, toetste het nummer van
de lokale politie van Leuven in en vroeg meteen naar commissaris Danckaert, aan wie hij het signalement van De
Volder doorgaf. Danckaert beloofde direct een patrouille te
sturen om de omgeving van de Tiensestraat uit te kammen.

Toen ze terug naar de woning liepen, bleef Elias plotseling staan. Hij hurkte neer en liet zijn handpalm over het
kortgemaaide gazon glijden.

'Nu weet ik waarom dat tapijtje zo schoon groen blijft', zei
hij, opkijkend naar Van Den Eede. 'Het is verdomme kunstgras.'

Van Den Eede bukte zich nu ook en bekeek de grasmat
van dichterbij.

Elias peuterde aan de zijkant zonder veel moeite een hoek
los en trok een stuk van een van de uitgerolde matten omhoog. 'En zo te zien niet al te best aangelegd', meende hij.
'Zou hij het zelf hebben gedaan?'

'Hij had in ieder geval gelijk daarstraks', zei Van Den Eede. 'Schijn en werkelijkheid liggen hier inderdaad niet ver uiteen.'

Riet Donckers lag nog altijd uitgeteld op de fauteuil. Aan haar zware ademhaling te horen was ze in slaap gevallen.

'Wat doen we met haar?' vroeg Elias.

Terwijl Van Den Eede zich over Riet heen boog om te kijken of ze wel echt sliep, of alleen maar deed alsof, klonk vanuit de keuken plotseling het mechanische geluid van housemuziek. Al na enkele tellen hield het weer op.

'Dat was de gsm van De Volder!'

Er viel met een harde klap iets op de grond. Riet vloog geschrokken overeind en keek verdwaasd om zich heen. Elias had inmiddels zijn pistool getrokken en stampte de keukendeur open. Nico De Volder stond boven op het aanrecht, met één been uit het smalle raam. Het metalen kistje lag op zijn zij met geopend deksel op de terracotta vloer, waarvan de bruinrode kleur fel contrasteerde met het giftige groen van de honderdeurobiljetten.

23

'Het telefoonverkeer van Vanessa Michiels van de voorbije weken', zei Olbrecht, terwijl hij een handgeschreven bladzijde op het bureau van Van Den Eede legde. Een tiental nummers was met een gele viltstift gemarkeerd. 'De meeste gesprekken waren met de afdeling Intensieve Zorgen van het ziekenhuis waar haar zoontje werd verpleegd. Ook het vast nummer van haar ouders staat er nogal dikwijls tussen. Er zijn ook een paar oproepen van en naar de gsm van een vriendin bij, dat zijn trouwens de langste, en ze heeft drie keer met de begrafenisondernemer gebeld.'

Van Den Eede knikte, terwijl hij zijn leesbril opzette. 'En die gemarkeerde nummers?'

Olbrecht sloeg glimlachend zijn notitieboekje open. 'Dat zijn natuurlijk de interessantste. Een is van een zekere Serge Meulemans. Wie dat is, weten we nog niet, wel dat hij in Wevelgem woont. Het tweede is een nummer in Portugal, dat we nog niet hebben kunnen identificeren. Daar heeft ze, zoals ge kunt zien, twee keer tamelijk lang mee gebeld. Het derde is van ene Wouter Tommelein. Die woont in een van die riante villawijken in Ukkel. En dan zijn er ook nog een paar gesprekken met een openbare telefooncel geweest, maar om die te lokaliseren hebben we de toestemming van de onderzoeksrechter nodig.'

Van Den Eede staarde zwijgend naar het blad.

'Wat? Is er iets?'

'Die naam hier' – hij wees naar Tommelein – 'die komt mij precies bekend voor.'

Olbrecht dacht even na, maar schudde dan van nee. 'Mij zegt hij niks. Maar ik zal hem straks nog eens door de computer halen.'

Van Den Eede haalde het brilletje weer van zijn neus en gaf het blad terug aan Olbrecht.

'Doe dat. Ook met die Meulemans. En probeer te achterhalen van wie dat nummer in Portugal is.' Hij kwam achter zijn bureau vandaan. 'Voor het nummer van die openbare telefooncel hoeft ge niet op de onderzoeksrechter te wachten. Ik regel dat wel.'

Rob Olbrecht knipoogde glimlachend terug, keek op zijn horloge en greep vervolgens naar zijn jas. 'Oké. Maar als ge 't goed vindt, rij ik nu eerst naar Leuven. Ze zullen daar al volop bezig zijn.'

Van Den Eede knikte, en liep vervolgens mee naar de deur. Olbrecht ging naar links, Van Den Eede naar rechts. Na enkele meters keerde hij zich om.

'Hou mij op de hoogte, hé.'

Olbrecht stak, zonder omkijken, zijn rechterhand op en verdween om de hoek. Van Den Eede hoorde hem kwiek de trap aflopen.

Toen Van Den Eede binnenkwam, stond Nico De Volder met zijn handen in zijn zakken lusteloos door het geopende raam te kijken. Riet zat op een stoel tegenover Wim Elias. Ze hield met beide handen een kop koffie vast, alsof ze zich eraan wilde warmen. Het was nochtans drukkend heet in de kale logeerkamer van het FAST, ook al was de zon inmiddels bijna achter de huizen verdwenen. Boven de daken was de lucht oranje en rood gevlekt, alsof een schilder er met een paar zwierige vegen zijn penseel op uit had geprobeerd. Op het gammele tafeltje stond het metalen kistje, tot aan de rand gevuld met geldbiljetten.

De Volder keerde zich om en keek Van Den Eede zwijgend aan. In het tegenlicht waren zijn ogen twee grote donkere gaten. Van Den Eede maakte een uitnodigend gebaar naar de stoel naast Riet, en nam zelf plaats naast Elias. De Volder bleef nog even bij het raam staan, maar ging toen toch zitten. Hij sloeg zijn benen over elkaar en zuchtte verveeld.

Van Den Eede opende het kartonnen mapje dat op tafel lag en haalde er het verslag van een laboratoriumanalyse uit. 'We weten nu zeker dat het bloed in uw badkuip van Eddy Donckers is', begon hij.

De Volder schoof ongeduldig heen en weer op zijn stoel, terwijl hij koppig zijn armen voor zijn borst kruiste. 'Dat hebben we toch al toegegeven', bromde hij. 'Ik heb u zelfs verteld hoe het daar is gekomen.'

Van Den Eede wees naar het kistje. 'Hoeveel zit daarin?'

De Volder haalde zijn schouders op.

'We kunnen het natuurlijk ook zelf natellen, maar dat zou dan wel eens lang kunnen duren.'

'Een klein half miljoen', zei De Volder met tegenzin. Waarna hij Van Den Eede strak aankeek. 'Dat het zwart is, dat geef ik toe. Maar het is níét het geld dat voor Donckers was bedoeld! Dat kwam ergens anders vandaan, en daar ligt hij nu op een of ander exotisch strand van te genieten.'

Van Den Eede keek naar Riet, die de hele tijd in haar halflege kop koffie zat te staren, alsof ze probeerde daarin de toekomst te lezen.

'Dat denk ik niet', zei Elias. 'Volgens mij moet ge het zo ver niet gaan zoeken.'

Nico De Volder vroeg wat hij daarmee bedoelde.

'Op dit ogenblik is het een en al bedrijvigheid in uw tuin', ging Wim Elias verder. 'Het loopt daar nu vol mannen in witte pakken. Enig idee wat die daar aan het doen zijn?'

Riet Donckers keek hem aan met een gezicht dat stijf stond van de angst. Het kopje koffie dat ze zo-even nog krampachtig in haar handen klemde, spatte in stukken uiteen op de vloer.

De zoden kunstgras lagen in stapeltjes tussen de verdroogde bloemen en struiken. Wat er nog maar pas als een frisgroen gazonnetje had uitgezien, was nu veranderd in een zanderige oppervlakte die door vier krachtige spots werd verlicht. Aan de kant stonden Rob Olbrecht en Orhan Tarik aandachtig toe te kijken, terwijl leden van het DVI[10] bezig waren met platte schoppen de bovenste zandlaag heel voorzichtig weg te schrapen. Een van hen maakte constant videoopnamen van wat er gebeurde. Op iedere plaats waar de bodem ook maar de minste verkleuring vertoonde, werd een genummerd houten paaltje geplaatst.

Toen het identificatieteam het hele tuintje had afgewerkt, bleven er in totaal drie plekken over waar mogelijk recentelijk was gegraven.

'Het is aan u, Johny!' riep een van de mannen met een kwinkslag. 'Snuit uw neus nog maar eens goed.'

Hier en daar werd eventjes gelachen. Het was blijkbaar een grapje dat ze niet voor het eerst hoorden. Johny, een grote, magere man met een smal, bleek gezicht, ritste een langwerpige plastic zak open, waaruit hij een staaf met een T-vormig handvat haalde. Via het aangebrachte looppad liep hij naar het eerste paaltje. Hij plaatste de punt van de staaf op de grond, waarna hij hem met precieze draaibewe-

---

10 Disaster Victim Identification Team.

gingen dieper de aarde in dreef. De ernst en de concentratie waarmee hij te werk ging, plus het feit dat zijn gezicht in de spots nog witter en smaller leek dan het al was, gaven het macabere schouwspel een theatraal effect. Alsof het om de verfilming van de kerkhofscène uit Macbeth ging.

De staaf zat ongeveer een halve meter in de grond toen Johny de eerste weerstand voelde. Met korte rukjes trok hij hem terug naar boven, waarna hij de punt ervan naar zijn neus bracht en er, met gesloten ogen, aan begon te snuffelen. Het leek wel of hij het aroma van een pas uitgeschonken wijn wilde opsnuiven. Olbrecht, die met gekruiste armen stond toe te kijken, keek zijdelings naar Tarik, meteen gezicht alsof hij net in iets vies had gebeten.

'Hij zal er toch ook niet van gaan proeven, zeker', zei hij zachtjes, maar Tarik reageerde niet.

Blijkbaar was er niks verdachts te ruiken, want Johny plaatste de punt van zijn staaf, nadat hij hem zorgvuldig met een doekje had afgeveegd, een tiental centimeter verder op de grond en begon opnieuw te boren. De man met de videocamera registreerde nauwkeurig al zijn bewegingen. Het hele scenario herhaalde zich vijfmaal, tot Johny uiteindelijk bij het derde en laatste paaltje was aanbeland. Toen hij de staaf voor de zesde keer uit de grond trok en naar zijn neus bracht, kneep hij opeens zijn ogen nog meer samen, alsof hij zich helemaal van de buitenwereld wilde afsluiten. De aandacht van de toeschouwers, die ondertussen wat was verslapt, keerde meteen terug. Johny liet de staaf een tiental centimeter zakken, hield zijn hoofd wat naar achteren en ademde een paar keer diep in en uit. Waarna hij opnieuw begon te snuffelen. Van zijn gezicht viel niks af te lezen. Door de schuine lichtinval leek zijn hoofd wat op een doodskop. Olbrecht en Tarik keken elkaar gespannen aan. Toen opende Johny zijn ogen, keek naar de mannen in witte pakken en knikte zwijgend.

Als op afspraak kwam iedereen opnieuw in actie. Terwijl de cameraman onophoudelijk bleef filmen, begonnen twee leden van het identificatieteam te spitten, voorzichtig en met uiterste precisie om mogelijke sporen niet te vernietigen. Een lijk kon maar één keer worden opgegraven. Af en toe stopten ze even en nam iemand van het Gerechtelijk Laboratorium stalen van de grond, die in plastic zakjes werden opgeborgen en gelabeld. Toen ze ongeveer een diepte van zeventig centimeter hadden bereikt, legden ze hun spaden weg en schakelden eerst over op kleine schopjes, daarna op borsteltjes. Het leken wel archeologen die bezig waren de sporen van een lang verdwenen beschaving bloot te leggen. Maar in plaats van een of ander gebruiksvoorwerp uit de oudheid boven te halen, tekende zich onder hun geduldige strijk- en borstelbewegingen almaar duidelijker de omtrek van een schedel af, die uiteindelijk ook een gezicht kreeg.

In afwachting van een telefoontje uit Leuven hadden Elias en Van Den Eede zich opnieuw over het dossier van Kurt Van Sande gebogen. Nadat hij in de Dordogne en in Brest, en later in het Franse Lille was gesignaleerd, ontbrak ieder teken van leven van hem. Het was nog maar de vraag of die signalementen ook klopten. Zodra via de media een oproep werd gedaan om iemand op te sporen, kwam er altijd een vreemd proces op gang. Sommige mensen gingen bewust uitkijken naar de gezochte persoon en zagen in iedere mogelijke overeenkomst meteen een reden om het contactnummer van de politie te bellen. Goedbedoeld, maar het kostte veel tijd en energie, en leverde zo goed als nooit resultaat op. Anderen meenden de man of de vrouw op de foto overal te zien en telefoneerden vanuit een soort paranoïde angstreflex. En dan waren er natuurlijk ook nog altijd de flauwe grappenmakers die erop kickten de politie voor schut te zetten met een anonieme oproep. Slechts heel zelden leidde het verspreiden van een signalement via de media tot een echt bruikbaar spoor.

Elias vond het spijtig dat Benachir zich voor de kop had geschoten. 'Hij was misschien de enige die ons naar Van Sande had kunnen leiden.'

'We hebben natuurlijk nog altijd Vanessa Michiels', zei Van Den Eede, terwijl hij langzaam door het dossier bladerde. 'Of ze zal willen praten, dat is wat anders.' Opeens bleef zijn blik aan een naam haperen. 'Wouter Tommelein! Ik wíst dat ik daar nog van had gehoord.'

'Wie is dat?'

'De boekhouder van Pierre Van Opstal. Hij was er niet bij op de avond van die gijzeling, maar is de dag nadien kort ondervraagd.' Hij schoof het dossier nadenkend van zich af. 'Waarom zou Vanessa Michiels, de vriendin van Van Sande, bij wie hij mogelijk een kind had, contact hebben met iemand als Tommelein? Dat kan toch geen toeval zijn?'

Elias schudde traag van nee, terwijl hij het dossier naar zich toe trok.

Mark Van Den Eede schoof zijn stoel achteruit en liep naar het whiteboard dat ze aan de muur hadden gehangen. Hij nam een zwarte stift en schreef drie namen op het bord: bovenaan in het midden 'Van Sande', linksonder 'Michiels' en rechtsonder 'Tommelein'. Hij verbond de namen met elkaar, zodat er een driehoek ontstond. Midden in die geometrische figuur plaatste hij een groot vraagteken.

'Wat ik mij ook altijd heb afgevraagd,' zei hij, terwijl hij naar zijn stoel terugliep, 'is hoe Van Sande en Benachir wisten dat er twee miljoen zwart geld in de safe van Van Opstal lag. Zoiets schreeuwt ge normaal toch niet van de daken.'

Onwillekeurig gingen zijn gedachten terug naar die

noodlottige avond, iets waarvan hij niet hield, omdat het altijd eindigde met het spookbeeld van de levenloze blik van Erik Rens.

'Misschien was het een gok?' hoorde hij Elias zeggen. 'En gingen ze er gewoon van uit dat een rijke diamantair altijd wel een hoop geld in zijn kluis heeft liggen?'

Van Den Eede probeerde de korte gesprekken te reconstrueren die hij via gsm met Van Sande had gevoerd. 'Van Opstal interesseert ons niet', had Van Sande gezegd. 'Wel die twee miljoen zwart geld in zijn kluis.' Díé twee miljoen.

'Toen Van Sande al in de helikopter zat en ontdekte dat er maar een paar duizend euro in dat geldkoffertje zat,' ging Van Den Eede hardop verder, 'heb ik hem naar waarheid gezegd dat er geen twee miljoen meer in de kluis zat.' Hij pauzeerde even om zich het precieze antwoord van Kurt Van Sande weer voor de geest te halen. 'Hij heeft toen onmiddellijk gereageerd met: "Dat kan niet!"'

Wim Elias keek zijn chef vragend aan.

'Ik bedoel: hoe wist Van Sande zo zéker dat daar twee miljoen moest liggen?'

'Omdat hij een informant had? Iemand die hem had verteld wat en hoeveel er juist in de kluis van Van Opstal lag.'

Van Den Eede keek opnieuw naar de namen op het bord. 'Daarvoor komt er eigenlijk maar één in aanmerking...'

Elias knikte, terwijl ze beiden naar de naam van Wouter Tommelein keken. 'Ik denk dat we dringend eens met die kerel moeten gaan praten. Volgens Rob woont hij in een villa in Ukkel. Maar vóór we dat doen, zou ik willen dat ge eens nakijkt of er een link is tussen Tommelein en Michiels.'

'Oké.'

Van Den Eede greep naar de telefoon en belde onderzoeksrechter Sandy Moerman op. Hij wist dat het geen gemakkelijke tante was en dat hij haar al een paar keer flink op de tenen had getrapt door, achter haar rug om, rechtstreeks naar Bylemans te bellen. Maar aangezien het dossier van de mislukte gijzelingsactie aan haar was toegewezen, kon hij haar deze keer moeilijk passeren.

Ze wilde weten waarom hij een telefooncel wilde laten lokaliseren van waaruit de boekhouder van Pierre Van Opstal gesprekken had gevoerd. 'Voor zover ik weet, is het uw taak noch uw bevoegdheid om onderzoeksdaden te stellen in een lopende zaak.'

'Dat klopt', zei Van Den Eede. 'Maar we vermoeden dat er een connectie is tussen Kurt Van Sande, die nog altijd voortvluchtig is, Wouter Tommelein en Vanessa Michiels, de vriendin van Van Sande.'

Even bleef het stil aan de andere kant van de lijn.

'Wat voor connectie?'

Van Den Eede legde in het kort uit wat ze net hadden ontdekt.

'Bon. Hou mij wel op de hoogte van alles wat met dit dossier te maken heeft.'

'Dat spreekt vanzelf, mevrouw de onderzoeksrechter', zei Van Den Eede, terwijl hij naar Elias knipoogde.

Nog voor de hoorn terug op de haak lag, begon zijn gsm te rinkelen. Op het display verscheen het nummer van Olbrecht.

'Ja, Rob, wat nieuws?'

Terwijl hij luisterde, begon zijn hart sneller te slaan. Elias, die aan zijn computer zat en bezig was de naam Wouter Tommelein in het Rijksregister in te voeren, stopte daarmee en keek zijn chef afwachtend aan.

'Oké, bedankt. Vraag aan Vesalius voor wanneer de autopsie is.'

Vesalius was de bijnaam van anatoom-patholoog Walter Severeyns, omdat hij net als de zestiende-eeuwse arts zo graag doceerde tijdens zijn autopsieën.

Van Den Eede verbrak de verbinding en zuchtte opgelucht.

'Ze hebben Eddy Donckers gevonden.'

Van Den Eede en Elias gingen de leegstaande kamer naast hun bureau binnen, die ze als verhoorruimte gebruikten. Hoewel de warmte van de voorbije dag nog tussen de afbladderende muren hing, zat Riet op haar stoel te rillen alsof ze onderkoeld was. Van Den Eede hoopte maar dat ze niet in shock zou raken. Haar man stond, met zijn rug naar haar toe, voor het open raam te roken. Toen hij de speurders binnen hoorde komen, drukte hij zijn sigaret uit op de vensterbank en smeet de peuk achteloos naar buiten. Daarna keerde hij zich om en keek Van Den Eede brutaal aan.

Van Den Eede maakte een uitnodigend gebaar naar de lege stoel en nam zelf plaats achter het geïmproviseerde tafeltje dat ze tijdens ondervragingen gebruikten. Nico De Volder zei dat hij liever bleef staan, maar toen Van Den Eede gebiedend naar de stoel wees, ging hij toch zitten.

Riet keek niet op of om. Haar ogen waren gefixeerd op een van de verfvlekken op het gammele tafeltje. Haar zakdoek had ze tot een prop ineengefrommeld, die ze zat te kneden alsof het een bol plasticine was.

'We hebben uw broer gevonden', begon Van Den Eede, waarna hij op een reactie wachtte.

De Volder sloeg zijn benen over elkaar en keek ongeïnteresseerd naar buiten. Riet knipperde niet eens met haar ogen. Van Den Eede vroeg zich af of zijn woorden wel tot haar waren doorgedrongen. Hij keek even naar Elias, die zich dezelfde vraag leek te stellen.

Net op het moment dat hij verder wilde gaan, hoorde hij Riet opeens traag, maar met een duidelijke stem zeggen dat het geen ongeluk was geweest.

De Volder keerde zich met een ruk naar zijn vrouw en snauwde dat ze haar mond moest houden.

Maar Riet praatte onverstoord verder. 'Mijn broer was diabeticus, zoals ge weet.'

'Ik wil mijn advocaat bellen!' riep De Volder, in een poging haar alsnog te doen zwijgen.

'Alles op zijn tijd, mijnheer De Volder', zei Elias kalm.

'Toen hij bij ons aankwam, was hij er niet al te best aan toe. Hij had al een tijdje zijn spuiten niet gehad en had dringend insuline nodig.' Het leek alsof ze met ieder woord dat ze sprak rustiger werd. 'Via een klant van Nico, die iemand met suikerziekte kent, zijn we aan een voorraadje spuiten geraakt.'

'Wat bewijst dat we hem hebben willen helpen', kwam De Volder tussenbeide.

'Maar toen die op waren...'

'Het was zijn eigen schuld', onderbrak hij haar weer. 'Hij had zich maar moeten aangeven!'

'Of u laat uw vrouw uitspreken, of ik sluit u zolang hiernaast op', zei Elias.

'Toen die op waren,' herhaalde Van Den Eede, 'had uw broer al verteld wat hij werkelijk kwam doen: het deel van zijn erfenis opeisen?'

Riet knikte. 'We hadden het echt zo niet gepland, maar toen hij op een avond niet terugkwam uit de badkamer ben ik gaan kijken. Hij was gevallen, en...'

'Maar dat héb ik toch al allemaal verteld!' zei De Volder.

Nog voordat Van Den Eede hem terecht kon wijzen voor zijn storende tussenkomst, keerde Riet zich naar haar man. 'Stop toch met liegen!' gilde ze met overslaande stem. De zakdoek gleed uit haar handen, die ze vervolgens voor haar gezicht sloeg. 'Ik kan er niet meer tegen.' Ze begon te huilen. 'Ik kan er echt niet meer tegen, Nico...'

Even was alleen haar gedempte snikken te horen. De Volder zuchtte en schraapte zijn keel, alsof hij de bekentenis van zijn vrouw wilde aanvullen. Maar in plaats daarvan haalde hij een pakje Marlboro's tevoorschijn en stak een sigaret op.

'Ga verder, mevrouw Donckers', zei Van Den Eede, terwijl hij haar een papieren zakdoekje aanreikte.

Riet nam het aan en veegde er haar tranen mee weg. De uitgelopen mascara liet donkere vlekken achter op de tissue. 'Eerst dacht ik dat hij dood was, zoals hij daar lag. Hij was voorovergevallen en lag half in het bad.'

Elias vroeg of het op dat moment al met water was gevuld.

Riet schudde van nee. 'Er hing bloed aan de binnenkant... Veel bloed.'

De Volder deed een lange trek aan zijn sigaret en inhaleerde diep.

'Toen ik een beetje was bekomen van het verschieten en wat beter keek, zag ik dat hij nog ademde. Maar hij was bewusteloos.'

'Zou het kunnen dat hij in een diabetische coma was?' vroeg Elias.

Riet haalde langzaam haar schouders op.

'Dat was hij zeker en vast!' antwoordde De Volder in haar plaats. 'Wat zoudt gij hebben gedaan in ons plaats? Ineens zaten we daar met een lijk in huis.'

Riet kneep haar ogen dicht en schudde haar hoofd. Het leek alsof ze in gedachten alles opnieuw zag gebeuren. 'Toen nog niet', fluisterde ze. 'We hadden hem misschien nog kunnen redden, als we direct een dokter hadden gebeld...'

'Maar dat hebt ge niet gedaan?' vroeg Van Den Eede.

Riet deed traag haar ogen weer open en keek hem aan met een lege blik. 'Neen... Ik mocht niet van Nico.'

Met een klap liet De Volder zijn hand op tafel neerkomen. 'Ge liegt, godverdomme! Dat heb ik nooit gezegd! Nóóit!' Bij gebrek aan een asbak smeet hij zijn half opgerookte sigaret op de grond en trapte die uit.

'Maar ge wist wel dat een diabetische coma dodelijk kan zijn?' drong Van Den Eede aan.

'Natuurlijk niet! Hoe moest ik dat weten?'

Van Den Eede trok zijn linkerwenkbrauw op en keek naar Elias, die een papier tevoorschijn haalde en openvouwde.

'We hebben de opdrachten eens bekeken die u het voorbije jaar heeft uitgevoerd', zei hij. 'Daar staan nogal wat promotiefilmpjes bij voor de farmaceutische industrie. En laat er nu toevallig eentje bij zijn over nieuwe insulineproducten.'

'Ik maak waarvoor ze mij betalen', antwoordde De Volder. 'Dat betekent nog niet dat ik mij in die onderwerpen ga verdiepen.'

'Was het via die klant dat ge aan spuitjes zijt geraakt?' vroeg Elias.

'Geen commentaar', zei De Volder botweg.

Van Den Eede vroeg van wie het idee kwam om Eddy Donckers in de tuin te begraven.

Riet en haar man keken elkaar even aan.

'Wat hadden we anders moeten doen?' verdedigde De Volder zich. 'Hem met bad en al naar het containerpark brengen? Die smeerlap hield ons wel gegijzeld, hé!'

Van Den Eede leunde achterover op zijn stoel en kruiste zijn armen. 'Mijnheer en mevrouw De Volder', zei hij. 'Ik arresteer u voor het weigeren van hulp aan iemand in nood en obstructie van het onderzoek. Of die aanklacht later wordt omgezet in doodslag of zelfs moord met voorbedachten rade, dat moet de onderzoeksrechter maar beslissen.'

Voor de tweede keer die dag belde hij het nummer van Sandy Moerman.

24

Het was een heldere sterrennacht toen Mark Van Den Eede de smalle kasseiweg indraaide en bleef volgen tot hij de Tommenmolen in de koplampen van zijn Range Rover zag opdoemen. Even ging hij op de rem staan, toen hij twee padden op hun dooie gemak de weg zag oversteken naar de Maalbeek. Vorige week waren hij en Linda 's nachts wakker geschrokken van twee geweerschoten. Toen hij bij het raam was gaan kijken, had hij vijf reeën uit het nabijgelegen maïsveld weg zien rennen. Het was algemeen bekend dat er in en rondom het natuurgebied van de Maalbeekvallei duchtig werd gestroopt. Wanneer binnenkort de zomer op zijn einde liep en het wildseizoen in de restaurants aanbrak, zou het alleen maar erger worden.

Bij het laatste huis sloeg hij links af en hij volgde de verlichte, bijna twintig meter lange oprit naar de openstaande garage. Terwijl hij de houten poort achter zich sloot, keek hij op zijn horloge. Het was twintig vóór elf.

Toen hij de gang binnenkwam, kwam Joppe hem vanuit de woonkamer kwispelstaartend tegemoet gelopen. Hij aaide de hond over zijn kop, terwijl hij hem enthousiast toesprak. Toen hoorde hij boven de opgewonden stem van Stijn en vervolgens die van Linda, die al even overspannen klonk. Als Stijn op dit uur nog wakker was, dan kon dat alleen maar betekenen dat er weer problemen waren.

Opeens viel het gesprek stil en verscheen Linda boven aan de trap. 'Ah, ge komt dan tóch nog naar huis.' Ze zag er erg vermoeid uit. 'Is de batterij van uw gsm plat, of zo?'

'Sorry', zei Van Den Eede, terwijl hij zijn jas aan de kapstok hing. 'Het is allemaal nogal hectisch geweest vandaag.'

'Dat is dan zoals hier', zei Linda. 'Hij zit daar al de hele avond op zijn kamer. Hij wilde zelfs niet komen eten. En dan blijft gij ook nog zo laat weg. Gezellig is dat, zo in uw eentje aan tafel zitten.'

Van Den Eede beklom de trap.

'Is het nu ook al te veel gevraagd om eens iets te laten weten als ge niet op tijd naar huis komt?'

'Ge hebt natuurlijk gelijk. Maar het kon deze keer echt niet anders. We hebben vanavond ons tweede dossier afgerond.'

'Allee, proficiat', zei Linda, waarna ze zich omkeerde en haar rechteroorbel begon uit te doen, terwijl ze in de richting van de badkamer liep. 'Ik ga slapen, want ik ben kapot.'

Voordat ze de deur had bereikt, klonk de stem van Stijn. 'Mama?'

Linda bleef staan en slaakte een diepe zucht. 'Gaat gij er nu maar eens naartoe. Ik heb er voor vandaag genoeg van.'

'Wat is er dan gebeurd?'

Ze haalde haar schouders op, terwijl ze aan haar linkeroor begon te prutsen. 'Och, eigenlijk niks. Hij heeft in de klas van die IQ-tests moeten afleggen. Rekenen, schrijven, lezen, fijne motoriek... enfin, van alles en nog wat. Maar ge kent hem, hé. Daar is hij nu compleet van over zijn toeren.'

Van Den Eede knikte begrijpend en sloeg zijn armen om haar heen. Ze liet hem begaan. Opeens begon ze met schokjes te huilen. Hij drukte haar nog wat dichter tegen zich aan en wreef troostend met zijn rechterhand over haar rug.

'Het wordt soms allemaal te veel, Mark. Ik had gedacht

dat het anders zou zijn, nu gij die nieuwe job hebt, maar er is juist niks veranderd.'

Hij zweeg. Wat kon hij zeggen?

'Má-má!'

Linda maakte zich los uit zijn omarming, nam haar zakdoek en veegde haar tranen weg. Waarna ze aanstalten maakte om toch weer naar de slaapkamer van Stijn te gaan, maar Van Den Eede hield haar tegen.

'Nee, blijft gij maar hier. Ik zal wel gaan.'

Ze aarzelde nog even, maar ging toen toch de badkamer binnen. Van Den Eede keek haar na tot ze de deur achter zich dicht had gedaan, en liep verder de gang in. De deur van de slaapkamer van Stijn stond op een kier. Er hing een briefje op dat slordig was volgekrabbeld. Het duurde een tijdje voordat Van Den Eede de hanenpoten van zijn zoon had ontcijferd. 'Het is ten strengste verboden spinnen te verwijdigen tijdens het kuisen van mijn kamer', stond er in grote beverige letters. En daaronder: 'Ook spinnige webben mogen niet worden verwijdigd tijdens het kuisen.'

Van Den Eede klopte glimlachend aan en deed voorzichtig de deur open. Stijn zat in pyjama in kleermakerszit op zijn bed. Rondom hem lagen hopen speelkaarten, kriskras door elkaar, die hij onophoudelijk betastte en tussen zijn vingers liet glijden. Van Den Eede merkte dat hij er een paar kapot had gescheurd. De snippers had hij op de grond gegooid.

'Dag, Stijn. Alles oké?'

Met een schok ontwaakte zijn zoon uit zijn dromerijen. 'Gij verschiet mij!' riep hij kwaad.

'Dat was niet de bedoeling.'

'Waar is de mama?' vroeg hij koppig, zonder Van Den Eede aan te kijken.

'In de badkamer. Ze is heel moe en maakt zich klaar om te gaan slapen.'

'Ik wil mama komt!'

'Wij kunnen toch ook wel eens praten? Mannen onder mekaar!'

Stijn trok een grimas die weinig goeds voorspelde.

'Moet ge daarvoor zo zuur kijken?'

'Ik hang graag de zurige haring uit!'

'En waarom?'

Hij dacht even in alle ernst na. Zijn vingers gleden over en tussen de kaarten als schichtige vissen. 'Mijn leven is vééls te strijd!'

'Hoe komt dat?'

Opnieuw keek hij zijn vader aan met een blik vol radeloze boosheid, die blijkbaar geen uitweg vond. 'Gij weet goed genoeg! Omdat ik heb het woord met een a!'

Van Den Eede knikte traag. Hij wist dat Stijn daarmee 'autisme' bedoelde, een woord dat hij zelden of nooit uitsprak.

'Dat is een grote partenspeler! Daardoor gaat mijn gelukkigheid nog meer zwaar achteruit.'

'Dat kan ik begrijpen', zei Van Den Eede, hoewel hij zich afvroeg of dat wel waar was. Wat ging er allemaal om in dat warrige hoofd van zijn zoon? Het was alsof Stijn zijn gedachten kon raden.

'De mensen kent alleen mijn buitenkant', bromde hij. 'Mijn binnenkant is een groot geheim!'

'Misschien omdat ge zo weinig over uzelf vertelt?' probeerde Van Den Eede.

'Ik had alsof een rottige dag!' zei hij, terwijl hij met een bruuske beweging een hoopje speelkaarten van zijn bed veegde.

'Ah ja? Hoe komt het?'

'Met al die nozele vragen. Ik kúnt daar niet tegen!' Hij schudde zijn hoofd een paar keer stug heen en weer. Ooit had hij er zo hard mee tegen de muur geslagen dat hij er een lichte hersenschudding aan over had gehouden.

'Welke vragen?' Van Den Eede kreeg opeens het onaangename gevoel dat hij opnieuw in de verhoorkamer zat en allerlei slinkse technieken gebruikte om de verdachte aan het praten te krijgen. Hij begreep heel goed dat het Linda allemaal wel eens te veel werd en dat hij er dan bijna nooit was om haar te helpen.

'Vragen is héél onbeleefd!' meende Stijn.

'Wat vroegen ze dan?'

Hij trok een verongelijkt gezicht. 'Stomme dinges!'

'Zoals?' drong Van Den Eede geduldig aan.

Stijn kneep zijn ogen dicht en begon opeens als een machinegeweer te ratelen. 'Boer Wannes koop een veld van 900 vierkante meter. Boer Wannes plant één derde patatten en één derde bieten. Hoeveel blijf over voor boer Wannes voor gras te zaaien?' Hij opende zijn ogen en maakte een snuivend geluid. 'Is toch *balachalak!*'

'Waarom vindt ge dat belachelijk?'

Stijn keek zijn vader verbouwereerd aan, waardoor Van Den Eede even begon te twijfelen of hij de opdracht zelf wel goed had begrepen. 'Wie zaai nu gras op een patattenveld!'

Van Den Eede schoot spontaan in de lach, wat bij Stijn een ontevreden reactie uitlokte.

'Gij lach mij weeral uit, ofwá?' vroeg hij nors.

Terwijl Van Den Eede alle moeite deed om zijn gezicht terug in de plooi te krijgen, probeerde hij zijn zoon ervan te overtuigen dat dat niet het geval was.

Maar Stijn bleef hem achterdochtig aankijken. 'Ik denk dat ze eigenlijk wilden weten of gij wist hoeveel vierkante meter er nog overbleven om voor iets anders te gebruiken...'

Stijn graaide in zijn speelkaarten, hield er een handvol

van boven zijn hoofd en strooide ze daarna uit over zijn bedsprei. 'Pff, is toch gemakkelijk!'

'Ah ja? Hoeveel?'

'Al de rest natuurlijk!'

Van Den Eede kwam hoofdschuddend de slaapkamer binnen, waar Linda in een korte nachtjapon voor de spiegel haar lange donkerbruine haren zat te kammen. Door het open raam waren zomerse nachtgeluiden te horen. Sjirpende krekels, het ijle geblaf van een hond, kwakende kikkers, het wiegende geruis van de opgeschoten maïsstengels, als golven die aanspoelden op het strand. Af en toe bolden de witte voiles op door een zuchtje wind, om daarna weer traag op hun plaats te zakken.

Van Den Eede liep naar Linda, ging achter haar staan en legde zijn handen op haar schouders. Ze keken elkaar aan in de spiegel.

'Het spijt me', zei hij. 'Ik had moeten bellen daarstraks.'

Linda legde de haarborstel weg en hief haar hoofd schuin naar hem op. Van Den Eedes handen gleden langzaam langs haar rug, onder haar oksels tot op haar stevige borsten, waarvan de donkere tepels doorheen de dunne nachtjapon schemerden. Linda sloot haar ogen, ademde diep in en wellustig weer uit. Van Den Eede boog zich voorover tot zijn lippen de hare raakten. De spanning van de voorbije dag gleed van hem af en in deze tijdloze luchtbel, zwevend tussen hond en wolf, voelde hij zich de gelukkigste man ter wereld.

25

Mark Van Den Eede liep fluitend de trap op. Toen hem op de gang de geur van versgezette koffie tegemoetkwam, verbeterde zijn stemming alleen maar.

'Goeiemorgen!'

Wim Elias, die met twee vingers op zijn toetsenbord zat te tokkelen, groette terug met een hoofdknikje.

Rob Olbrecht zat de krant te lezen. 'Hebt ge dat gezien?' vroeg hij meteen toen Van Den Eede binnenkwam. Hij vouwde de krant dubbel en liet een groot artikel zien waarin hoofdcommissaris Wilfried Cogghe uitvoerig werd geïnterviewd over 'de zaak-Donckers'. 'Weet ge hoeveel keer hij het over ons heeft? Welgeteld één enkele keer!' Hij zocht de passage op en las die op een sarcastisch toontje voor. 'De ontvoering van de zoon van de schatrijke Franse vastgoedmakelaar Julien Lagasse kreeg indertijd heel wat mediabelangstelling. Die barstte opnieuw in alle hevigheid los na de ontsnapping van de ontvoerder, de Belgisch-Franse Eddy Donckers, tegen wie een internationaal opsporingsbevel werd uitgevaardigd. Al vlug werd vermoed dat de crimineel zich ergens in zijn voormalig vaderland ophield.' Hij keek Van Den Eede verontwaardigd aan. 'Pas op, want nu komt het!' Hij boog zich weer over het artikel. 'Volgens hoofdcommissaris Wilfried Cogghe van de Federale Politie heeft de internationale samenwerking tussen zijn diensten en het Franse gerecht een cruciale rol gespeeld bij de snelle afwikkeling van de zaak. Met name het pas opgerichte Fugitive Active Search Team, afgekort FAST, zou daarbij erg behulpzaam zijn geweest.' Hij smeet de krant vloekend op zijn bureau. '"Zou zijn geweest"... Wat denkt ge daarvan? Wij doen, godverdomme, al het werk en mijnheerke gaat met de eer lopen!'

Van Den Eede besloot niet te reageren en vroeg waar Tarik was.

'Die is naar de lijkschouwing van Eddy Donckers', wist Elias. 'Die begon om zeven uur.'

Op het whiteboard hingen een paar foto's van de gangster vlak na zijn opgraving. Hoewel zijn gezicht opgezwollen en verkleurd was en de huid op heel wat plaatsen aangevreten was door maden, herkende Van Den Eede hem meteen. Dit was het tweede dossier dat werd afgesloten met een lijk.

Het telefoontoestel op het bureau van Van Den Eede begon te rinkelen. Hoofdcommissaris Wilfried Cogghe wilde hem persoonlijk, uit naam van directeur-generaal Hubert Cauwenberghs, gelukwensen met de geslaagde opsporing van Eddy Donckers. De Franse Procureur de la République was er ook al van op de hoogte gebracht en had zijn Belgische collega's van harte bedankt voor hun inzet en toewijding.

'Alleen spijtig dat we hem niet meer terug naar de cel kunnen sturen', zei Van Den Eede.

Maar dat vond Cogghe helemaal niet erg. Integendeel. De gevangenissen zaten toch al overvol. Dat er mogelijk twee klanten bij zouden komen, het echtpaar De Volder, leek hem te ontgaan. 'Het belangrijkste is dat we hem hebben gevonden', meende Cogghe. 'Een pluim op de hoed van het FAST!'

'Ja, ik heb het in de krant gelezen', antwoordde Van Den Eede droogjes.

Even bleef het stil aan de andere kant van de lijn. Toen vroeg Cogghe hoe het ondertussen met Van Sande zat. 'Is daar al een spoor van?'

Van Den Eede vertelde dat ze er volop mee bezig waren en dat er onlangs een aantal nieuwe elementen waren opgedoken, die voorlopig echter nog tamelijk vaag waren. 'Het zou zeker helpen als we bij de strafuitvoering ook gebruik konden maken van de bijzondere opsporingsmethoden die bij een gerechtelijk onderzoek zijn toegelaten.'

'Tja,' verzuchtte Cogghe, 'dat begrijp ik wel, Mark. Maar dat is iets waar wij spijtig genoeg niet zelf over kunnen beslissen. Dat moet, zoals ge weet, bij wet worden geregeld. En daarvoor moeten ze weer eerst de Grondwet gaan wijzigen, of anders krijgen ze 't aan de stok met het Arbitragehof en de Raad van State. Om nog maar te zwijgen over die linkse actiecomités en mensenrechtenorganisaties met hun gezever over big brother en het recht op de privacy, enzovoort.'

Van Den Eede merkte op dat ze daar in andere Europese landen minder problemen mee hadden, aangezien observatie en infiltratie daar wel officieel waren toegestaan en bij wet geregeld.

Maar Cogghe had blijkbaar geen zin om daar verder op in te gaan. 'Ge moet maar denken: wat niet is, dat kan nog komen', besloot hij. 'Ik zou in ieder geval zeggen: doe voort zoals ge bezig zijt. Ieder dossier dat met succes wordt afgerond, maakt het voor mij toch iets gemakkelijker om uw eenheid bij de algemene directie te blijven verdedigen.'

Van Den Eede kende de hoofdcommissaris inmiddels goed genoeg om te beseffen dat zijn woorden in de eerste plaats niet als een compliment, maar als een verborgen waarschuwing waren bedoeld: of het FAST zou blijven bestaan en over welke capaciteiten het team in de toekomst zou kunnen beschikken, hing grotendeels van hém af.

'Wij doen ons best', zei Van Den Eede diplomatiek.

'Daar twijfel ik niet aan. Trouwens, vergeet niet ook uw mannen te feliciteren!'

'Dat zal niet mankeren', beloofde Van Den Eede met een blik in de richting van Elias, die met samengeknepen ogen naar zijn monitor zat te kijken. Terwijl hij de hoorn weer op de haak legde, herhaalde hij met een spottend glimlachje de boodschap. 'Het opperhoofd wenst u allemaal proficiat. En doe zo voort!'

'Ik heb hier juist iets interessants ontdekt', zei Elias, die geen acht sloeg op wat Van Den Eede zei. 'Tot vier jaar geleden werkte Wouter Tommelein als hulpboekhouder bij Fabrikal, een bedrijf dat aluminium ramen en deuren maakt. Ge moogt eens twee keer raden wie daar toen directiesecretaresse was...'

Olbrecht keek hem verbaasd aan. 'Vanessa Michiels...? Dat meent ge niet.'

'Goed gewerkt', zei Van Den Eede, terwijl hij naar de driehoek van namen op het whiteboard keek. 'Als we ervan uit gaan dat Vanessa toen samenwoonde met Van Sande, of hem op zijn minst al kende, dan hebben we onze connectie tussen dat trio.'

'Yes!' riep Elias enthousiast, en kwam meteen overeind. 'Met wie beginnen we, Tommelein of Michiels?'

Op dat moment kwam Orhan Tarik binnen. Van Den Eede vroeg of hij nog iets bij had geleerd in de cursus anatomie van professor Vesalius.

'Eigenlijk wel', antwoordde Tarik. 'Het ziet er niet zo best uit voor het echtpaar De Volder.' Hij vertelde dat Donckers inderdaad in een diabetische coma was geraakt, als gevolg van zijn ongeregelde insulinegebruik, en sporen vertoonde van een val tegen de rand van het bad. 'Maar dat was niet de doodsoorzaak.' Hij laste even een plagerige pauze in. 'Het was de twééde slag op zijn hoofd die het hem heeft gelapt.' Hij wees naar zijn rechterslaap. 'Iemand heeft hem, toen hij al bewusteloos in die badkuip lag, nog een klop met een of ander stomp voorwerp gegeven, een baseball-bat of zoiets. Wat het ook was, het is waarschijnlijk mee naar het containerpark verhuisd. Ze zijn er nu naar aan het zoeken.'

'De Volder en zijn chique madam zullen dus terecht moeten staan voor moord.' Olbrecht knikte tevreden.

'Het ironische van heel de zaak is', ging Tarik verder, 'dat Donckers die diabetische coma zo goed als zeker toch niet zou hebben overleefd. Al wat ze hadden moeten doen, was een beetje meer geduld hebben.'

Olbrecht begon te grinniken. 'Straf, hé? We jagen op één crimineel en we vangen er ineens drie!'

'Moord of niet,' zei Van Den Eede, 'voor ons is de kous hiermee af. Onze opdracht was om Eddy Donckers te vinden, en dat hebben we gedaan. Dus op naar het volgende dossier.'

Hij schrok zelf een beetje van die nuchtere vaststelling, maar beschouwde haar als een gevolg van zijn groeiend ongeduld om Van Sande te vinden – liefst levend – en voor vele jaren achter slot en grendel te zien verdwijnen. De vraag of het alleen zijn verlangen naar gerechtigheid was dat hem zo gedreven maakte, of dat er ook wraaklust mee was gemoeid, had hem wel eens beziggehouden, maar uiteindelijk had hij ze als irrelevant ter zijde geschoven. Vergelding vindt haar belangrijkste oorzaak in een gebrek aan rechtvaardigheid. Hoe beter en betrouwbaarder het officiële gerecht werkt, hoe minder haat- en wraakgevoelens er in een maatschappij leven. Wraak is de keerzijde van onrecht. Dat er toch zoveel daders rondliepen die handelden uit onmacht en haat, zei iets over de Belgische rechtspraak en haar vertegenwoordigers. Het werd dan ook hoog tijd dat magistraten niet langer voor het leven werden benoemd, maar op gezette tijden op hun verdiensten en competentie werden beoordeeld.

'Elias en ik gaan met Wouter Tommelein praten. Vanessa Michiels is voor jullie. Denk er wel aan dat ze pas een kind heeft verloren.'

'Het echtpaar Van Opstal ook', zei Tarik.

Van Den Eede knikte. Het was het soort opmerking dat hij eigenlijk meer van Rob Olbrecht had verwacht.

Voordat ze vertrokken, deelde die laatste nog mee dat hij inmiddels meer was te weten gekomen over de personen met wie Vanessa recentelijk had getelefoneerd. Hij sloeg zijn notitieboekje open, dat vol stond met allerlei nummers, namen en aantekeningen, de meeste kriskras door elkaar heen gekrabbeld.

'Die Serge Meulemans, uit Wevelgem, dat is een nonkel van haar langs moederskant. Hij is een paar jaar geleden weduwnaar geworden en blijkbaar houdt ze geregeld contact met hem. Hij zit er nogal warmpjes in, en ge weet maar nooit wanneer een suikernonkel van pas komt.'

Van Den Eede vroeg zich opnieuw af of het aan Olbrecht lag, of dat het het werk was dat iemand cynisch maakte.

'Voorlopig denk ik niet dat we ons met hem moeten bezighouden. Of wel?' Van Den Eede schudde van nee.

'Dat nummer in Portugal is van een schoolvriendin, die vorige zomer met een Portugees is getrouwd en naar ginder is verhuisd.' Hij keek de anderen glimlachend aan. 'Altijd handig om op vakantie te gaan, als ge vrienden in het buitenland hebt...'

'En die telefooncel?' vroeg Van Den Eede. 'Is die al gelokaliseerd?'

'Yep. Die staat in de Ardennen.'

'De Ardennen?'

'In Rochehaut, een klein dorpje langs de Semois, niet ver van Bouillon. Ik ken die streek nogal goed, omdat ik er al dikwijls ben gaan klimmen.'

Van Den Eede knikte nadenkend. Kurt Van Sande was voor het laatst gesignaleerd in Noord-Frankrijk – al was het beter om dat soort berichten met een flinke korrel zout te nemen. Kon het zijn dat Van Sande zich al die tijd in België schuil had gehouden, wachtend op Vanessa en hun zoontje, om god-weet-waar een nieuw leven te beginnen?

'Ik ben van idee veranderd', zei Van Den Eede, met een wenk naar Elias. 'Tommelein is voor jullie.'

Vanessa Michiels woonde op de eerste verdieping van een huis in de Joseph Stevensstraat, vlak bij de Grote Zavel. Van Den Eede parkeerde zijn Range Rover bij de Minervafontein, vanwaar ze te voet verder gingen. In de straat, die lichtjes bergaf liep, waren heel wat antiquairs, meubel- en stoffenwinkels gevestigd. Voor een etalage waarin gipsen en houten heiligenbeelden, in alle afmetingen en kleuren, te kijk waren gezet, bleven Van Den Eede en Elias staan. De winkel had een aparte ingang, waarnaast nog een deur was. Op het naamplaatje van de middelste bel stond in keurige letters 'V. Michiels' geschreven.

Elias probeerde de deur, maar die was op slot. Hij wilde aanbellen, maar Van Den Eede hield hem tegen.

'Wacht. We gaan eerst een babbeltje met de winkelier doen.'

Toen ze het antiquariaat binnenstapten, klonk boven hun hoofd het geluid van een grote, ouderwetse deurbel. In de winkel zelf was het alsof de heiligen elkaar verdrongen voor een plaats. Het rook er vaag naar wierook.

'Welkom in de hemel.' Elias glimlachte.

'Het is er drukker dan ik dacht', zei Van Den Eede.

Het zware kardinaalrode gordijn dat tot op de grond in een doorgang achter de toonbank hing, werd met een ruk opzij geschoven door een kleine, magere man met een ring-baardje en lang, achterovergekamd haar dat hij in een staart-je bijeen had gebonden. Hij was gekleed in een loszittende broek en een wijd overhemd, en droeg verweerde sandalen. Rond zijn hals hing aan een leren snoer een zilverkleurig hart. Hij keek zijn bezoekers vriendelijk aan over de rand van zijn leesbrilletje, dat bijna op het puntje van zijn neus stond. Van Den Eede bedacht dat hij eigenlijk niet zou mis-staan in zijn eigen collectie.

'Wat kan ik voor de heren doen?'

De ruimte achter het gordijn werd blijkbaar gebruikt als atelier. Het stond er al even vol als in de winkel, maar dan met beschadigde heiligen. De ene miste een hand of een neus, de andere was in de loop van de tijd zijn zoete pastel-kleuren kwijtgeraakt.

Van Den Eede en Elias lieten beiden hun legitimatiekaart zien, die de antiquair enkele ogenblikken lang aandachtig bestudeerde. Daarna sloeg hij zijn handen samen voor zijn borst en glimlachte afwachtend.

'Het gaat over de vrouw die boven uw winkel woont, Va-nessa Michiels.'

De glimlach maakte plaats voor een uitdrukking van medeleven, terwijl hij traag zijn hoofd schudde. 'Arme vrouw. Ze heeft zopas haar zoontje verloren.' Hij keek Van Den Eede opeens bekommerd aan. 'Er is met haar toch ook niks ge-beurd?'

Van Den Eede stelde hem meteen gerust. 'Ons bezoek heeft niet direct iets met haar persoonlijk te maken en is boven-dien louter informatief.'

De antiquair knikte begrijpend.

'Heeft u soms contact met haar?' vroeg Elias.

'Niet echt. We zien elkaar natuurlijk wel eens bij het binnen- of buitengaan. De laatste tijd heb ik haar zelf een paar keer aangesproken, omdat ik wist dat haar zoontje in het ziekenhuis lag.'

'Had ze u dat zelf verteld?'

'Nee. Enfin, ja. Een paar weken geleden stond ze hier opeens in de winkel, om te zeggen dat ze waarschijnlijk een tijdje niet naar huis zou komen. Hoe lang, dat wist ze zelf nog niet. Ze vroeg of ik haar post bij kon houden. Eerst dacht ik dat ze misschien op reis ging, maar eigenlijk zag ze er veel te verdrietig uit voor iemand die op vakantie gaat. Dus vroeg ik of er misschien problemen waren, of zo.'

'Wat doet ze voor de kost?'

De antiquair ademde diep in, terwijl hij snel achter elkaar een paar keer met zijn ogen knipperde. 'Ik ben niet zeker, maar ik dacht dat ze ooit eens heeft verteld dat ze bij een bedrijf werkt waar ze van die telefonische enquêtes doen.'

'Wat zei ze toen u achter die problemen vroeg?'

De man kreeg een diepe frons op zijn wijkende voorhoofd. 'Dat haar zoontje in het ziekenhuis lag en dat het zo slecht ging dat ze dag en nacht bij hem wilde blijven. De paar keer dat ik die jongen heb gezien, zag hij er inderdaad niet erg gezond uit. Heel fragiel, bijna zoals die putti daar.' Hij wees naar enkele kleine engelenbeeldjes met een huid, zo wit dat ze bijna doorschijnend leek.

'Heeft ze u ook verteld wat hij mankeerde?'

'Een hersentumor. Ongeneeslijk blijkbaar.' Hij kneep zijn dunne lippen samen en schudde zorgelijk zijn hoofd. 'Heel triestig allemaal.'

Van Den Eede vroeg of Vanessa Michiels de voorbije weken bezoek had gehad.

'Bezoek?'

'Van een man.' Hij haalde een zwart-witfoto van Kurt Van Sande uit zijn zak en toonde die. 'Deze man.'

Het was een foto uit het gevangenisdossier van Van Sande.

De antiquair nam hem aan, schoof zijn brilletje iets hoger op zijn neus en keek ingespannen naar de foto. 'Niet dat ik mij kan herinneren. Wie is die persoon, als ik vragen mag?'

'Heeft ze u ooit iets gezegd over een man in haar leven?' ontweek Elias de vraag.

De winkelier glimlachte even. 'Zoals ik al zei, zo goed kennen we elkaar nu ook weer niet.'

Op het moment dat hij de foto terug wilde geven, bedacht hij zich en keek er nog eens naar.

'U twijfelt?'

De antiquair zuchtte en wreef over zijn voorhoofd.

'Alles kan belangrijk zijn', drong Van Den Eede voorzichtig aan. 'Zelfs het kleinste detail.'

'Zou het kunnen dat die man, of iemand die erop lijkt, hier eind vorig jaar een paar keer aan de deur is geweest?' Hij pauzeerde even en beantwoordde vervolgens zijn eigen vraag. 'Als hij het was, dan zag hij er toen wel anders uit.'

'Hoezo?'

'Hij had een kort, zwart baardje en droeg zo'n baseballpet.'

'Enig idee wat hij kwam doen?'

'Vanessa ophalen. Hij parkeerde altijd daar, aan de overkant, en bleef gewoonlijk in zijn auto zitten wachten tot zij er was. Eén keer heb ik hem zien uitstappen, maar het was toen al redelijk donker. Dat was toen Vanessa haar zoontje vasthad. Ze had hem in een deken gewikkeld en droeg hem naar de auto. Die man is toen uitgestapt, heeft het achterportier geopend en samen hebben ze die jongen op de achterbank gelegd.' Hij gaf de foto terug. 'Maar vraag me niet om er een eed op te doen dat het dezelfde was.'

Van Den Eede bedankte de antiquair en gaf hem zijn naamkaartje.

'Mocht u zich toch nog iets herinneren, bel dan gerust op. Dag of nacht.'

Geflankeerd door rijen heiligenbeelden liepen ze terug naar de deur. Toen ze die openden, klonk opnieuw het schelle geklingel van de bel.

'Wíé, zegt ge?'

'Commissaris Van Den Eede en hoofdinspecteur Elias. Kunnen wij even naar boven komen?'

Na een aarzelende stilte, ging de voordeur met een zoemend geluid open. Ze kwamen in een smalle, donkere gang die recht naar een houten trap leidde. Elke tree kraakte en kreunde alsof hij het ieder moment kon begeven. Op de overloop stond Vanessa Michiels hen in de deuropening van haar appartement op te wachten. Ze zag nog even bleek als tijdens de begrafenismis en leek erg vermagerd. Ondanks het lijden en het verdriet waaronder ze gebukt ging, was het echter nog altijd een mooie, aantrekkelijke vrouw.

'Mevrouw Michiels?' Ze knikte flauwtjes. 'Sorry voor het storen, maar we zouden het appreciëren als u even met ons wilde praten.'

Vanessa maakte een slap gebaar en ging hen voor naar de woonkamer. Het interieur was sober maar smaakvol. Verspreid over de kamer stonden minstens tien foto's van haar overleden zoontje: aan zee, in een speeltuin, al fietsend, op de kermis, in het ziekenhuis... De foto die Van Den Eede het meest trof, was die waarop hij samen met zijn moeder lachend in de lens keek. Hij vroeg zich af wie die had gemaakt. Van de vermoedelijke vader was geen enkele foto te zien.

'Heeft u enig idee waarom wij hier zijn?' vroeg Van Den Eede, terwijl hij plaatsnam in de fauteuil die Vanessa hun had aangewezen.

Aan haar reactie kon hij zien dat ze wel degelijk een vermoeden had, maar nog twijfelde over wat ze zou antwoorden.

'Ik denk het wel', zei ze uiteindelijk met een zwakke stem. Misschien had ze de energie niet meer om te liegen of zag ze er gewoon het nut niet meer van in, nu ze het dierbaarste in haar leven kwijt was geraakt. 'U denkt dat ik weet waar Kurt Van Sande is.'

'En is dat zo?' vroeg Elias vriendelijk.

Ze glimlachte vermoeid en schudde met gesloten ogen haar hoofd. 'Maar u heeft de voorbije weken wel contact met hem gehad? Of hij met u?'

'Een paar keer, ja.' Ze keek Van Den Eede en Elias aan met ogen waarin het licht was uitgedoofd. 'Wat hij ook heeft misdaan, hij blijft nog altijd de vader van mijn zoontje.'

'Waar was hij toen u met hem telefoneerde?'

'Dat heeft hij niet gezegd. En ik heb het ook niet gevraagd.'

'Wij vermoeden dat hij met u heeft gebeld vanuit een openbare telefooncel in de Ardennen', zei Van Den Eede.

Hij hield nauwlettend haar gezicht in de gaten, maar de mededeling had geen zichtbaar effect op haar.

'Als u het zegt, dan zal dat wel zo zijn.'

'U weet waarvoor Van Sande wordt gezocht?' vroeg Elias.

Vanessa knikte, terwijl ze haar ogen neersloeg. In de stilte die daarop volgde, leek het achtergrondgeluid van de stad luider te worden.

'Waar gingen die telefoongesprekken over?'

Ze keek hem aan alsof ze zich beledigd voelde.

'Over Joeri natuurlijk!'

Van Den Eede besloot het over een andere boeg te gooien. 'Wat was Van Sande van plan met het geld van die gijzelingsactie?'

Voor het eerst sinds ze hier zaten, leek Vanessa moeite te hebben om haar emoties onder controle te houden. Haar onderlip begon te trillen en haar ogen werden vochtig. Ze keek ontwijkend weg in de richting van het straatraam.

Van Den Eede besloot het haar gemakkelijk te maken. 'Wilde hij samen met u en Joeri ergens een nieuw leven beginnen?'

'Later misschien', gaf ze toe, terwijl ze naar haar zakdoek greep en er de opkomende tranen mee wegveegde.

'Hoezo, later?'

'Eigenlijk was het geld vooral bedoeld om Joeri in Amerika te laten opereren door een hersenchirurg die gespecialiseerd is in dat soort gezwellen.'

Toen Van Den Eede naar Elias keek, merkte hij aan zijn opgetrokken wenkbrauw dat die al even sceptisch was als hijzelf. Ofwel zat Vanessa nu toch te liegen, ofwel was ze te goeder trouw en had ze zichzelf iets wijs laten maken. Het lag Van Den Eede op de tong om te vragen of het leven van een ander kind en van een politieman dan niet telde, maar hij zweeg. Niet om Vanessa te sparen, maar uit angst dat ze defensief zou reageren of dicht zou klappen.

'Van wie kwam dat idee?'

'Dat weet ik niet meer.'

'U moet er met mekaar toch over hebben gepraat?'

Ze knikte. 'Ik had in een tijdschrift iets gelezen over die chirurg die al meer dan eens met succes mensen had geopereerd, die door andere dokters waren opgegeven. Maar natuurlijk had ik het geld daarvoor niet. De reis alleen al kostte een fortuin.' Ze zweeg en begon traag haar zakdoek op te vouwen. 'Toen Kurt zei dat ik mij daarover geen zorgen hoefde te maken, dat hij wel voor alles zou zorgen, was ik zo blij dat ik niet verder heb gevraagd.'

'Ook al wist u op welke manier hij aan dat geld wilde geraken?'

'Dat wist ik niet!' vloog ze uit. Ze kneep haar zorgvuldig dichtgevouwen zakdoek samen tot een prop.

'Of u wilde het niet weten...'

Opeens keek ze Van Den Eede aan met de blik van een waanzinnige. 'Wat zoudt gij doen als een van uw kinderen nog maar hooguit een jaar heeft te leven? Zoudt gij niet alles proberen om hem te redden, ook al kost het u een bom geld en moet ge ervoor naar het andere eind van de wereld?'

Het begrip dat Van Den Eede tot nu toe nog voor haar had gevoeld, verdween op slag. Hij boog zich voorover en keek haar vlak in het gezicht, dreigend bijna.

'De prijs was nog veel hoger dan dat', zei hij, terwijl zijn bloed begon te koken. 'Er zijn bij die gijzeling twee mensen omgekomen.' Hij stak zijn wijs- en middelvinger in de lucht. 'Twéé. Waaronder een onschuldig kind!' Vervolgens greep hij in zijn binnenzak. 'Wacht, ik denk dat ik nog wel ergens een foto van die jongen heb.' Elias dacht dat zijn chef gokte, maar zag toen, tot zijn grote verbazing, dat hij inderdaad een foto van een lachende Hannes Van Opstal tevoorschijn haalde. 'Hier, kijk maar eens goed!'

Hij duwde de foto onder de neus van Vanessa Michiels, die alle moeite deed om het confronterende beeld te ontwijken.

'Gestikt tijdens een epilepsieaanval omdat zijn mond dicht was geplakt! Kunt ge 't u voorstellen?'

Vanessa sloeg haar twee handen voor haar gezicht en begon schokkerig te huilen.

Het was of haar tranen Van Den Eede nog woedender maakten. Brutaal trok hij haar handen weg. 'Schei uit met dat gejank, en kijk maar eens goed, godverdomme!'

Elias sprong overeind en greep Van Den Eede bij zijn arm. ''t Is genoeg geweest, Mark. Stop daarmee.'

Van Den Eede draaide bruusk zijn hoofd naar Elias en

heel even leek het alsof hij hem met geweld van zich af wilde duwen. Toen veranderde er iets in zijn blik. Hij knipperde een paar keer met zijn ogen, alsof hij zich opeens weer herinnerde waar hij was, en keek Elias wat verdwaasd aan.

'Sorry, Wim, ik eh...'

Elias liet zijn arm los, knikte dat het oké was, en ging opnieuw zitten. Van Den Eede stopte de foto van Hannes weer weg, ademde in tot zijn longen barstensvol lucht zaten en tastte naar zijn voorhoofd, dat koortsig aanvoelde. Vanessa zat daar opnieuw met haar handen voor haar gezicht. Van Den Eede stond op en liep naar de keuken. Elias hoorde hem kasten opentrekken en vervolgens een kraan opendraaien. Toen hij weer binnenkwam, had hij een glas water vast, dat hij aan Vanessa gaf. Na wat aandringen nam ze het aan en dronk het in één keer bijna helemaal leeg.

Van Den Eede nam plaats op de sofa en wachtte tot ook Vanessa haar kalmte min of meer had herwonnen. Toen vroeg hij, op zijn normale, kalme toon, of de naam Wouter Tommelein haar iets zei.

'Tommelein?'

'We weten dat hij u recentelijk een paar keer heeft opgebeld', verduidelijkte Elias.

Alles in haar houding protesteerde tegen die mededeling. 'Dat moet dan een vergissing zijn, want ik weet van niks.'

'Maar u kent hem wel?' drong Elias aan.

Vanessa, die zichzelf ondertussen ook opnieuw onder controle gekregen leek te hebben, knikte en zei dat ze een tijdje voor dezelfde firma hadden gewerkt. Op een bepaald moment had hij zijn ontslag aangeboden, zogezegd omdat hij elders meer kon verdienen. 'Misschien was dat ook wel zo. Maar ik denk dat hij, als boekhouder, de bui had zien hangen. Want een beetje later is het bedrijf beginnen te herstructuren en zijn er tientallen mensen aan de deur gezet. Waaronder ik.'

'Heeft u Tommelein daarna nog gezien?'

'Waarom zou ik? Wij waren een tijdlang collega's op het werk, meer niet.'

'Weet u wat hij nu doet?'

Vanessa aarzelde even voor ze antwoord gaf. 'Werkt hij niet ergens bij een juwelier, of zo?'

Van Den Eede drukte de vingertoppen van zijn twee handen tegen elkaar en keek even naar het plafond voordat hij zich weer tot Vanessa richtte.

'Mevrouw Michiels, wat ik u nu ga vragen, is heel belangrijk. Denk dus goed na vóór u antwoord geeft.'

Ze keek hem afwachtend en gespannen aan.

'Zijn er ooit ontmoetingen geweest tussen Tommelein en Van Sande?'

De verbazing waarmee ze hem aankeek, leek niet geveinsd. 'Ik zou echt niet weten waar of wanneer.'

'Niet alleen echte afspraken, maar ook toevallige gelegenheden waarop ze elkaar misschien hebben gezien of gesproken.'

Vanessa boog fronsend haar hoofd. Van Den Eede had de indruk dat ze echt moeite deed om het zich te herinneren.

'Kurt is mij wel eens komen afhalen van het werk', zei ze. Het klonk alsof ze hardop zat na te denken. 'En één keer is hij mee geweest naar een bedrijfsfeestje, waarop iedereen met zijn partner was uitgenodigd.'

'Wanneer was dat?'

'Vorig jaar. Dat moet eind april, begin mei zijn geweest.'

'Hebben ze elkaar toen ontmoet?'

Vanessa probeerde zich de avond weer voor de geest te halen. 'Als ik mij goed herinner, zaten Wouter en zijn vriendin mee bij ons aan tafel. Het zou dus kunnen dat Kurt ook met hem heeft gepraat.'

'Was Tommelein toen al van plan om zijn ontslag in te dienen?' vroeg Elias.

'Dat zal wel,' zei Vanessa, 'want in juli is hij bij ons vertrokken, en normaal zijn er drie maanden vooropzeg nodig.'

Van Den Eede wilde nog weten of Tommelein die avond ook over zijn nieuwe werkgever had gesproken.

'Ik geloof wel dat hij daar toen iets over heeft gezegd, ja.' Ze keek hem niet-begrijpend aan. 'Maar wat heeft Kurt daarmee te maken?'

Van Den Eede keek haar glimlachend aan en bedankte haar terwijl hij overeind kwam. 'U heeft ons goed geholpen.'

Van Den Eede stak de sleutel in het contact, maar startte niet meteen.

'Nogmaals sorry voor daarstraks', zei hij. 'Ik weet echt niet wat mij zo ineens bezielde.'

Elias wuifde zijn woorden weg. 'Vergeet het.'

'Het was niet alleen onprofessioneel, maar ook...'

'Hebt ge niet gehoord wat ik zei, Mark? Vergéét het!' herhaalde Elias.

Van Den Eede keek hem zijdelings aan, knikte dat hij het had begrepen, en startte de motor.

Rob Olbrecht en Orhan Tarik zaten al te wachten toen Van Den Eede en Elias het bureau binnenkwamen.

'Dat was dus een ritje voor niks', zei Tarik. 'Er was niemand thuis.'

'En volgens de buren is dat al een tijdje zo', vulde Olbrecht aan. 'Naar 't schijnt moet hij voor zijn werk soms naar het buitenland.'

'Of hij is op vakantie in de Ardennen, dat kan natuurlijk ook.'

Van Den Eede vroeg wanneer hij voor het laatst was gezien.

'Daar wist niemand echt een antwoord op te geven', zei Olbrecht.

'Blijkbaar hebben ze daar in die chique wijk niet zoveel contact met mekaar', verduidelijkte Tarik. Grinnikend voegde hij eraan toe dat dat ook moeilijk kon, met al die dure alarminstallaties die ze in en rond hun villa's hebben. ''t Zijn precies allemaal versterkte burchten.'

'Volgens een van de buren heeft onze vriend Tommelein de voorbije maanden een paar keer politie aan de deur gehad, iedere keer in het gezelschap van een man in burger. We hebben de lokale daarover opgebeld en die hebben dat bevestigd.'

'Mijnheer de boekhouder had speelschulden. En blijkbaar heeft iemand hem een deurwaarder op zijn dak gestuurd.'

Van Den Eede haalde een flesje Spa uit de ijskast, drukte het enkele seconden tegen zijn verhitte voorhoofd voordat hij de kroonkurk eraf deed, nam dan plaats achter zijn bureau en dronk het half leeg. Hij begon zijn twee inspecteurs op een zakelijke manier te briefen over hun bezoek aan Vanessa Michiels. Over zijn uitval reptc hij echter met geen woord. Na zijn samenvatting stond hij op en liep naar het whiteboard, waarop de driehoek met de namen van de huidige hoofdrolspelers stond. Het vraagteken dat er middenin prijkte, veegde hij weg.

'We weten nu dat Van Sande en Tommelein elkaar eind april, begin mei via Vanessa Michiels op een feestje hebben ontmoet en mogelijk zelfs hebben gesproken', begon hij. 'En ik vermoed dat het niet bij die ene keer is gebleven.'

'Gij denkt dus dat Tommelein Van Sande heeft getipt over wat er in Van Opstal zijn kluis lag?' vroeg Olbrecht.

Van Den Eede vond dat meer dan waarschijnlijk, zeker na wat Tarik daarnet had verteld over de financiële problemen van Tommelein.

'Hij wist dat Van Opstal toch nooit aangifte zou kunnen doen, omdat het over zwart geld ging. Als er tijdens die gijzeling niks mis was gegaan, dan had er geen haan gekraaid naar die twee miljoen.'

'Waarom heeft hij dat geld er dan niet gewoon zelf uit gehaald?' vroeg Elias. 'Dan had hij alles gehad, terwijl hij nu tevreden moest zijn met hoogstens een derde ervan. Want Benachir was er natuurlijk ook nog.'

'Omdat hij de kluis niet openkreeg of vreesde dat Van Opstal direct aan hem zou denken?' gokte Van Den Eede. 'Misschien was het Van Sande zelf die met het idee van die gijzeling op de proppen is gekomen, en is Tommelein mee op de kar gesprongen?'

'Als het klopt wat gij zegt,' zei Elias, 'dan kan het moeilijk anders of Vanessa Michiels is er ook bij betrokken. Waarom zou Tommelein haar anders vanuit de Ardennen opbellen?'

'Volgens haar heeft hij dat niet gedaan, en heeft ze alleen contact gehad met Kurt Van Sande, die wilde weten hoe het met zijn zoon ging.'

'Maar hij heeft daarvoor dan wel Tommelein zijn gsm gebruikt', merkte Tarik op. 'Hoe legt ge dat uit? Want dat was toch niet zonder risico.'

Van Den Eede gleed met zijn vingers door zijn haar, terwijl hij zuchtend naar de driehoek op het bord keek. 'Misschien rekende hij erop dat we Vanessa toch nooit op het spoor zouden komen?'

'Daar geloof ik geen fluit van', zei Olbrecht. 'Een doorgewinterde gangster als Van Sande, die tot nu toe al altijd uit de handen van het gerecht is gebleven, doet zoiets niet. Die denkt wel twee keer na.'

Van Den Eede moest toegeven dat Olbrecht gelijk had.

'Zou het kunnen dat hij Tommelein zijn gsm heeft gebruikt zonder dat die er iets van wist?' vroeg Tarik zich af.

'Waarom zou hij dat doen?'

'Om hem erin te luizen?'

'Of omdat hij om een of andere reden niet meer vanuit die openbare telefooncel in Rochehaut kon bellen?' zei Elias. 'Misschien was die kapot of wilde hij daar niet meer gezien worden?'

Van Den Eede dacht daar even over na. 'We gaan ervan uit dat Van Sande en Tommelein sámen zijn ondergedoken in de Ardennen', zei hij. 'Maar wat als dat niet zo is?'

Het was een vreemde gewaarwording om na al die tijd weer op de plaats te staan waar het allemaal was begonnen. In gedachten zag hij opnieuw de helikopter boven het herenhuis op de hoek van de Pachécolaan en de Kruidtuinlaan hangen. Erik Rens zat in de deuropening met één voet op het landingsgestel. Toen verdween hij opeens uit het zicht en even later werd zijn dode lichaam naar beneden gegooid, op het natte asfalt.

'Mark?'

Van Den Eede keek verstrooid naar Elias, die op het zebrapad stond te wachten.

'Scheelt er iets?'

Van Den Eede schudde van nee en stak ook de straat over. Zwijgend liepen ze naar het herenhuis.

'Ik kan ook wel alleen gaan, als ge dat liever hebt', bood Elias aan, toen ze voor de deur stonden.

Van Den Eede glimlachte even en belde aan.

De woonkamer zag er nog precies hetzelfde uit als op de avond van het drama. Alleen hing er nu een grote foto van Hannes aan de muur. Op een klein tafeltje, waarop in het midden een brandende kaars stond, lagen allerlei voorwerpen die waarschijnlijk aan de jongen hadden toebehoord: een horloge, een speelgoedautootje, een vulpen, een kleurtekening, een versleten knuffelbeertje... De aanblik ervan gaf Van Den Eede een onaangenaam gevoel. Het leek wel een verzameling relikwieën die nog dagelijks werd vereerd. Een pijnlijke, etterende wond die opzettelijk open werd gehouden. Hij kon zich niet indenken dat hij of Linda dat ooit zouden doen als er met Stijn iets gebeurde. Maar wie weet hoe een mens die het dierbaarste wat hij bezit kwijt is geraakt en iedere dag met dat verlies verder moet leven, zich voelt en gedraagt? Van één ding was hij echter wel overtuigd, terwijl hij hier tegenover het echtpaar Van Opstal zat: het FAST kon het verdriet en het lijden van deze mensen nooit wegnemen, maar wel de afschuwelijke gedachte dat degene die het had veroorzaakt, vrij en ongestraft rondliep en van het leven genoot alsof er niets was gebeurd. Kurt Van Sande zou en mocht geen rust vinden zolang het FAST bestond! Van Den Eede had niet voor niets al zijn hele leven bewondering gehad voor nazi-jager Simon Wiesenthal.

Nadat een zwarte vrouwelijke dienstbode, die blijkbaar alleen Frans sprak, koffie had gebracht en voor iedereen had ingeschonken, voegde Pierre Van Opstal een scheutje melk toe aan zijn kopje en begon er zuinig in te roeren. Vervolgens leunde hij achterover in zijn fauteuil, sloeg zijn benen over elkaar en keek Van Den Eede afwachtend aan. Die nam eerst nog een slokje van zijn veel te hete koffie en zei toen dat ze heel waarschijnlijk Van Sande op het spoor waren gekomen. Van Opstal knikte traagjes, tikte voorzichtig met zijn lepeltje tegen de rand van het porseleinen kopje, terwijl hij Van Den Eede aan bleef kijken, en vroeg toen waar hij zich al die tijd schuil had gehouden.

'Dat kan of mag ik niet zeggen zolang we hem niet hebben opgepakt', antwoordde Van Den Eede. 'Eigenlijk zijn we niet hier in verband met Van Sande, maar hadden we graag met uw boekhouder, Wouter Tommelein, gesproken. We weten alleen niet waar hij is of hoe we hem kunnen bereiken.'

Pierre en Thérèse wisselden even een blik.

'Dan zijt ge niet alleen...' verzuchtte Van Opstal. 'Hier is hij al bijna een week niet meer komen opdagen. Op telefoons of mails reageert hij niet en toen ik eergisteren bij hem langsging, stond ik voor een gesloten deur.'

'We maken ons echt ongerust over hem', zei Thérèse.

'Is het vroeger al eens gebeurd dat hij niet kwam werken zonder te verwittigen?' vroeg Elias.

Van Opstal schudde zijn hoofd. 'Nooit. Voor zover ik mij herinner, is hij zelfs geen enkele dag ziek of afwezig geweest sinds hij hier werkt.'

'Denkt ge dat er iets met hem is gebeurd?' drong Thérèse aan.

'Niet dat we weten', antwoordde Van Den Eede. 'We willen gewoon met hem praten.'

Pierre Van Opstal boog zich voorover en zette zijn koffiekopje op het tafeltje. 'Waarover, als ik mag vragen?'

Van Den Eede keek naar Elias, wat de bezorgdheid van Thérèse alleen maar groter leek te maken.

'Zeker is het niet,' zei Van Den Eede, 'maar we vermoeden dat hij iets te maken heeft met de gijzeling.'

Van het ene op het andere moment trok alle kleur weg uit het gezicht van Thérèse Van Opstal. Ze hapte hoorbaar naar adem en legde geschrokken haar hand op haar borst, alsof ze daarmee haar hart in toom wilde houden.

Haar man ging rechtop zitten en keek Van Den Eede ongelovig aan. 'Wouter...? Dat kan niet!'

'In hoeverre is hij op de hoogte van uw manier van zakendoen?'

'Hoe bedoelt ge?' reageerde Van Opstal argwanend.

'Wist hij bijvoorbeeld dat er zwart geld in uw kluis lag?'

Van Opstal begon wat heen en weer te schuifelen in zijn leunstoel. 'Voor iemand die dag in, dag uit met uw boekhouding bezig is, kunt ge zoiets moeilijk verborgen houden.'

Van Den Eede knikte dat hij het begreep. 'Wist hij ook over hoeveel geld het ging?'

'Natuurlijk wist hij dat', zei Van Opstal met tegenzin. 'Een deel van de steentjes die ik aankocht, liet herslijpen en verkocht, kwam nooit in de officiële boekhouding terecht. Daar had Tommelein een eh... apart systeem voor bedacht. In ruil voor dat extra werk betaalde ik hem maandelijks een bepaalde som, ook in het zwart natuurlijk.'

Thérèse leek van de ene verbazing in de andere te vallen. 'Denkt ge echt dat Wouter...?' begon ze, maar verder kwam ze niet.

Haar blik gleed in de richting van de foto van Hannes, alsof hij door een magneet werd aangezogen, en de tranen sprongen in haar ogen.

Van Opstal keek eerst wat geïrriteerd opzij. Toen verzachtte de uitdrukking op zijn gezicht en legde hij zijn hand troostend op haar knie, maar Thérèse duwde die weg.

'Als dat stom geld van u die avond nog in de kluis had gelegen,' snikte ze, 'dan zou Hannes...' Ze slikte een prop in haar keel weg. 'Dan was alles helemaal anders afgelopen.'

Van Opstal reageerde niet op wat ze zei, en staarde bewegingloos naar zijn kopje koffie.

'Kende Tommelein de code van uw kluis?' vroeg Elias.

'Natuurlijk niet!'

'Kan hij er op een of andere manier aan zijn geraakt?'

'Ik zou niet weten hoe, want die zit alleen hier.' Hij tikte met zijn wijsvinger tegen zijn hoofd. 'Trouwens, om de week verander ik de cijfers.'

'Zonder ooit iets op te schrijven?' zei Van Den Eede. 'Is dat niet riskant?'

'Ik volg daarbij een soort logica die...' Hij maakte een vaag gebaar met zijn hand. 'Enfin, te ingewikkeld om uit te leggen.'

Van Den Eede besloot er niet verder op in te gaan. Er was iets anders wat hem meer interesseerde. 'Wanneer heeft u beslist om die twee miljoen euro naar Luxemburg te brengen?'

'De avond daarvoor.'

'Waarom?'

'Omdat ik mij niet meer gerust voelde met zo veel cash in huis. Ik had het al een paar keer uitgesteld voor andere dingen, en de dagen erna zou ik het veel te druk hebben.'

'Wist u wat uw man van plan was met dat geld?' vroeg Elias aan Thérèse.

'Mijn vrouw was daar niet van op de hoogte', antwoordde Van Opstal in haar plaats.

'En Tommelein?'

'Ook niet. Dus...' Hij hield abrupt op met praten. Er verschenen enkele diepe rimpels op zijn voorhoofd, terwijl hij zijn ogen ingespannen samenkneep. Toen keek hij Van Den Eede opeens strak aan. 'Denkt ge dat híj die gangsters heeft ingehuurd?'

'Vermoedelijk was het omgekeerd', zei Van Den Eede. 'We denken dat Van Sande hem heeft benaderd met een of ander voorstel. We weten dat ze elkaar toevallig hebben leren kennen, vlak voor hij bij u kwam werken.'

'Maar waarom?' riep Thérèse. 'Wat wilde hij dan? Hij verdiende hier toch goed zijn kost!'

'Tommelein heeft serieuze speelschulden', zei Elias. 'Hij is daarvoor al een paar keer gedagvaard door de uitbater van een casino.'

'Het is best mogelijk dat het niet alleen bij die officiële schulden blijft', vulde Van Den Eede aan. 'Gokverslaafden zoeken hun geluk ook wel eens in minder legale circuits, die geen deurwaarders sturen, maar een koppel zware jongens. Misschien werd Tommelein onder druk gezet en had hij dringend geld nodig?'

Van Opstal schudde zuchtend zijn hoofd.

'Heeft hij u ooit iets verteld over een buitenverblijf in de Ardennen?'

Pierre en Thérèse keken elkaar vragend aan. Geen van beiden had daar blijkbaar over gehoord.

'Denkt ge dat hij daar zit?' vroeg Van Opstal.

'Het is mogelijk dat hij van daaruit een paar keer iemand heeft opgebeld.'

'Wie?'

'Dat kan ik u niet zeggen.'

'Als hij er iets mee te maken heeft,' zei Thérèse verbitterd, 'dan wil ik dat ge hem oppakt en dat hij boet voor wat hij heeft gedaan.' Haar kaakspieren trilden van woede.

'Dat is spijtig genoeg onze taak niet', zei Elias. 'Wij maken alleen jacht op voortvluchtigen, zoals Van Sande.'

'Maar als we die kunnen vinden,' voegde Van Den Eede er met een dubbelzinnig glimlachje aan toe, 'dan is de kans groot dat we twee vliegen in één klap slaan...'

Zijn gsm begon te rinkelen. Hij keek naar het display, verontschuldigde zich en nam het gesprek aan.

'Ja, Rob...?' Terwijl hij luisterde, kneep hij zijn ogen tot spleetjes en bewoog zijn linkerkaakspier nerveus op en neer. 'Hebben ze ook gezegd van wie...?' Hij keek op zijn horloge. 'Nee, daarvoor is het te laat vandaag, dat halen we niet meer. We doen dat morgenvroeg. Om zeven uur aan de Géruzet.'

Terwijl hij zijn mobieltje weer wegstopte, keek hij even

naar Elias. Hij bedankte Pierre en Thérèse Van Opstal voor het gesprek en beloofde hun op de hoogte te houden van alle verdere ontwikkelingen. Toen hij Thérèse de hand schudde, hield ze die langer dan nodig vast.

'De politieman die toen mijn leven heeft gered en daarbij zelf is gestorven,' begon ze aarzelend, 'was dat een goeie vriend van u?'

Van Den Eede voelde zich overrompeld door die vraag, die hij zichzelf eigenlijk nooit zo duidelijk had gesteld.

'Als hij langer had geleefd, dan zou hij dat zeker en vast zijn geworden', antwoordde hij.

Thérèse Van Opstal knikte mistroostig. Hij voelde hoe ze nog even bemoedigend in zijn hand kneep alvorens die los te laten.

Toen ze weer op straat stonden, vroeg Elias wat Olbrecht te vertellen had.

'Hij heeft telefoon gehad van de Zone Semois et Lesse, die weten dat we op zoek zijn naar Van Sande. Vlak bij Rochehaut, midden in de bossen tussen Frahan en Poupehan, hebben ze in een afgebrande bungalow een lijk gevonden...'

'Kurt Van Sande?'

'Het lichaam is helemaal verkoold en voor identificatie overgebracht naar Aarlen.'

26

Bij de wegwijzer naar Menuchenet sloegen ze rechts af, op de N819, die ze nog een achttal kilometer moesten volgen. Stipt om zeven uur vanochtend waren ze van de Géruzet vertrokken, maar de dagelijkse files hadden ze niet kunnen ontwijken. Het was nu bijna halfnegen. Tijdens de rit had Rob Olbrecht wat meer details gegeven over de vondst van de uitgebrande bungalow.

Die stond op naam van een zekere Alain Desruelles, een tweeënveertigjarige alleenstaande werkloze bouwvakker, die officieel bij zijn moeder in Charleroi was ingeschreven, maar waarschijnlijk al een tijdje illegaal in die chalet woonde. Zijn moeder beweerde dat ze al een paar weken niks van haar zoon had gehoord, maar had dat niet abnormaal gevonden. Ze hadden nog maar weinig contact met elkaar. Blijkbaar wist niemand waar Desruelles op dit moment was, maar het lijk in de bungalow was zo goed als zeker niet dat van hem. Desruelles was een grote, zwaarlijvige kerel, terwijl het onbekende slachtoffer eerder klein en mager was. Twee Hollandse toeristen hadden de uitgebrande bungalow toevallig gevonden, nadat ze van de uitgestippelde wandelpaden waren afgeweken en waren verdwaald. Omdat de politiemannen die de eerste vaststellingen hadden gedaan een benzinegeur hadden geroken, was er een branddeskundige bij gehaald, die met zekerheid had verklaard dat de brand was aangestoken. In de kamer waar het lijk was aangetroffen, lag trouwens een lege jerrycan en vlak bij de buitendeur had de Technische Recherche de resten van een Zippo-aansteker gevonden. Niet ver daarvandaan lag een gesmolten gsm. Die was voor verder onderzoek naar het Gerechtelijk Laboratorium gebracht, maar het was heel twijfelachtig of dat nog bruikbare gegevens zou opleveren. Elias voegde er nog aan toe dat hij gisterenavond, na wat telefoontjes, de tandarts van Wouter Tommelein had kunnen vinden. Hij had hem gevraagd om alle beschikbare gegevens over zijn patiënt, zoals röntgenfoto's, tandheelkundige ingrepen en registraties, zo vlug mogelijk naar Aarlen door te sturen, om de identificatie te vergemakkelijken voor het geval de vermiste Tommelein het slachtoffer zou zijn.

Verder was er tijdens de rit weinig gesproken, alsof iedereen zich op zijn eigen manier met de zaak bezighield. Van Den Eede hoopte alleen maar dat de dode niet Kurt Van Sande was.

Bij de Rue des Moissons sloegen ze links af, waarna ze enkele tientallen meters verder het dorpscentrum van Rochehaut, niet veel meer dan een kerk met daaromheen een pleintje, binnenreden. Het eerste wat hun opviel, was de telefooncel van waaruit Vanessa Michiels een paar keer was opgebeld. Van Den Eede parkeerde de Range Rover er vlakbij, schuin tegenover het tabakswinkeltje Chez Janeau. Ze waren ruim op tijd voor hun afspraak met hoofdinspecteur Yves Lemaître van de Zone Semois et Lesse, die om halfelf was gepland op het zonnige terras van hotel-restaurant L'An 1600, dat aan de andere kant van het kerkplein lag.

Van Den Eede stelde voor om het anderhalf uur dat ze nog hadden nuttig te gebruiken met een soort niet-officieel 'buurtonderzoek'.

Tarik vroeg zich af of ze daarvoor de bevoegdheid hadden.

'Wel zolang we op zoek zijn naar Kurt Van Sande', zei Van Den Eede. 'En als de naam Wouter Tommelein daarbij ook al eens valt, tja,' voegde hij er glimlachend aan toe, 'dan is dat maar zo.'

Op het moment dat hij de taken wilde verdelen, deed de oude Janeau, zoals alle dagen stipt om negen uur, zijn winkel open. Hij kwam in de deuropening staan en begon op zijn dooie gemak zijn eerste pijp van de dag met grove Semois-tabak te stoppen. Dat deed hij al sinds mensenheugenis heel gewetensvol, telkens met kleine beetjes, die hij met zijn linkerduim steviger aandrukte naarmate de kop van de bruyèrehouten pijp voller raakte. Toen dat ritueel achter de rug was, streek hij een lucifer af, waarvan hij het vlammetje precies boven het midden van de pijpenkop hield, en zoog enkele malen traag aan het mondstuk totdat de tabak vuur vatte en hij de rook op zijn tong voelde prikken. Genoeglijk blies hij daarna de eerste grijze rookwolk uit, waarvan de zoetige geur zich snel verspreidde.

Toen hij de vier vreemdelingen zag staan, knikte hij vriendelijk.

Van Den Eede maakte daar meteen gebruik van en liep in de richting van de oude man met de grijze stofjas. 'Monsieur Janeau?'

De man nam zijn pijp uit zijn mond en stak die bij wijze van groet omhoog. 'A vot' service.'

'Vous parlez aussi le Flamand?' informeerde Van Den Eede, wiens Frans op het middelbareschoolniveau was blijven hangen.

'Ah, oui, bien sûr!' lachte Janeau, 'Mijn beste cliënten sont des Flamands!'

De drie andere FAST-leden kwamen erbij staan. Van Den Eede stelde hen en zichzelf voor als 'politiemannen uit Brussel', voordat Janeau zou denken dat hij met klanten te maken had.

Die leek niet onder de indruk, of liet daar althans niets van merken. Hij keek zijn bezoekers afwachtend aan, terwijl hij rustig de brand in zijn pijp hield. De zoete tabaksgeur leek op een of andere manier bij het Ardense dorpje te horen, alsof de rook niet uit Janeau zijn pijp, maar uit de omringende huizen kwam, net zoals het in Bokrijk overal naar open haarden en brandende houtkachels ruikt.

Van Den Eede haalde een foto van Kurt Van Sande tevoorschijn. Nog voordat hij meer uitleg kon geven of iets vragen, zag hij aan de reactie van Janeau dat hij de man op de zwart-witfoto herkende.

'Mais c'est monsieur Libert!'

'Libert?' herhaalde Olbrecht fronsend.

'Oui, oui, Antoine Libert.'

Van Den Eede keek zijn mannen veelbetekenend aan. 'Weet u ook waar we hem kunnen vinden?'

Voor het eerst verscheen er wat achterdocht op het gezicht van Janeau. 'Pourqoui?'

'Routine', zei Van Den Eede. 'On veux lui parler, c'est tout.'

'Ah, bon.' Janeau knikte, waarna hij opnieuw aan zijn pijp begon te lurken.

Van Den Eede wachtte geduldig op een vervolg, maar dat kwam er niet.

'Kwam eh... monsieur Libert wel eens in uw winkel?'

Janeau knikte met een gereserveerd glimlachje. Hij scheen het hele zaakje opeens niet meer te vertrouwen. *Les Ardennois* stonden niet voor niets bekend als mensen met een gesloten karakter.

Van Den Eede begreep dat ze in een doodlopende straatje dreigden terecht te komen en besloot daarom om open kaart te spelen. 'Ecoutez, monsieur Janeau', begon hij. 'Antoine Libert is niet de echte naam van de man op deze foto. Hij heet Kurt Van Sande, en wordt onder meer gezocht voor gijzeling en moord.'

Als Janeau zijn pijp niet losjes in zijn hand had gehouden, dan was ze zeker uit zijn mond gevallen. Met verstomming keek hij Van Den Eede aan. 'Meurtre?'

Van Den Eede knikte.

'Op een collega van ons. Indirect heeft hij ook de dood van een kind op zijn geweten.' Hij pauzeerde even om zijn woorden goed tot Janeau door te laten dringen. 'Vous comprenez donc que c'est très important que vous nous racontez tout au sujet de cet individu.'

Janeau knikte dat hij het inderdaad begreep, maar leek toch nog in tweestrijd te staan. Hij schraapte zijn keel, terwijl hij fronsend naar de pijp in zijn hand keek. 'Alors...' begon hij. 'Die persoon kwam soms hier, en effet. Pour acheter des petits cigares ou de la confiture, enfin des choses comme ça...'

'Hij woont hier dus ergens in de buurt?'

Janeau haalde traag zijn schouders op, terwijl hij hoorbaar door zijn neus inademde. Vervolgens wees hij met zijn pijp naar de hoofdweg, in de richting van Alle en Vresse. 'Il venait toujours de Frahan, par les Crêtes.'

'Die ken ik', zei Olbrecht. 'Het is daarachter dat die uitgebrande bungalow ligt.'

Janeau keek hem verbaasd aan. 'Libert woonde daar?'

'C'est très possible', antwoordde Van Den Eede. Waarna hij aan Janeau vroeg om hun alles te vertellen wat hij over 'Libert' wist. 'Même le moindre détail peut être important.'

Janeau dacht even na en begon toen te vertellen. Dat 'Libert' doorgaans heel vriendelijk was, maar weinig of niets over zichzelf vertelde, behalve dat hij een 'homme d'affaires' was. Een mededeling die Rob Olbrecht een spottend lachje ontlokte. Soms maakte 'Libert' ook wel eens gebruik van de openbare telefooncel hier recht tegenover. Op de vraag hoe lang het geleden was dat hij in de winkel was geweest, kon Janeau niet meteen antwoorden. Toen schoot het hem opeens te binnen dat het ongeveer een week geleden moest zijn. Dezelfde dag dat 'die andere' naar hem was komen vragen.

'Welke andere?' vroeg Elias.

Janeau beschreef de man in kwestie zo goed en zo kwaad als hij kon, en zei erbij dat 'Libert' het blijkbaar niet leuk had gevonden dat iemand naar hem op zoek was. Nu begreep hij ook waarom.

Van Den Eede liet hem een foto van Wouter Tommelein zien, die Janeau aandachtig bekeek.

Uiteindelijk knikte hij. 'Oui, sans doute, c'était lui.'

'Nog één vraag', zei Tarik. 'Is Libert sindsdien nog hier geweest?'

Daarover hoefde Janeau niet na te denken. Nee, na die dag had hij hem niet meer gezien. Even vlug als hij gekomen was, was hij ook weer verdwenen.

De *patronne* van L'An 1600, een rondborstige, goedlachse vrouw, raadde hun een 'Maison' aan, een huisgemaakte cocktail op basis van champagne. Van Den Eede vroeg zich af of het daarvoor nog niet wat vroeg op de dag was. Ze hadden trouwens nog een flinke wandeling voor de boeg. Maar Olbrecht wuifde die opmerking glimlachend weg. Hij had zijn klimuitrusting en een stevig touw in de auto liggen, en als het moest trok hij hen één voor één over de krijtachtige heuvelrug.

'Oké, vier Maisons dan', knikte Van Den Eede.

'Drie', corrigeerde Tarik. 'Voor mij fruitsap alstublieft.'

Olbrecht schudde bedenkelijk zijn hoofd. 'Wat dat is met die moslims... 't Wordt hoog tijd dat ge u eens leert aanpassen.'

Uit de manier waarop hij het had gezegd, was niet met-

een duidelijk of het als grapje of als provocatie was bedoeld.

'En wat als ik nu geen alcohol lust?'

'Dat zou ik nog kunnen begrijpen', meende Olbrecht.
'Enfin, misschien... Maar dat gij nog altijd naar de pijpen
danst van een profeet uit de jaren *stillekens*, dat gaat er bij
mij echt niet in. En dan heb ik het niet alleen over drank,
hé.'

'Zullen wij het over de zaak hebben?' kwam Van Den
Eede tussenbeide voordat Tarik kon reageren.

Er viel een gênante stilte, die gelukkig werd doorbroken
door het luide gelach van vier wielertoeristen die wat verderop op het terras zaten. Een dienstertje kwam op hun
tafeltje af met in haar handen een plateau met drie grote,
tulpvormige glazen, halfgevuld met een oranjeachtige, parelende vloeistof waarin ijsblokjes ronddreven en een lang,
dun roerstokje stond. Daarnaast stond één hoog, smal glas
met fruitsap en twee amuse-gueuleschoteltje met ronde
kaaskroketjes en prikkertjes.

Het lag Van Den Eede op de tong om te vragen of ze misschien geen gemarineerde sardientjes hadden, maar hij
hield toch maar zijn mond. Hij hief zijn glas, waarin de
drank helder schitterde in de zon, en bracht een toost uit.
'Op het FAST.'

De anderen volgden zijn voorbeeld.

'En op de arrestatie van Van Sande', voegde Elias eraan toe.

'Als hij tenminste niet in Aarlen als een stuk houtskool
in de frigo ligt', grinnikte Olbrecht.

Zijn gevoel voor humor was altijd nogal apart geweest.
Nadat ze allemaal een verfrissende slok van het aperitief
hadden genomen, werd hun aandacht getrokken door een
grijze Opel Astra die het pleintje kwam opgereden en vlak
achter de Range Rover parkeerde. Met enige moeite kroop

een zwaarlijvige, kalende man achter het stuur vandaan met in zijn hand een kartonnen map, die hij op het dak van zijn auto legde. Voordat hij het portier afsloot, zette hij zijn zonnebril af, haalde zijn zakdoek tevoorschijn en veegde er een paar keer mee over zijn voorhoofd en blinkende schedel. Daarna draaide hij zich in de richting van de L'An 1600 en liep naar het tafeltje waaraan de vier speurders zaten.

'Commissaris Van Den Eede?'

'Dat ben ik.' Van Den Eede knikte, terwijl hij overeind kwam en hoofdinspecteur Lemaître de hand drukte. Vervolgens stelde hij zijn drie collega's aan hem voor.

Elias trok een stoel bij en nodigde de inspecteur uit om plaats te nemen. De kale schedel van Lemaître glom als een oliebol. Onder zijn oksels zaten grote, donkere zweetvlekken.

Van Den Eede wenkte het dienstertje, dat net vier nieuwe Orvals naar het tafeltje van de wielrenners bracht. 'Ik kan u de Maison aanbevelen', zei hij glimlachend tegen de hoofdinspecteur.

Maar Lemaître prefereerde 'une grande carafe d'eau', waarna hij enkele geprinte documenten uit de kartonnen map haalde en meteen ter zake kwam.

'Dit is het schouwverslag van professor Michaux uit Aarlen', zei hij zonder enig spoor van een Frans accent. 'Ik heb het vanochtend via mail ontvangen en voor u uitgeprint.'

Van Den Eede knikte gespannen. Ook de anderen keken Lemaître vol ongeduld aan.

Die haalde rustig een foto uit de map en legde deze op tafel. 'Zoals u kunt zien, is het slachtoffer compleet verkoold.' Het lijk leek meer op een verbrande boomstronk dan op een menselijk lichaam. Het had de typische boksershouding, waarbij de armen en handen door de hitte worden opgeheven en gebogen. 'Maar in zijn mondkeelholte noch in zijn longen of maag werden roetdeeltjes aangetroffen', ging Lemaître verder. 'Hij was dus al dood toen het vuur werd aangestoken.' Hij liet nu een close-up van het zwartgeblakerde hoofd zien. 'Zijn schedel vertoont een schotwond. De kogel, die binnendrong onder een hoek van ongeveer 45 graden, kon worden gerecupereerd en zal ballistisch worden onderzocht. Waarschijnlijk gaat het om een 9mm-kaliber die werd afgevuurd van...'

'Wat ons eigenlijk vooral interesseert,' onderbrak Olbrecht hem, 'is of het om Kurt Van Sande gaat, ja of nee.'

Hoofdinspecteur Lemaître keek verbaasd op van zijn papieren. Zijn ogen waren niet te zien achter zijn donkere brillenglazen, maar het leed geen twijfel dat hij Olbrecht met een vernietigende blik fixeerde.

'Neem het mijn impulsieve inspecteur niet kwalijk', zei Van Den Eede, met een verwijtende oogopslag in de richting van Olbrecht. 'Maar het antwoord op zijn vraag is voor ons heel belangrijk. De details kunnen we later nog altijd zelf in het verslag nalezen.'

Lemaître nam zijn bril af en nam een slok water, alsof hij de spanning er opzettelijk in wilde houden. Hij zette het glas neer en vulde het meteen weer bij tot bijna aan de rand. 'Het lijk dat in de bungalow werd aangetroffen, is voorlopig nog niet formeel geïdentificeerd,' zei hij op een ambtelijk toontje, 'maar wat wél zeker is, is dat het niet om de persoon gaat die u zoekt.'

'Wie is het dan wel?' vroeg Elias. 'Tommelein?'

Lemaître knikte. 'Heel waarschijnlijk. Het vergelijkend onderzoek van de forensisch odontoloog is nog niet afgerond, maar alles wijst in die richting.' Hij nam opnieuw een slok water. 'Maar er is meer.' Waarna hij opnieuw een foto uit zijn map haalde, deze keer van een auto. 'Deze wagen werd op een parking in Frahan aangetroffen, waar hij al een tijdje stond. De lokale heeft de nummerplaat nagetrokken, om te zien of het niet om een gestolen voertuig ging. De auto staat geregistreerd op naam van Wouter Tommelein uit Ukkel.'

Van Den Eede bekeek de foto van het verkoolde lijk nog eens. 'Ik neem aan dat het niet mogelijk was om het tijdstip van overlijden vast te stellen?'

'Nee', zei Lemaître. 'Zelfs als we zouden weten wanneer het vuur is aangestoken, wat niet het geval is, dan kan het nog altijd dat het slachtoffer al een tijdje dood was.'

Van Den Eede gaf de foto terug en dacht na. 'Wie heeft de politie ingelicht over de auto van Tommelein?'

'Een inwoonster van Frahan.' De hoofdinspecteur begon in de map te rommelen en haalde er het document uit dat hij zocht. 'Een zekere mevrouw Chantal Deneuve.'

'Is dat haar verklaring?'

Lemaître knikte en gaf het vel aan Van Den Eede, die meteen begon te lezen.

'Volgens haar stond de auto daar al minstens een week zonder dat iemand hem had gebruikt. Een echt bewijs dat Tommelein toen al dood was, is het natuurlijk niet. Maar als we ervan uitgaan dat hij daar was om zijn deel van het geld op te eisen, dan zal hij daar toch geen week mee hebben gewacht, veronderstel ik. Hetzelfde geldt voor Van Sande. Tommelein was voor hem een bedreiging. Hoe rapper hij daarvan af was, hoe beter.'

'Vergeet niet dat Vanessa Michiels vorige week nog telefoon van Tommelein heeft gehad', merkte Elias op.

'Ik denk niet dat hij het was die haar heeft opgebeld,' zei Van Den Eede, 'maar Van Sande. Volgens Janeau heeft hij de openbare telefooncel daar aan de kerk de voorbije week niet meer gebruikt, alhoewel hij wist dat zijn zoon zwaar ziek was. Waarom niet? Omdat de gsm van Tommelein voor hem veilig was om mee te telefoneren.'

Van Den Eede gaf de getuigenverklaring van Chantal Deneuve terug aan Lemaître en bedankte hem voor de moeite. 'Uw informatie heeft ons goed geholpen.' Waarna hij hem uitnodigde om mee een hapje te eten voordat ze de uitgebrande bungalow gingen bekijken.

Hoofdinspecteur Lemaître ging daar echter niet op in, want hij had nog een afspraak in Bouillon. Hij deed alle papieren en foto's terug in de map en gaf die aan Van Den Eede. Daarna dronk hij zijn glas in één keer leeg. Het leek wel alsof het water zich meteen omzette in zweet, dat in straaltjes van zijn gezicht droop.

'Bon, dan ga ik maar.'

'Nog één vraag', zei Van Den Eede. 'De eigenaar van dat huisje, Alain Desruelles, is die eigenlijk al terecht?'

Lemaître schudde van nee, terwijl hij overeind kwam. 'Vanavond wordt er op televisie een opsporingsbericht uitgezonden.'

Hij drukte Van Den Eede de hand. Tarik en Elias moesten het stellen met een gereserveerd hoofdknikje. Olbrecht negeerde hij volkomen.

Terwijl Lemaître naar zijn auto liep, keek die hem snuivend na. 'Wat een blaaskaak!'

Van Den Eede deed of hij dat niet had gehoord en dronk zijn Maison leeg. 'Van Sande loopt dus nog rond', zei hij met een zucht van opluchting. 'Maar waar?' Hij keek op zijn horloge en greep vervolgens naar de menukaart. 'Zullen we het bij een voorgerecht houden?'

Zelf nam hij een salade van het huis, met volkoren brood. Elias bestelde gevulde tomaten met garnalen, Tarik toast met warme geitenkaas en Olbrecht verkoos scampi's in lookboter. Het dienstertje vroeg wat ze daarbij wilden drinken.

'Water', antwoordde Van Den Eede, voordat iemand anders zijn mond kon opendoen.

'Niet voor mij', zei Tarik. 'Ik wil liever een glas rode huis-wijn.'

Het gelach rond de tafel was zo hard dat het deze keer de wielertoeristen waren die naar hen keken.

Zoals Rob Olbrecht erbij liep, met een rugzak die vol zat met zijn klimgordel, -touwen en -helm, karabiners en haken, leek hij wel de leider van een of andere expeditie. Hij werd op de voet gevolgd door Tarik en Elias. Van Den Eede kwam wat achterna. Niet omdat hij niet kon volgen, maar omdat hij te lang was blijven staan op een overhangende rots die een panoramisch zicht op de meanderende Semois bood.

De zon stond op haar hoogste punt in een wolkeloze he-mel. Het smalle pad dat over Les Crêtes liep, was af en toe behoorlijk steil en zo-even hadden ze op een ijzeren lad-der moeten klimmen die aan een bijna loodrechte rots was bevestigd. Olbrecht was duidelijk in zijn element. Hij had lachend geweigerd de ladder te gebruiken, die volgens hem voor kinderen en bejaarden was bedoeld, en was met een benijdenswaardige souplesse tegen de rots opgeklauterd. Op een bepaald moment begon het pad opnieuw te dalen en even later stonden ze in de beschutting van enkele bomen aan de oever van de Semois, waar het aanmerkelijk frisser was.

Olbrecht haalde zijn stafkaart tevoorschijn en spreidde die uit op de grond. 'Ginder het bos in, tot aan een kasteel-ruïne.' Hij wees. 'Een beetje daar voorbij ligt de bungalow. Of wat ervan overschiet tenminste.'

Hij vouwde de kaart glimlachend op, zwaaide zijn rug-zak terug over zijn schouders en zette er meteen weer ste-vig de pas in.

'Slavendrijver', mompelde Tarik, die nog eerst even zijn armen tot bijna aan zijn ellebogen in de rivier stak en vervolgens met zijn handen over zijn verhitte gezicht wreef. Een klein kwartiertje later zagen ze, op een open plek in het bos, de tot op de grond afgebrande chalet liggen. Eromheen was een politielint gespannen. Van Den Eede besefte dat ze hier eigenlijk weinig konden doen, maar hij had toch met alle geweld de plaats willen zien waar Kurt Van Sande zich schuil had gehouden. De aanblik van de verwoeste bungalow herinnerde hem er ook nog eens aan met wat voor soort man ze te doen hadden.

Olbrecht was inmiddels onder het politielint door gekropen en dwaalde rond tussen de verkoolde resten van de woning. Bij een eenpersoonsbed, waarvan niet veel meer dan de vervormde metalen springveren over waren, bleef hij staan.

'Hier hebben ze hem dus gevonden.' Hij keek om zich heen. 'Dat moet zowat het kleinste kamertje in de bungalow zijn geweest. Enfin, op één na', voegde hij er met een scheef glimlachje aan toe, terwijl hij naar de roetzwarte toiletpot wees, die daar wat verderop overeind was blijven staan.

'Al kan ik moeilijk geloven dat hij daar is vermoord', zei Tarik.

'Waarom niet?' wilde Elias weten, die ondertussen op de rand van de waterput was gaan zitten.

'Volgens Lemaître is de kogel afgevuurd vanuit een hoek van 45 graden. Dat klopt niet met iemand die neerligt. Ik denk dat hij op zijn knieën of in ieder geval op de grond zat, terwijl de schutter rechtop stond. Zo...' Hij strekte zijn arm en imiteerde met zijn wijsvinger en duim een pistool dat schuin naar beneden was gericht.

'Koelbloedig afgemaakt dus', zei Van Den Eede. Precies zoals Erik Rens, dacht hij.

Alles op deze plaats leek in harmonie met elkaar: de kleuren, de geluiden van het bos, het gezoem van de insecten, de geuren van de zomer. Zelfs de door mos en struiken overwoekerde kasteelruïne die ze daarstraks waren gepasseerd, was vergroeid met de omgeving. Alleen de afgebrande bungalow lag daar als een rotte vlek te midden van dit prachtige landschap.

Van Den Eede schrok op uit zijn overdenkingen door de stem van Elias, die nu over de waterput gebogen stond.

'Daarbeneden blinkt iets.'

Even later leunde iedereen over de stenen rand van de put die minstens vijf meter diep was en tot op de bodem droog stond. Maar niemand slaagde erin met zekerheid het glanzende voorwerp te herkennen. Volgens Tarik leek het op een soort medaillon, terwijl Elias er meer een klein rond doosje in zag.

'We zullen het rap weten', zei Olbrecht, die een kleine Zeiss-monokijker uit zijn rugzak haalde. Hij hield hem tegen zijn linkeroog en stelde de lens ervan scherp. 'Alle twee mis. 't Is een zakhorloge.'

'Een zakhorloge?' herhaalde Van Den Eede. 'Hoe komt dat daar?'

Olbrecht nam zijn klimgordel en begon een van de nylontouwen te ontrollen. 'Ziet ge wel dat het een goed idee was om mijn spullen mee te brengen', zei hij grinnikend.

De anderen keken hem en vervolgens elkaar geamuseerd aan. Nadat hij zijn gordel aan had getrokken, sloeg hij met een kleine hamer een klimhaak in de binnenkant van de put, bevestigde het touw eraan en haalde het vervolgens door een abseilacht, die ervoor moest zorgen dat er voldoende wrijving op het touw zou zitten tijdens het afdalen. Hij zette zijn helm op en gooide het nylontouw in de put.

'Opgepast!'

Soepel zwaaide hij zijn rechterbeen over de rand, daarna zijn linker. Hij maakte een halve slag linksom, greep met twee handen de putrand vast en zocht steun met zijn voeten, die hij een beetje uit elkaar plaatste om beter zijn evenwicht te kunnen bewaren. Toen verplaatste hij zijn handen één voor één naar het touw, terwijl hij langzaam achteroverleunde. Met kleine sprongetjes liet hij zich zakken. Naarmate hij vorderde, werd het koeler en vochtiger.

Hoewel er, waarschijnlijk door het aanhoudend warme weer, geen water in de punt stond, was de bodem erg drassig. Het stonk er verschrikkelijk. Een geur van verrotting deed hem naar adem happen. Hij trok een paar steriele handschoenen aan, nam zijn Maglite en scheen ermee op het zakhorloge, dat aan een ketting hing. Op het deksel stond, in reliëf, een afbeelding van een jager die op een hoorn blies, met een geweer op zijn rug. Hij was vergezeld van twee honden, die links en rechts van hem liepen.

Voorzichtig raapte Olbrecht het horloge op en klikte het open. Het was een Rodania die op een elfde – maar van welke maand? – om 22.46 uur stil was blijven staan. Aan de binnenkant van het deksel was een kalligrafische inscriptie gegraveerd: 'A.D. 1958'. Anno Domini, vroeg Olbrecht zich af, of waren het de initialen van Alain Desruelles?

Terwijl hij op zijn hurken zat, zag hij opeens dat de stenen wand van de put niet rondom doorliep. Op twee plaatsen vertoonde het metselwerk een grote, donkere opening.

'Alles oké daarbeneden, Rob?'

Het was de stem van Van Den Eede, die hol en galmend klonk. Toen Olbrecht opkeek, zag hij drie nieuwsgierige gezichten in de diepte turen. Het leek of zij veel verder van hem af stonden dan de vijf of zes meter die hij net was afgedaald. Alsof hij door de omgekeerde kant van een reusachtige verrekijker keek.

'Ik denk dat ik hier in de opgedroogde bedding van een onderaards riviertje sta', riep hij terug, terwijl hij het zakhorloge in een plastic bewijszakje opborg, dat hij vervolgens zorgvuldig dichtplakte en in zijn rugzak deed. 'Volgens mij is dat horloge van de eigenaar van die bungalow.'

Daarna boog hij nog wat meer door zijn knieën, schakelde de Maglite van puntlicht over op bundellicht en hield de lamp vlak voor de buisvormige tunnel, die na een paar meter dieper de grond in ging. De bruinachtige wand ervan was glad gepolijst door het water en blonk als onyxmarmer. Steunend op zijn ellebogen wrong hij zich als een speleoloog in het eerste, nog vlakke gedeelte van de smalle gang. Hij rilde even toen hij de kou en de nattigheid door zijn zomerse kleding heen voelde dringen.

De stank was nu bijna niet meer te harden. Het was een penetrante, misselijkmakende geur die hij al eerder had geroken en die hem bijzonder op zijn hoede deed zijn.

Toch schrok hij nog toen in het licht van zijn lamp het afgrijselijk opgezwollen en groenachtig verkleurde gezicht van een man opdook.

27

Het weer was die nacht plotseling omgeslagen. Vanuit het westen was een regenzone komen opzetten, die zich langzaam over de rest van het land verspreidde en de temperatuur met zo'n zevental graden had doen dalen. Van Den Eede arriveerde bijna een uur te laat in de Géruzet, omdat er die ochtend alweer problemen met Stijn waren geweest. Om de een of andere reden wilde hij vandaag niet naar school. Bij hem kon dat van alles zijn: iemand die hem de dag tevoren te lang had aangekeken, het gevoel dat hij was uitgelachen, een opmerking die hem in het verkeerde keelgat was geschoten...

Uiteindelijk bleek het te zijn omdat er vanmiddag een filmvoorstelling was gepland.

'Een film? Maar dat is toch plezant!' had Linda gezegd.

Stijn vond van niet.

'Is wél een getekende film, hé!' had hij verontwaardigd uitgeroepen. 'Die denk zeker ik zijt nog alsof een kind, ofwà!'

Waarna Linda hem geduldig had proberen uit te leggen dat er ook heel wat grote mensen waren die graag naar tekenfilms keken of stripalbums lazen. Maar dat ging er bij Stijn niet in. Ze had Van Den Eede met een stiekem hoofdknikje duidelijk gemaakt dat alles onder controle was en hij niet hoefde te blijven. Enigszins gerustgesteld door de ogenschijnlijk triviale reden van Stijns plotselinge schoolmoeheid – ook al wist hij dat zijn zoon zelfs van de kleinste mug een dolgedraaide olifant kon maken – was hij naar zijn werk vertrokken. Joppe had hem kwispelend en vol verwachting uitgeleide gedaan tot aan de Range Rover, maar toen hij zag dat zijn baasje niet van plan was hem mee te nemen, was hij teleurgesteld teruggelopen naar binnen. Van Den Eede had zich dubbel schuldig gevoeld. Van zijn voornemen om meer tijd met zijn gezin door te brengen was tot nu toe niets terechtgekomen.

Gehaast liep hij de trappen op en de gang door. Toen hij het kantoor binnenkwam, zag hij dat Elias opnieuw in zijn privédossier zat te lezen. Waarschijnlijk om geen argwaan te wekken vouwde hij het rustig weer dicht en legde het terug in zijn bureaula. Hoewel het Van Den Eede ergerde, zei hij er niets over omdat de anderen erbij waren.

Op het whiteboard hing een geprinte foto van het lijk in de waterput, dat onmiddellijk na zijn vondst aan de politie van de Zone Semois et Lesse was overgedragen. Ze hadden Lemaître dus vlugger dan verwacht teruggezien. Dat ze op eigen initiatief waren gaan rondneuzen op een plaats delict, had de hoofdinspecteur maar matig kunnen appreciëren. Toch was het bij een korte opmerking gebleven. Tenslotte hadden hij en zijn mannen bij hun onderzoek de waterput over het hoofd gezien.

'Het gaat inderdaad om Alain Desruelles', zei Olbrecht, terwijl hij het gemailde autopsieverslag erbij nam. 'Hij lag vermoedelijk al een paar weken in die put, die blijkbaar nog maar enkele dagen droog staat. Het lijk is waarschijnlijk meegesleurd door de stroming van dat onderaards rivierke, tot waar het is blijven vastzitten. Het slachtoffer was al dood toen het in die put werd gegooid. Neergeschoten, zo goed als zeker met hetzelfde wapen waarmee Tommelein werd vermoord.'

Van Den Eede knikte werktuiglijk. Eigenlijk had hij niets anders verwacht. Dat Van Sande, overal waar hij kwam, een spoor van dodelijke slachtoffers achterliet, maakte hem woedend. Het beetje medelijden dat hij met de moordenaar had gevoeld tijdens de begrafenis van zijn zoontje, was op slag verdwenen.

'Wat doen we nu?' vroeg Tarik. 'Die kerel kan ondertussen al weer de grens over zijn.'

'Dat denk ik niet', zei Van Den Eede, ook al kon hij niet zeggen waarom. Het was meer een intuïtie. 'Ik wil dat er zo rap mogelijk een camera wordt geplaatst aan het huis van Vanessa Michiels.'

Wim Elias keek hem verbaasd aan. 'Ge weet toch dat dat niet mag.'

'Kan me niet schelen', zei Van Den Eede.

'Ik bedoel maar, wat voor zin heeft het dan om daarvoor een aanvraag in te dienen?' verduidelijkte Elias. 'Dat is puur tijdverlies.'

'Dat ben ik ook niet van plan', antwoordde Van Den Eede. Waarna hij naar zijn gsm greep en een opgeslagen nummer opzocht. Al na enkele beltonen had hij verbinding. 'Bob, 't is hier de Mark, hé! Zeg, ik heb een jobke voor u. Zoudt gij een camera'ke kunnen zetten op nummer 142 in de Joseph Stevensstraat? Dat is in de buurt van de Grote Zavel, vlak naast een antiquair die zijn toonzaal vol heiligenbeelden heeft staan.'

Bob De Groof antwoordde blijkbaar iets wat Van Den Eede in de lach deed schieten. Maar daarna werd de commissaris onmiddellijk weer ernstig.

'Doet gij ook nog observaties…? Dat weet ik, maar dat is het 'm juist, wij mogen spijtig genoeg geen POSA-pelotons gebruiken… Nee, nee, ik begrijp dat ge 's nachts liever in uw bed ligt. Ge zijt ook al niet meer van de jongste, hé.'

Olbrecht stond met een scheef glimlachje te luisteren. Van Tariks gezicht viel niets af te lezen, maar Elias zat met gekruiste armen bedenkelijk voor zich uit te kijken.

'Oké, Bob, dat is goed. En ik mail direct een paar foto's van onze target door. Als hij op uw harde schijf staat, dan hoor ik het wel.' Waarna hij zijn gsm uitschakelde.

Tarik wilde weten wie 'den Bob' was.

'Iemand die vroeger bij een bewakingsfirma werkte, maar daarna voor zijn eigen is begonnen', antwoordde Olbrecht. 'Op zijn naamkaartje staat tegenwoordig "Audiovisueel deskundige". Dat klinkt natuurlijk veel chiquer dan nachtwaker...'

Van Den Eede begon tussen de papieren op zijn bureau te rommelen, tot hij vond wat hij zocht: het doodsprentje van Joeri Michiels. 'Wie gaat er mee naar de begraafplaats in Elsene?' vroeg hij aan niemand in het bijzonder.

'Wat gaat ge daar doen?'

'Misschien dat Van Sande vroeg of laat het graf van zijn zoon wil bezoeken', zei Van Den Eede. 'En aangezien Bob De Groof is gestopt met observaties, zullen we het zelf moeten doen.'

'Dat gelooft ge toch niet, dat die daar opduikt?' wierp Elias tegen. 'Naar de kerk is hij ook niet gekomen.'

'Weet gij misschien iets beters?'

Elias trok even een wenkbrauw op en zei toen droogjes dat hij nog werk te doen had. Waarna hij vlak onder de neus van Van Den Eede zijn privédossier opnieuw uit de bureaula haalde en opensloeg.

Van Den Eede, die geen zin had in een discussie, liet hem begaan.

'Ik wil wel meegaan', bood Olbrecht aan.

'Als 't voor u hetzelfde is,' zei Tarik tot Van Den Eede, 'dan hou ik Wim maar wat gezelschap.'

Van Den Eede bekeek hem een beetje wantrouwig. Had Elias Tarik, die per slot van rekening verstand had van forensisch onderzoek en laboratoriumwerk, in vertrouwen genomen en ingeschakeld bij de speurtocht naar de chauffeur die de dood van zijn vrouw op zijn geweten had?

Olbrecht stond ondertussen al op de gang te wachten.

'Oké', zei Van Den Eede, terwijl hij zijn jas van de stoelleuning greep. 'Tot straks dan.'

Tarik knikte. Elias keek niet eens op van zijn papieren.

Terwijl ze naar Elsene reden, vroeg Van Den Eede aan Olbrecht of Wim hem wel eens iets had verteld over wat er met zijn vrouw, Sofie, was gebeurd.

'Ik weet dat hij weduwnaar is,' antwoordde Olbrecht, 'maar voor de rest...'

Van Den Eede vatte kort samen wat hij ervan wist.

'Godverdomme! Maak dat mee.'

'Ik hoop alleen maar dat hij geen stommiteiten aanvangt.'

'Hoe bedoelt ge?'

'Door in zijn eentje die zaak te willen oplossen.'

'Waarom denkt ge dat?'

Van Den Eede keek Olbrecht zijdelings aan. 'Hij bewaart het dossier in zijn schuif – vraag me niet hoe hij eraan is geraakt, want dat weet ik niet – maar ik heb mijn rug nog niet gedraaid, of hij is ermee bezig.'

'Geef hem eens ongelijk.'

'Daar gaat het niet om! Ik begrijp heel goed dat hij die smeerlap achter de tralies wil zien zitten. Maar hoe ge het ook draait of keert, het is geen zaak voor ons. Wij zijn geen onderzoeksteam, wij jagen op voortvluchtigen.'

Daar was Olbrecht het mee eens.

'Ik mag er dus op rekenen dat ge hem mee een beetje intoomt als dat nodig zou zijn?'

Olbrecht leek even te twijfelen, maar knikte toen toch. Van Den Eede voelde zich opgelucht omdat dit gesprek, waaraan hij met tegenzin was begonnen, voorbij was.

Ze parkeerden de Range Rover in de Kroonlaan, bij de muur om de begraafplaats, vlak tegenover Trattoria Michelangelo. Toen ze uitstapten, keek Van Den Eede even naar het smalle, okerkleurige huis, waarvan de ramen op de tweede verdieping helemaal openstonden. Daarna gingen ze te voet verder naar de grote ingangspoort van het kerkhof. Bij de vergeelde plattegrond van de historische begraafplaats die achter glas tegen een muur hing, bleven ze staan.

'Waar is het juist dat we moeten zijn?' vroeg Olbrecht.

'Dat weet ik zelf niet', antwoordde Van Den Eede. 'Maar zo te zien liggen de meest recente graven daar rechts vanachter.' Met zijn wijsvinger volgde hij laan 2, die het eerste centrale ronde pleintje met het tweede verbond. 'Als we langs hier gaan, dan komen we er vanzelf.'

Ze volgden de brede toegangsweg, die was afgezoomd met bomen, struiken en twee kasseipaadjes, naar de rotonde waar vijf lanen samenkwamen. Het middelpunt van het pleintje bestond uit een cirkelvormig bloemperkje. Rondom was alles dichtgebouwd met grafmonumenten, het ene nog protseriger dan het andere. Verscholen achter een boom en een laurierhaag zat boven op een zerk een naakte treurende man in wit marmer. Zijn hoofd rustte op zijn opgetrokken knieën, waaromheen hij zijn beide armen had geslagen. Op de sokkel waarop hij zat, was de Davidsster afgebeeld.

Ze sloegen laan 2 in, waar twee zwarte arbeiders bezig waren de stoep te vegen.

'Kijk daar.' Olbrecht wees naar een roswitte poes die rustig lag te slapen op een bruingeaderde marmeren zerk.

Toen ze dichterbij kwamen, zagen ze dat het een porseleinen kat was. Op een gedenkplaatje stond de tekst 'Le ciel compte une étoile de plus: toi... À mon époux'. Van Den Eede bedacht dat sommige mensen – en niet alleen gelovige – de dood blijkbaar een plaats konden geven in het leven. Daar was hij tot nu toe niet in geslaagd. Alles aan de dood vond hij afgrijselijk: de onvermijdelijkheid ervan, de geur, de aanblik, ja, zelfs de idee op zich. Misschien had hij in zijn carrière al te veel verminkte lijken gezien?

Wat verderop passeerden ze het graf van de kunstenaar Marcel Broodthaers, die in 1976 op zijn tweeënvijftigste verjaardag was overleden. Hij lag onder een perkje goed onderhouden bloemen. Olbrecht vroeg grinnikend of ze hier niet beter een mosselpot op hadden kunnen zetten.

Bij de laatste rustplaats van Charles De Coster bleven ze even staan. Boven op de zerk stond een treurig kijkende Tijl Uilenspiegel die met beide handen, een beetje bedremmeld, zijn petje vasthield. Op het tweede ronde pleintje aangekomen, de Dodenakker der Martelaren genoemd, waaromheen gesneuvelde soldaten uit de Eerste Wereldoorlog lagen begraven, sloegen ze laan 18 in, die langs perk 6 liep, het deel van de begraafplaats dat nog in gebruik was. Heel wat graven lagen er desondanks scheef en schots bij. Hier en daar waren kruisen en bloempotten omvergevallen en was een stenen zerk scheefgezakt, alsof er zojuist een korte, maar hevige windhoos overheen was geraasd. Op een bordje stond te lezen dat de graven op perken 6 en 7 waarvan de concessie was verlopen, zouden worden geruimd, om plaats te maken voor andere doden. Hier ergens moest Joeri Michiels begraven liggen. Tenzij hij was gecremeerd. Het columbarium voor kinderen lag wat verderop achter een grasveld, gedeeltelijk verscholen achter bomen en struiken.

Van Den Eede liep naar de laatste rij graven, waarvan de

grond nog maar pas was omgewoeld. Daarachter hadden de grafdelvers al een vijftal nieuwe putten gemaakt, die voorlopig waren afgedekt met brede houten balken. Langzaam liep hij langs de houten kruisen met daarop handgeschreven namen en data. Halfweg de rij vond hij het kleine graf van Joeri Michiels, waarop een verdroogd boeket rozen in de vorm van een hart lag. Olbrecht kwam naast hem staan.

'Denkt ge echt dat Van Sande dat gaat riskeren?' vroeg Olbrecht.

Van Den Eede haalde zuchtend zijn schouders op. 'Ik weet het niet, Rob. Hij heeft geen afscheid kunnen nemen van zijn zoontje. Misschien dat dat vroeg of laat toch begint te knagen?'

'Als hij al opduikt, dan verwacht ik hem nog eerder bij Vanessa Michiels', meende Olbrecht.

'Dat horen we dan wel van Bob De Groof', zei Van Den Eede, terwijl hij in de richting van de Kroonlaan keek. De bovenste verdieping van Trattoria Michelangelo was van hier duidelijk te zien.

Volgens Van Den Eede moest het te doen zijn om van daaruit met een Swarovski-telescoop het graf van Joeri in het oog te houden.

'En hoe lang zoekt ge daarmee door te gaan, als ik mag vragen?'

'We, bedoelt ge', corrigeerde Van Den Eede. 'Om beurt twee man daarboven.'

'Ook 's nachts?'

Van Den Eede knikte. 'Vooral 's nachts. Of denkt ge dat iemand als Van Sande zich door dat muurke rond het kerkhof laat tegenhouden? Daar aan de kant van de Triomflaan is er blijkbaar niet eens een muur, alleen draad.' Hij keek naar de kantoren van Texaco Belgium, die boven de achterste bomenrij uittorende, maar oordeelde dat het gebouw te ver weg lag om als observatiepost te dienen. 'Gij en Orhan nemen straks de eerste shift.'

Olbrecht antwoordde dat hij vanavond eigenlijk een afspraak had.

'Die zult ge dan moeten afzeggen.'

Als Olbrecht had aangedrongen, dan zou hij waarschijnlijk zonder veel problemen hebben toegegeven om samen met Elias de eerste observatie te doen. Maar tot zijn verbazing protesteerde Olbrecht niet.

Toen ze op kantoor terugkwamen, was Elias er niet meer. Volgens Tarik was hij een halfuurtje geleden vertrokken, zonder te zeggen waar naartoe. Van Den Eede trok vloekend de la van Elias' bureau open. Het dossier lag er niet meer.

Hij greep naar zijn gsm en selecteerde het nummer van zijn hoofdinspecteur. Na vijfmaal bellen kreeg hij de voicemail aan de lijn. Zijn eerste impuls was om de verbinding te verbreken, maar hij bedacht zich en sprak toch maar een boodschap in.

'Wim, als ge op weg zoudt zijn naar degene die uw vrouw heeft doodgereden, wat ik vermoed, dan wil ik dat ge hem niet zelf arresteert, maar dat ge zijn naam en adres doorgeeft aan de lokale.' Hij liep naar de computer van Elias en zette hem aan. 'Bel mij zo rap mogelijk terug. En vang alstublieft geen vodden aan.'

Met een korte druk op de toets verbrak hij de verbinding. Vervolgens controleerde hij of Elias vanochtend op de Centrale Databank had ingelogd, waar hij mogelijk nieuwe informatie had gevonden. Dat bleek echter niet het geval.

'Dat dossier waar Wim mee bezig was,' begon Tarik, 'had dat misschien iets te maken met dat ongeluk van zijn vrouw?'

'Dat was een hit-and-run', zei Olbrecht. 'De dader is nooit gevonden.'

Tarik trok een bedenkelijk gezicht en beet op zijn onderlip. 'Ik dacht al dat er iets niet klopte...'

Van Den Eede keek hem gespannen aan. 'Waar hebt ge 't over?'

Tarik zuchtte en vertelde toen dat Elias hem een paar dagen geleden had gevraagd om een DNA-patroon dat werd gevonden op een plaats delict te vergelijken met recent opgeslagen profielen in de database van het NICC.

'En gij hebt dat gedaan?'

'Hij zei dat hij iets wilde controleren in verband met een dossier over een ontsnapte moordenaar. Dus ik dacht...'

Van Den Eede sloeg zo hard met zijn vuist op het bureaublad dat het bekertje met koffie dat erop stond omverviel. 'Godverdomme, Orhan! Hoe is dat nu mogelijk?'

Tarik keek zijn chef bedremmeld aan, terwijl hij met zijn rechterhand over zijn kin wreef. 'Ja, sorry...' was het enige dat hij kon uitbrengen.

Van Den Eede rechtte zijn rug en ademde diep in. 'En hebt ge een match gevonden?'

Tarik knikte. 'Het DNA werd indertijd uit een bloedstaal gehaald dat op de plaats van de misdaad, enfin, van het ongeluk werd aangetroffen. Maar als ge 't niet kunt vergelijken met dat van een mogelijke dader, dan hebt ge er natuurlijk niet veel aan.' Hij trok een bureaula open en haalde er een geprint blad uit waarop een naam en een adres waren geschreven. Er stond ook een foto op van een man van middelbare leeftijd met zwart krulhaar. 'Het profiel van deze gast werd onlangs aan de database van het NICC toegevoegd. Hij was betrokken bij een of andere diefstal met inbraak.'

Van Den Eede trok het papier uit Tarik zijn handen. 'Leo Smeyers. Een garagist uit Dworp.'

'Dworp?' riep Olbrecht. 'Is dat geen deelgemeente van Beersel, waar Wim woont?'

'Gij blijft hier, Orhan. Als Wim contact opneemt, zeg dan dat we onderweg zijn en dat hij geen stommiteiten doet.'

'Oké.'

Hij griste zijn autosleutels van zijn bureau en rende zo snel naar buiten dat Olbrecht moeite had om hem bij te houden.

Op de Ring namen ze afslag 20, naar Huizingen. Al na een paar honderd meter kwamen ze aan de Alsembergsesteenweg, een lange heuvelachtige straat. Olbrecht had zijn gsm aan zijn oor.

'Nog altijd zijn antwoordapparaat?'

Olbrecht knikte. Ze reden voorbij het Provinciedomein van Huizingen en passeerden vervolgens aan de linkerkant een grote vijver, waarachter het uitgestrekte Begijnbos lag.

'Rij eens wat trager, want het moet hier ergens zijn.' Olbrecht keek naar de huizen langs de weg. 'Daar staat zijn auto!'

Van Den Eede draaide de parking naast café De Voortgang in en reed tot vlak bij de zwarte PT Cruiser van Elias. Aan de overkant van de parkeerplaats bevond zich Garage Smeyers. Of althans wat ervan overbleef. Alle ramen van het vervallen gebouw waren ingegooid en de gevel was beklad met graffiti. Tussen het gebarsten beton van de oprit schoot het onkruid hoog op. Overal lag het vol auto-onderdelen, -banden en lege olieblikken. Onder een verroeste tank zag de grond zwart van de mazout die er ooit uit was gelekt.

'Ik denk niet dat hier nog veel volk over de vloer komt', zei Olbrecht.

Opzij van de garage liep een verharde weg met scheefgezakte klinkers. De ligusterhaag ernaast was lang niet meer gesnoeid en groeide wild naar alle kanten. Het pad leidde tot achter de garage, waar het wel een autokerkhof leek. Tientallen wrakken stonden er kriskras door elkaar. Sommige waren gedeeltelijk gedemonteerd. Een grijze kat lag op een motorkap te slapen. Ze hief lui haar kop op toen ze de twee mannen zag naderen. Wat verderop stond een klein woonhuis, dat er al even verwaarloosd als al de rest uitzag.

Ze liepen naar de voordeur, die half openstond. Van Den Eede duwde die voorzichtig verder open en ging als eerste naar binnen. Ze kwamen in een klein halletje vol rommel, vooral lege bierblikjes en flessen, oude kranten en tijdschriften. Het stonk er naar sigarettenrook. Onder de trap lagen een stapel gekliefde houtblokken en twee grote plastic zakken.

Vanuit de woonkamer klonk opeens de gedempte stem van een man. Olbrecht keek Van Den Eede vragend aan, die knikte. Rob greep de deurklink vast, bewoog die traag naar beneden en opende de deur.

De eerste die ze zagen, was Wim Elias, die bewegingloos op een stoel naar de grond zat te staren. In zijn rechterhand, die op zijn benen rustte, hield hij zijn Baby Glock vast. Achter de tafel, wat uit het zicht, lag Leo Smeyers. Hij zag lijkbleek en bloedde uit zijn neus. Met zijn linkerhand drukte hij er een zakdoek tegen. Hij miste het bovenste kootje van zijn pink.

'Wim?' vroeg Van Den Eede rustig, terwijl hij langzaam naar hem toe ging. 'Alles oké, Wim?'

Elias keek zijn chef aan, alsof hij hem pas nu opmerkte. Hij reageerde niet toen Van Den Eede voorzichtig het pistool uit de hand van de hoofdinspecteur nam en in zijn eigen zak stopte. Olbrecht hielp Smeyers overeind, die over zijn hele lichaam rilde.

Met een uitgestreken gezicht vroeg Olbrecht of hij misschien per ongeluk over iets was gestruikeld en gevallen.

Met een geroutineerde beweging veegde de cafébaas het overtollige schuim van het glas bier dat hij juist had getapt. Hij zette de drie pintjes op een dienblad en kwam ermee naar hun tafeltje. De Voortgang was een echt volkscafé, met houten krukjes aan de toog, vierkante tegels op de grond, een vogelpik aan de muur, een authentieke Kickervoetbaltafel en een tapbiljart. Er ontbrak alleen nog een jukebox met flikkerende lichtjes. De radio was afgesteld op een plaatselijke zender. Uit de luidsprekers klonk de stem van Will Tura. Onwillekeurig dacht Van Den Eede terug aan de tijd dat hij als kind met zijn ouders mee naar de kermis mocht. Het was of hij de smoutebollen opnieuw kon ruiken en de toeters en sirenes van de botsauto's kon horen. De spiegeltent, waaruit altijd een geur van verschaald bier opsteeg, was voor hem altijd verboden terrein gebleven en had daardoor iets geheimzinnigs gekregen, want daar gebeurden dingen die niet voor kinderogen waren bestemd. Later had hij vernomen dat uitgerekend die danstent de plaats was geweest waar zijn vader en moeder elkaar hadden ontmoet.

De waard zette voor ieder een pilsje neer en een schoteltje met pindanootjes. Het rekeningetje legde hij naast de pot sanseveria's. Vrouwentongen, zo noemde Van Den Eedes moeder die altijd. Er was een tijd dat de vensterbanken van heel Vlaanderen er vol mee stonden.

Zwijgend dronken de drie mannen van hun bier. Olbrecht veegde het schuim op zijn bovenlip met de rug van zijn hand weg en neuriede zachtjes mee met Will Tura. 'Draai dan 797204...'

Van Den Eede nam nog een klein slokje, zette zijn glas op tafel en keek afwachtend naar Elias, die diep in gedachten leek verzonken. 'Wat is er daarstraks gebeurd, Wim?'

Elias sloeg zuchtend zijn ogen op. Een uitgedoofde blik, die Van Den Eede deed denken aan de levenloze ogen van Erik Rens.

'Wij maken jacht op criminelen en moordenaars', mompelde Elias met een doffe stem. 'Maar het scheelde geen haar of ik was er zelf een geweest.'

Olbrecht hield op met neuriën. Hij had zijn glas losjes vast en draaide het langzaam rond, alsof er geen bier maar wijn in zat.

'Ik wist niet dat een mens zo gemakkelijk tot zoiets in staat is.'

'Blijkbaar toch niet,' zei Van Den Eede, 'want ge hebt het uiteindelijk niet gedaan.'

Op het gezicht van Elias verscheen een wrange glimlach. Beschaamd wendde hij zijn ogen af. 'Hij ook niet...' antwoordde hij, amper verstaanbaar.

Olbrecht keek hem verbaasd aan. 'Hoe bedoelt ge?'

'Leo Smeyers zat wel in de auto die Sofie heeft aangereden, maar niet aan het stuur.'

'Wie dan wel?'

Elias greep zijn bierglas met twee handen vast, leunde vermoeid achterover en keek even naar het plafond voordat hij antwoordde. 'Smeyers was al twee keer veroordeeld voor rijden onder invloed. De volgende keer riskeerde hij een gevangenisstraf.' Hij aarzelde. 'Ook die dag had hij weer te veel op. Daarom had hij zijn sleutels afgegeven aan zijn vijftienjarige zoon...'

Van Den Eede en Olbrecht leken beiden van de hand Gods geslagen.

'Na het ongeluk' – Elias had zichtbaar moeite om dat

woord uit te spreken – 'zaten de bumpers van de twee auto's in mekaar vast. Smeyers heeft die, met zijn zatte botten, uiteengetrokken, maar raakte daarbij zelf gewond aan zijn linkerhand. Zijn bloed werd later op de auto van Sofie gevonden. Maar zonder vergelijkingsmateriaal leverde dat natuurlijk niks op.'

Uit de luidsprekers klonk een schlager van André Hazes. Van Den Eede vroeg waar die jongen nu was.

'Die woont ondertussen bij zijn moeder.' Elias keek wezenloos door het raam naar buiten. 'Ik heb niet gevraagd waar dat is.'

'En wat nu?' vroeg Van Den Eede.

De ander haalde zijn schouders op en dronk zijn pint leeg. 'Niks. Ik wilde weten wat er die dag juist is gebeurd. Dat weet ik nu. Voor mij stopt het hier.'

Van Den Eede kon een zucht van opluchting amper onderdrukken.

'Tenzij natuurlijk Smeyers een klacht tegen mij indient wegens huisvredebreuk...'

'Hij moest, godverdomme, eens durven!' riep Olbrecht. 'Ik garandeer u dat hij er dan niet met een bloedneus van af zal komen.'

Ondanks de geladen situatie schoten ze alle drie in de lach. Van Den Eede stak zijn lege pint omhoog en gebaarde dat het volgende rondje mocht komen.

28

Mark Van Den Eede sliep slecht die nacht. Boven Grimbergen woedde een hevig onweer en de regen viel met bakken uit de lucht. Het waren weliswaar niet in de eerste plaats donder en bliksem die hem wakker hielden, maar wel zijn gsm die naast hem op het nachtkastje lag. Ieder moment verwachtte hij een oproep van Olbrecht of Tarik, die zich op de bovenste verdieping van Trattoria Michelangelo hadden geïnstalleerd, van waaruit ze de begraafplaats van Elsene in de gaten hielden. Al was de kans dat Kurt Van Sande bij dit weer het graf van zijn zoontje zou bezoeken, niet erg groot.

Voor de zoveelste keer keek Van Den Eede naar de cijfers van de digitale klok. Twintig voor drie, en hij had nog geen oog dichtgedaan. Zuchtend ging hij op zijn rug liggen, met zijn armen onder zijn hoofd gevouwen. Hij ademde diep in tot zijn middenrif bijna op springen stond, tuitte zijn lippen en liet vervolgens de lucht, vanuit zijn buik, langzaam weer naar buiten stromen. Doorgaans ontspande hij ervan en soms hielp het zelfs om in slaap te komen. Maar nu werd hij er alleen maar duizelig van.

Een nieuwe bliksemflits, bijna meteen gevolgd door een rommelende donderslag, zette de kamer enkele ogenblikken in lichterlaaie. Beneden hoorde hij Joppe een paar keer blaffen. Vorige week was Van Den Eede gaan praten met de oude boer van wie de weide naast hun huis was. Hij had hem voorgesteld om die te huren, zodat hij er schapen op kon zetten om met Joppe te trainen. De landbouwer zou erover nadenken en hem binnenkort iets laten weten.

Sneller dan het licht waarmee de bliksem de hemel doorkliefde, schoten Van Den Eedes gedachten heen en weer. Het was een carrousel die hij, toen die eenmaal op gang was gekomen, nog moeilijk kon stoppen. Hoe hard hij ook zijn best deed om het te onderdrukken, toch kwam hij telkens bij Wim Elias uit. Zou hij Smeyers echt hebben neergeschoten als die niet had bekend wat er op de dag van het dodelijke ongeval was gebeurd? Hij vroeg zich af of ook hij tot zoiets in staat zou zijn als Linda iets dergelijks zou overkomen. Zat er echt diep in iedereen een moordenaar verscholen, die zijn ware gelaat zou tonen zodra er maar genoeg negatieve omstandigheden waren om de fatale knop in te drukken? Onrecht en straffeloosheid, zo wist Van Den Eede ondertussen maar al te goed, waren sterke prikkels om een, zelfs van nature zachtaardig, mens plotseling in een monster te doen veranderen.

Natuurlijk had hij wat er vandaag was gebeurd, moeten rapporteren. Maar omdat hij wist dat het zo goed als zeker tot de schorsing of misschien zelfs het gedwongen ontslag van Elias zou leiden, had hij besloten om het niet te doen. Of was dat hypocriet, en wilde hij vooral het team niet in diskrediet brengen? Want voor de tegenstanders van het FAST was wellicht iedere reden goed om de eenheid stilzwijgend op te doeken of financieel en logistiek zo te kortwieken dat ze nog amper operationeel kon zijn.

Opnieuw keek hij naar de klok. De rode cijfers lichtten venijnig op in de duisternis. Momenteel voelde hij zich zo fit dat hij gerust zou kunnen opstaan en gaan werken. Maar morgenvroeg zou hij een wrak zijn. Met de moed der wanhoop draaide hij zich op zijn linkerzijde. Hij sloot zijn ogen en begon de schaapjes te tellen die binnenkort misschien in de weide naast het huis zouden grazen.

Toen hij, met lichte hoofdpijn, het bureau binnenkwam, waren Tarik en Olbrecht er nog niet. Die hadden ongetwijfeld nog een slechtere nacht dan hij achter de rug. De gedachte dat hij, samen met Elias, vanavond aan de beurt was om in Elsene boven een Italiaans restaurant te kamperen, deed zijn humeur geen goed.

Elias, die met een bekertje koffie in zijn hand door het raam naar buiten stond te kijken, keerde zich om. Hij zag er merkwaardig uitgerust en ontspannen uit, alsof er na de gebeurtenissen van de vorige dag een last van zijn schouders was gevallen. Van Den Eede merkte dat het dossier over het vluchtmisdrijf boven op een stapeltje mappen lag dat niet als dringend werd beschouwd.

Elias zei dat Tarik daarnet had gebeld om te zeggen dat er vannacht niks speciaals was gebeurd en dat ze vandaag iets later zouden zijn. Van Den Eede glimlachte terwijl hij zijn PME Legend-pilotenjack over de rugleuning van zijn stoel hing. Elias ging naar het koffieapparaat en schonk een tweede bekertje koffie in, dat hij aan Van Den Eede gaf.

'Merci.'

Zonder dat er werd aangeklopt, zwaaide de deur open. Als een plots opgestoken windvlaag kwam Bob De Groof, een geblokte kerel met een stevige bos grijs haar, de kamer binnenwaaien.

'Goeiemorgen.'

'Hey, den Bob!'

Beide mannen drukten elkaar stevig de hand.

'Kent gij hoofdinspecteur Wim Elias?'

'Al wel eens van gehoord', zei De Groof, terwijl hij ook Elias breed glimlachend de hand schudde.

Ondanks zijn 63 jaar was hij één brok benijdenswaardige energie. Aan een riem over zijn schouder hing een leren tas. De Groof legde die op tafel en ritste hem meteen open. Hij haalde er een externe harde schijf en een laptop uit, die hij vervolgens via een usb-kabeltje met elkaar verbond.

'Voilà, de voorstelling kan beginnen!'

'Staat er ook iets op wat de moeite loont?' vroeg Van Den Eede laconiek.

'Ik heb met *timelapse* opgenomen', legde De Groof uit. 'Dat wil zeggen dat de camera alleen werkt wanneer er bewegingsdetectie is. In de Joseph Stevensstraat is veel *begankenis*, zoals ge weet. Dus in het eerste deel van de avond staat er nogal wat volk op, dat begrijpt ge wel. Rond middernacht mindert dat. Vanaf zes uur 's morgens komt alles weer op dreef, en om acht uur is het opnieuw volle bak.'

De deur zwaaide open, en Olbrecht en Tarik kwamen luidruchtig pratend binnen.

'Ziet ge wel dat het den Bob is!' riep Olbrecht. 'Ik herkende uw camionette al van ver.' Ze gaven elkaar een high five, waarna Olbrecht Tarik aan hem voorstelde. 'Hij rijdt nog altijd rond met die reclame voor Europremium-hondenbrokken op zijn schuifdeur!'

'Ik heb er een tijdje "BVBA Louis Smolders – Sanitair en Loodgieterij" op gezet', zei De Groof, terwijl hij met zijn twee handen aangaf hoe groot die letters wel waren geweest. 'Maar dat heeft niet lang geduurd. Als ik ergens geparkeerd stond, met mijn auto vol opname- en afluisterapparatuur, dan was er altijd wel iemand die op mijn raam kwam kloppen, om te vragen of ik niet efkens naar een lekkend kraantje of een kapotte wc kon komen kijken!'

'Mij moogt ge anders direct een paar zakken hondenvoer verkopen', grapte Van Den Eede.

Zijn hoofdpijn was ondertussen zo goed als verdwenen

en hij voelde zich minder moe dan toen hij opstond. Nadat ze waren uitgelachen, startte De Groof het videoprogramma.

'Om het u gemakkelijk te maken, heb ik de resultaten al wat gefilterd.'

Op het scherm zagen ze, in zwart-wit, een klein stukje van het antiquariaat en de deur naar het appartement van Vanessa Michiels. Iedereen werd meteen weer serieus. Onder aan het beeld liep een tijdscode. Van Den Eede keek er gespannen naar. Waarschijnlijk had De Groof dat gemerkt, want hij zei dat Kurt Van Sande, spijtig genoeg, vannacht niet was komen opdagen.

'Maar er is wel iemand anders te zien', voegde hij eraan toe, terwijl hij naar de tijdscode onder aan het computerscherm wees, die nauwkeurig was tot op een duizendste van een seconde. '24.09 uur. Nu goed kijken, hé.'

De deur ging open en Vanessa Michiels kwam buiten met een reiskoffer in haar hand. Ze keek aandachtig om zich heen en liep toen in de richting van de Grote Zavel.

'Wel, wel...' mompelde Van Den Eede, terwijl hij geconcentreerd naar de beelden staarde. 'Die muist er vanonder.'

'Wacht efkens, want 't is nog niet gedaan', zei De Groof. Hij drukte op de dubbele pijltjes van het vooruitspoelicoontje. 'Er staat onderweg nog ergens een koppeltje op dat mekaar staat af te likken', grinnikte hij. 'Maar dat zal u wel niet interesseren, zeker?'

'Zolang het mijn vrouw maar niet is', antwoordde Van Den Eede, iets waar hij onmiddellijk spijt van had toen hij aan Elias dacht, die naast hem stond.

Maar die kon er blijkbaar om lachen.

De Groof stopte met verderspoelen toen de tijdscode bijna 6.20 uur aangaf. Op het scherm verscheen opnieuw

Vanessa Michiels die thuiskwam, maar nu zónder koffer. De Groof vertraagde het beeld toen ze de huissleutel in het slot stak en om zich heen speurde.

'Spoel eens terug', riep Van Den Eede.

De Groof deed het, beeld voor beeld.

'Oké, stop.'

Het was precies op het moment dat ze haar hoofd schuin omhooghield en als het ware recht in de lens keek.

'Kunt ge op haar gezicht inzoomen, Bob?'

Enkele seconden later vulde het gelaat van Vanessa Michiels het hele scherm. Iets in haar blik wekte Van Den Eedes argwaan op. In haar ogen stond angst te lezen.

'Ik kan natuurlijk niet garanderen dat ze vannacht weer op stap gaat', zei De Groof. 'Maar als ik u was, dan zou ik toch maar eens op de loer gaan liggen. Dat madammeke dat er recht tegenover woont, zet trouwens prima koffie!'

'Dat hebben wij vannacht niet gekregen', bromde Olbrecht. 'Zelfs geen glas water.' Waarna hij met wijdopen mond begon te geeuwen.

Elias vroeg zich af wat er in die koffer zat en waar ze die naartoe had gebracht.

'Wie met valiezen rondloopt, heeft gewoonlijk reisplannen', zei Van Den Eede. 'En ik betwijfel of ze in haar eentje wil vertrekken...'

In de Range Rover hing de vette geur van frieten met mayonaise en kaaskroketten, die Elias aan een kraam op de Kapellemarkt was gaan halen. De auto stond schuin tegenover het appartement van Vanessa Michiels geparkeerd. Van Den Eede had het beter gevonden om van hieruit te observeren, in plaats van opnieuw bij de woning aan de overkant te gaan aankloppen. Zo spaarden ze tijd als er iets onverwachts zou gebeuren. Hij vroeg zich af of hij het met Elias nog over gisteren moest hebben, maar het was of die zijn gedachten raadde.

'Ik wil u nog bedanken', begon hij. 'Omdat ge geen rapport hebt gemaakt. Dat zou het einde van mijn carrière zijn geweest.'

Van Den Eede knikte en stak vervolgens de laatste frieten in zijn mond. Daarna verfrommelde hij het kartonnen bakje en stopte het terug in het plastic zakje.

'Eén vraag', zei hij. 'Zoudt ge echt hebben geschoten?'

Elias leunde achterover en zuchtte.

'Ik weet het niet, Mark.' Hij leek na te denken. 'Misschien als hij anders had gereageerd. Als hij alles had ontkend of had gelogen, of zo. Ik denk wel dat ik dan...' Hij rondde zijn zin af met een hulpeloze beweging. 'Och ja, wraak, gerechtigheid... ik weet het allemaal niet.'

'Met het eerste is op zich niks mis', zei Van Den Eede. 'Ook al vinden de meeste moraalridders van wel, toch is het een heel menselijk gevoel. Dieren nemen geen wraak. Het tweede, dat is wat anders.' Hij aarzelde. 'Misschien klinkt wat ik nu ga zeggen ook nogal moraliserend,' zei hij, 'maar een maatschappij waarin wraak nemen niet meer mag, omdat politiek en gerecht zogezegd een georganiseerd en bij wet vastgelegd alternatief hebben, mag van die instanties toch iets terugverwachten, niet? Dat ze hun job doen bijvoorbeeld, en dat ze die góéd doen!' Hij voelde dat hij zich begon op te winden. 'Maar nee, er is altijd wel iets: ze hebben te weinig computers of mensen in dienst, de procedures zijn te ingewikkeld en soms zelfs belangrijker dan bewijsmateriaal. Arrogante rechters die denken dat ze God de Vader zijn, straffen die niet worden uitgevoerd omdat er geen plaats is in de gevangenis... Dát is, godverdomme, pas wraakroepend!' Toen hij merkte hoe Elias naar hem zat te kijken, voelde hij zich opeens wat gegeneerd. 'Ja, sorry, maar als ik daarover begin, dan ben ik niet meer te houden.'

'Ik merk het', glimlachte Elias. 'Misschien helpt het als iemand af en toe eens een "onrechtvaardige rechter" afschiet, zoals onlangs?'

'Dan zullen ze nog werk hebben...'

Het werd stil in de Range Rover. De schemering begon te vallen, hier en daar ging licht aan achter de ramen, en de drukte op straat verminderde.

Van Den Eede boog zich opeens voorover en keek in zijn linker zijspiegel. 'Ik denk dat ze daar is!'

Elias greep naar de achteruitkijkspiegel en draaide die tot ook hij zicht had op de stoep aan de overkant. Het was inderdaad Vanessa Michiels die uit de richting van de Kapellekerk kwam.

'Laten we hopen dat ze van haar werk komt, en niet van bij Van Sande', zei Elias. 'Want anders hebben we hier voor niks gezeten.'

Ze lieten zich allebei een beetje onderuitzakken toen Vanessa hen passeerde. Zonder op of om te kijken opende ze de voordeur en ging naar binnen. Even later ging op de eerste verdieping het licht aan.

'Wat doen we nu?'

'Wat we al de hele namiddag doen', antwoordde Van Den Eede. 'Wachten.'

Hij draaide de contactsleutel in de eerste stand en zette de radio zachtjes aan. Er klonk rauwe bluesmuziek. 'Stop breakin' down...'

'Van Robert Johnson', zei Elias. 'Maar dan in een versie van Eric Clapton. Die van The Stones is trouwens ook niet slecht.'

Van Den Eede keek met opgetrokken wenkbrauwen naar zijn hoofdinspecteur. 'Ge schijnt er veel van te kennen. Toen ik u de eerste keer in de Géruzet zag, waart ge ook naar blues aan 't luisteren.'

'Ge moest mijn platen- en cd-collectie eens zien.' Elias

glimlachte. 'Van Muddy Waters en Elmore James tot Chicken Shack.'

Van Den Eede zei dat hij er ook wel eens naar luisterde, maar dat hij nog liever jazz hoorde.

'Pas op, niet van dat freestyle gedoe, hé. Geef mij maar een goei melodie. Iets wat ge kunt meefluiten.'

Hij deed het raampje aan zijn kant een tiental centimeter naar beneden om de frietlucht weg te krijgen. Op de eerste verdieping zag hij Vanessa Michiels aan het raam verschijnen. Ze keek naar buiten, ook even in de richting van de Range Rover. Toen was ze opeens weer verdwenen. Een paar minuten later doofde het licht in het appartement. Toen Vanessa naar buiten kwam, had ze opnieuw een koffer en een reistas vast, die ze neerzette om de deur te kunnen afsluiten. Voordat ze haar tas weer oppakte, deed ze een stap achteruit en keek nog even omhoog naar het donkere raam.

'Als ge 't mij vraagt, is die afscheid aan het nemen', mompelde Van Den Eede.

Hij sloot het raampje en trok de sleutel uit het contact. Ze gaven Vanessa een voorsprong van een twintigtal meter, terwijl ze vliegensvlug hun kogelvrije vesten aantrokken, en gingen haar dan achterna. Ze voelde zich duidelijk niet op haar gemak. Geregeld keek ze om zich heen en soms ook achterom, zodat Van Den Eede en Elias voortdurend op hun hoede moesten zijn. Vanessa kende hen immers.

Ze liep voorbij chocolatier Pierre Marcolini naar de Grote Zavel, volgde de linkerkant van de rotonde en sloeg vervolgens de Strostraat in, waar ze even stopte om de koffer en de reistas van hand te wisselen. Daarna liep ze door naar een derderangshotelletje dat geprangd zat tussen een Argentabankfiliaal en een oud appartementsgebouw. De smalle gevel van het hotel, dat drie verdiepingen telde, was opgetrokken uit lichtbruine Fleur de Bruyère-façadesteen en had grote witgeschilderde ramen met dunne glasgordijnen. Vanessa Michiels keek nog even rond voordat ze naar binnen ging. Van Den Eede had zijn gsm al vast en belde Olbrecht op. Hij vroeg hem om zo snel mogelijk naar Hôtel de l'Etoile in de Rue de la Paille te komen.

'De kans dat het target daarbinnen zit, is groot.'

Olbrecht antwoordde dat ze er over tien minuten waren.

'En wat doen wij ondertussen?' vroeg Elias.

Van Den Eede gaf hem de sleutel van de Range Rover. 'Gij gaat de auto halen, terwijl ik daarbinnen mijn licht eens ga opsteken.'

De receptie van het logement was klein en donker, en het rook er bedompt. Aan de balie, waarachter zich een smalle doorgang bevond, zat een man met een oosters uiterlijk *La Dernière Heure* te lezen. Naast hem stond een draagbare televisie die op een sportzender was afgestemd, waarop een boksmatch aan de gang was. Aan de muur hing een versleten houten rek waarin tientallen sleutels aan genummerde haakjes hingen.

Nog voordat de receptionist overeind kwam, had Van Den Eede zijn legitimatiekaart al getoond. De man knikte argwanend en vroeg in het Frans wat hij wilde. Van Den Eede haalde een foto van Kurt Van Sande tevoorschijn en legde die op de balie, die vol vlekken en krassen zat.

'Il loge ici?'

De man bekeek de foto vluchtig en haalde vervolgens onverschillig zijn schouders op. 'Sais pas.'

Van Den Eede greep de foto vast en duwde hem vlak onder het gezicht van de receptionist. 'Oui ou non?'

De man liet zijn mondhoeken zakken, terwijl hij zijn twee handen plat op de balie legde en Van Den Eede stoïcijns aankeek.

'Bon', zei Van Den Eede kortaf. Hij haalde zijn gsm uit zijn jas en deed of hij een nummer opzocht. 'L'Office des Étrangers, ça vous dit quelque chose?'

De receptionist kneep zijn reptielachtige oogjes nog wat meer samen. Van Den Eede drukte de toets van zijn voicemail in. 'J'espère pour vous que tous vos clients ont un permis d'séjour.'

Even leek het alsof de man ging volharden in zijn starre houding. Maar toen kwam er een barst in zijn oriëntaalse onverstoorbaarheid. Hij vroeg of hij de foto nog eens mocht zien.

Van Den Eede verbrak met een sarcastisch glimlachje de verbinding en legde de foto terug op de balie.

'Oui', knikte de receptionist met een korte hoofdbeweging. 'Il a une chambre ici.'

'Numéro?'

'Quinze. Au deuxième.'

'Où se trouve la chambre, face avant ou sur l'arrière?'

De kleine, groezelige man wees naar de achterkant van het hotel.

Door de dubbele glazen deur zag Van Den Eede aan de overkant bijna gelijktijdig Elias achter het stuur van de Range Rover en Olbrecht op zijn Harley arriveren. Tarik zat achterop.

Van Den Eede stak waarschuwend zijn wijsvinger naar de receptionist uit. 'Pas un mot. Compris?'

Hij stak de straat over en liep naar Olbrecht en Tarik, die inmiddels hun helm hadden afgezet en deze opborgen in de koffers die links en rechts achter aan de motor waren bevestigd. Hij kon zien dat ook zij onder hun jas een kogelvrij vest droegen.

'Target zit op de tweede verdieping, in kamer vijftien, samen met Vanessa Michiels.'

Hij kon zelf amper geloven wat hij zei. Zijn vorige confrontatie met Van Sande was ondertussen bijna negen maanden geleden. Zo lang keek Erik Rens hem in zijn dromen al met een levenloze blik aan.

'Gaan we erop af?' vroeg Olbrecht, die blijkbaar stond te popelen om erin te vliegen.

Van Den Eede schudde van nee. ''t Is beter dat we hier wachten tot ze zelf naar buiten komen.'

Even overwoog hij om het SIE in te schakelen, maar hij liet die gedachte meteen weer varen. Dit was iets wat ze zelf moesten doen.

Ze liepen met z'n drieën naar de Range Rover. Elias had inmiddels de mobiele carkit geactiveerd, waarmee ze via het beveiligde ASTRID-netwerk met elkaar konden communiceren. Hij gaf iedereen een TETRA-terminal, die er een beetje als een ouderwets gsm-toestel uitzag, en een oortje. Toen ze daarmee klaar waren, keek iedereen afwachtend naar Van Den Eede.

'Gij wacht binnen in 't hotel', zei hij tegen Olbrecht. 'Geef een seintje als target naar buiten komt. En hou die vent aan de balie in 't oog, want ik vertrouw die voor geen haar.'

Olbrecht knikte en stak de straat over. De rest kroop in de Range Rover, waar het nog altijd naar frieten rook.

Het volgende uur werd er amper gesproken. Tweemaal had iemand het hotel verlaten en één keer was er een vrouw naar binnen gegaan, die eruitzag als een goedkoop hoertje. Waarschijnlijk was ze dat ook.

'Zou het kunnen dat hij ons heeft gezien?' vroeg Tarik.

Van Den Eede betwijfelde dat. Daarna werd het weer stil in de auto. Tot er om 21.32 uur een melding van Olbrecht kwam: targets hadden uitgecheckt en een taxi besteld. De mededeling deed de concentratie en de adrenaline bij iedereen in de Range Rover pieken.

'Oké', zei Van Den Eede, terwijl hij zijn zwart gematteerde Baby Glock tevoorschijn haalde en nog eens extra controleerde. Hij trok de stalen slede achteruit, waardoor de eerste van de negen patronen in de kamer werd geladen. Eigenlijk had het magazijn plaats voor tien 9mm-patronen, maar die laatste kreeg hij er nooit in geduwd. 'Wacht op mijn teken.'

Vanessa Michiels kwam als eerste naar buiten. Zij droeg een van de koffers en de reistas. Toen verscheen Kurt Van Sande in de deuropening. Hij had ook een koffer vast, en een zwart koffertje. Het was de eerste keer dat Van Den Eede hem van zo dichtbij zag. De vorige keer was hij niet meer dan een vage schim geweest.

Net op het moment dat Van Den Eede zijn go wilde geven, verscheen om de hoek een moslimvrouw die een kinderwagen voortduwde.

'Godverdomme!'

'Wat nu?' vroeg Tarik. Zijn stem klonk gespannen.

Volgens Elias zat er niks anders op dan te wachten tot ze weg was.

'En wat als ondertussen die taxi arriveert?' zei Van Den Eede. 'Als ze daarin zitten, kunnen we het wel vergeten!'

De vrouw met de kinderwagen was ondertussen tot op een twintigtal meter genaderd. Van Den Eede beet op zijn onderlip. Zijn ogen schoten nerveus heen en weer tussen de naderende vrouw en Van Sande, die schijnbaar doodkalm naast Vanessa Michiels stond.

'We moeten wachten, Mark', herhaalde Elias. 'Het is te gevaarlijk!'

Van Den Eede besefte dat Elias gelijk had, maar wist ook dat ze deze kans niet voorbij konden laten gaan. De taxi zou het stel waarschijnlijk naar Zaventem of naar een of ander treinstation brengen, waar geen interventie meer mogelijk was.

'Sorry, Wim', zei hij. 'Maar 't is nu of nooit.'

Via de radio, zodat ook Olbrecht het kon horen, gaf hij het teken om tot actie over te gaan.

De portieren zwaaiden open. Met getrokken wapens stormden de mannen van het FAST de straat over.

De verrassing was compleet. Niet alleen Vanessa Michiels, maar ook Kurt Van Sande stond als aan de grond genageld. De moslimvrouw met de kinderwagen keek geschrokken naar wat zich daar vlak voor haar neus afspeelde.

Olbrecht verscheen in de deuropening van het hotel en nam de basisschiethouding aan.

Van Den Eede brulde onophoudelijk naar Van Sande dat hij zich moest overgeven en zijn handen op zijn hoofd leggen. 'Nú, of we schieten!' Het was een techniek die hij indertijd bij het SIE tientallen keren had ingeoefend. Het dreigement of wat hij riep deed er eigenlijk niet zoveel toe, het kwam er vooral op aan zo hard mogelijk te brullen, om de verwarring alleen maar groter te maken.

Vanessa Michiels gehoorzaamde werktuiglijk en leek vervolgens te bevriezen van de schrik. Met wijd opengesperde ogen keek ze naar de pistolen die op haar waren gericht.

Kurt Van Sande reageerde helemaal anders. Hij hief langzaam zijn beide armen op met de handpalmen naar voren, en deed toen iets wat Van Den Eede nooit had verwacht.

Hij begon geluidloos te lachen.

Olbrecht greep hem van achteren bij zijn linkerarm vast, trok die naar beneden en klikte zijn pols in een handboei. Daarna deed hij hetzelfde met Van Sandes rechterarm. Op geen enkel moment bood de gangster weerwerk. Olbrecht sleurde hem mee en duwde hem met zijn gezicht tegen de muur, waarna Tarik hem dadelijk begon te fouilleren. In de binnenzak vond hij een geladen Heckler&Koch-USP-pistool.

Met een luide knal vloog de kurk tegen het plafond. Uit de hals van de champagnefles borrelde witparelend schuim op. Van Den Eede vulde de fluitglazen tot ze overliepen en bracht vervolgens een toost op het FAST uit, iets wat door de anderen op geestdriftig gejuich werd onthaald. Zelfs Orhan Tarik dronk mee.

De debriefing had amper tien minuutjes geduurd. De speurders van het FAST hoefden immers geen uitvoerige rapporten of processen-verbaal van hun acties op te stellen. Dat was volgens Olbrecht een van de belangrijkste redenen om er deel van uit te maken. Na zijn arrestatie hadden ze Kurt Van Sande aan procureur Thierry Bylemans overgeleverd, die hem voorlopig naar de gevangenis van Vorst had laten overbrengen. In het zwarte koffertje dat hij bij zich droeg, hadden ze het meeste van het gijzelingsgeld teruggevonden. Van Sande had ook twee vliegtickets naar Punta, in de Dominicaanse Republiek, op zak. Vanessa Michiels was in voorlopige hechtenis genomen. Onderzoeksrechter Sandy Moerman zou morgen beslissen wat er met haar moest gebeuren. Het was nog maar de vraag of zij zich aan iets strafbaars schuldig had gemaakt.

Toen de tweede fles champagne bijna leeg was, voelde Mark Van Den Eede zich treurig worden. Misschien kwam het door de drank of door de melancholische klank van de semi-akoestische L5-Gibson-gitaar van Philip Catherine, die uit de radio-cd-speler van Wim Elias kwam. Hij had voor één keer eens geen bluesmuziek opgezet.

Van Den Eede dronk zijn glas leeg, zette het op zijn bureau en keek op zijn horloge. 'Ik denk dat ik maar eens naar huis ga, jongens.'

'Er ligt hiernaast anders nóg een fles in de frigo', zei Olbrecht.

Maar Van Den Eede liet zich niet overhalen. Voor hem was

het genoeg geweest. Hij bedankte iedereen nog eens voor zijn inzet van de voorbije dagen en wenste hun een goed weekend toe. De kale gloeilampen die de lange, troosteloze gang en traphal verlichtten, gaven hem opeens het gevoel dat hij in een mortuarium rondliep.

De buitenlucht deed hem even huiveren. De zomer liep op zijn einde en de avonden werden stilaan koeler. Van Den Eede klikte zijn Range Rover open en stapte in. Toen na een halve minuut het licht in de auto doofde, als een kaars die uitging bij gebrek aan zuurstof, had hij de motor nog niet gestart. Hij leunde achterover tegen de hoofdsteun, sloot zijn ogen, en wachtte.

Vanuit de duisternis in en rondom hem dook het gezicht van Erik Rens op. Hij keek hem deze keer echter niet aan met die kille glazen blik die Van Den Eede al maandenlang achtervolgde. In zijn ogen schemerde een warme, zachte gloed.

Hij glimlachte.

EPILOOG

Hoewel het vroor dat het kraakte, was de lucht helblauw en scheen de zon. Mark Van Den Eede leunde op een lange, stevige stok die hij een beetje schuin in de grond had geplant. Hij keek geconcentreerd toe terwijl Joppe aan zijn *outrun* begon, die hem achter de schapen moest brengen. De kudde stond aan de andere kant van de wei te grazen. Het was een streling voor het oog om de Border collie in een wijde boog op zijn doel te zien afgaan. Naarmate hij de schapen naderde, hield hij zijn kop steeds dichter bij de grond.

'Lie down!' riep Van Den Eede.

Het was alsof hij de stoptoets van een afstandsbediening had ingedrukt. In een fractie van een seconde ging de hond liggen, met zijn kop plat op de grond. Bij de schapen ontstond enige onrust. Ze stopten met grazen en keken argwanend in de richting van de hond.

'Come by!'

Meteen sprong Joppe weer overeind en begon, met de klok mee, rond de verspreide schapen te rennen in almaar kleiner wordende cirkels. Af en toe liet Van Den Eede hem opnieuw gaan liggen, om de schapen te kalmeren en ze de kans te geven zich te groeperen. Toen er toch eentje een poging deed om zich van de andere af te scheiden, stuurde hij Joppe erachteraan met het bevel 'Look back!' De Border collie veranderde met een soepele beweging van richting en dreef het verdwaalde schaap terug in de richting van de andere.

'Away!'

Deze keer moest hij het bevel een paar keer herhalen voordat Joppe tegen de wijzers van de klok in rond de schapen begon te draaien, die almaar meer naar elkaar opschoven, alsof ze steun bij elkaar zochten. Toen ze uiteindelijk alle vijf dicht opeen stonden, was het tijd voor de *fetch*. Het leek wel of de hond de kleine kudde hypnotiseerde met zijn indringende blik.

'Walk on!'

De schapen stonden nu op één lijn tussen Van Den Eede en Joppe in, die ze zigzaggend in de richting van zijn baasje stuurde. Soms probeerde het groepje, met een bruuske beweging naar links of rechts, te ontsnappen aan de toenemende druk van de hond. Maar die corrigeerde ze meteen, soms zonder dat Van Den Eede een bevel riep.

'Steady, steady...'

Met tegenzin hield Joppe zich wat in. De schapen stonden nu op een vijftal meter voor Van Den Eede, die met afgemeten passen naar de *pen* liep. Hij nam het touw vast dat het poortje van de houten omheining dichthield, en opende het deurtje.

'Walk on, Joppe...'

Sluipend als een roofdier dwong de border de schapen in de richting van het hok. Van Den Eede hield zijn herdersstok evenwijdig met de grond om te beletten dat de schapen het poortje voorbij zouden lopen. Er waren er een paar bij die nerveus om zich heen keken, zoekend naar een uitweg. Maar de gebiedende blik waarmee Joppe het groepje fixeerde, deed ze van idee veranderen. Nog even aarzelden ze, maar toen liepen ze allemaal samen gedwee het hok in.

Van Den Eede haastte zich om de poort opnieuw te sluiten. 'That'll do', zei hij, terwijl hij de hond over zijn kop streelde.

Linda, die alles vanuit het openstaande raam had gevolgd, begon enthousiast te applaudisseren. Van Den Eede wuifde glimlachend naar haar en aaide daarna opnieuw over de dikke, glanzende wintervacht van de Border collie, die, met zijn dampende tong uit zijn mond, hijgend naar hem opkeek.

'That'll do', herhaalde hij zachtjes. 'That'll do.'

Met mijn oprechte dank aan gerechtelijk commissaris Martin Van Steenbrugge en alle FAST-leden, voor hun hulp en advies bij het schrijven van dit boek.

NAWOORD

Koen Vermeiren heeft perfect begrepen waar het om gaat bij het opsporen van voortvluchtige criminelen. Integriteit, vertrouwen, geduld, veerkracht en doorzettingsvermogen, dat zijn precies de vaardigheden waarover een goede *fugitive*-speurder moet beschikken. Mark Van Den Eede en zijn collega's zijn uit het goede hout gesneden. Zij zijn gemotiveerd en gepassioneerd met hun vak bezig. Toch heeft Van Den Eede zijn trouwe maat Erik Rens verloren tijdens een operatie waarbij niet altijd de juiste beslissingen werden genomen. Die traumatische ervaring zal Van Den Eede voor de rest van zijn leven meedragen.

Wij zijn reeds meer dan tien jaar bezig met het FAST, het Fugitive Active Search Team van de federale gerechtelijke politie, dat voortvluchtige veroordeelden opspoort. Dat betekent het onderzoeken, observeren en arresteren van misdadigers. Het is dus niet zonder gevaar. Ik geef mij er dagelijks rekenschap van dat het wel eens fout kan lopen, zoals bij Van Den Eede en zijn collega's, en daarom is de concentratie bij elke operatie altijd maximaal. 'In ons beroep hebt ge ook "eye" nodig', zegt Wim Elias in een gesprek met Van Den Eede over de Border collie. Koen Vermeiren maakt een treffende vergelijking tussen de eigenschappen van zo'n hond en ons werk in de praktijk, want ook daar is 'eye' een vereiste.

In het boek lopen realiteit en fictie naadloos in elkaar over. Het opsporen van voortvluchtigen is niet altijd evident geweest, en dat is het nog steeds niet. Binnen de federale politie werden niet alleen andere prioriteiten gesteld, ook de strafuitvoering, toch het domein waarin het FAST actief is, werd jarenlang stiefmoederlijk behandeld. Als politieman hamer ik er al jaren op dat het niet mag gebeuren dat een voortvluchtige veroordeelde zorgeloos op een exotisch strand ligt met een cocktail, terwijl nabestaanden van het slachtoffer of de slachtoffers van zijn misdrijf achterblijven met hun diepe verdriet en er geen gespecialiseerde politiedienst is die zich actief en gestructureerd bezighoudt met de opsporing van de crimineel.

Het gebrek aan aandacht voor de strafuitvoering en het ontbreken van een Wetboek van Strafuitvoering zorgen er tot op de dag van vandaag voor dat wij niet over speciale politietechnieken beschikken om voortvluchtige veroordeelden op te sporen. Misdadigers die door een strafrechter tot een zware gevangenisstraf werden veroordeeld en voortvluchtig zijn, zitten in een zeer comfortabele positie, omdat de politie geen beroep kan doen op technieken zoals het afluisteren van telefoons, het verrichten van observaties met camera's, het werken met informanten en het traceren van gsm's. Al meer dan tien jaar vragen wij aan de gerechtelijke instanties de wetgeving aan te passen, maar voorals nog krijgen wij weinig of geen gehoor. Het gebrek aan speciale politietechnieken komt vaak aan bod in De blik. Dit geeft dan ook goed aan in welke moeilijke omstandigheden het FAST al jarenlang moet optreden.

De blik heb ik als politieman met veel interesse gelezen. Koen Vermeiren slaagt erin de spanning van het begin tot het einde vast te houden. Hij beschrijft op heel realistische wijze hoe het er echt aan toegaat in een team als FAST. Elkaar door en door kennen en vertrouwen zijn onverbiddelijke vereisten voor een *winning team*. Marc Van Den Eede wil met zijn team het verschil maken, en dat doet hij op een moedige en bewonderenswaardige wijze.

Het opsporen van voortvluchtige veroordeelden is een fantastisch werk en is van alle politietaken het meest beklijvend. De *fugitive*-dossiers laten je nooit los en je bent er 24 uur per dag, zeven dagen in de week, mee bezig. Het is zoals Ernest Hemingway schreef: 'Certainly there is no hunting like the hunting of man, and those who have hunted armed men long enough and liked it, never really care for anything else thereafter.'

Ik wens Koen Vermeiren veel succes toe met het werk aan zijn volgende FAST-boek. De *blik* is alvast een voltreffer. Ik ben er zeker van dat Mark Van Den Eede en zijn collega's nog spannende avonturen zullen beleven.

Martin Van Steenbrugge, commissaris FAST
Brussel, februari 2011